LE PIÈGE DE LOVECRAFT

LE LIVRE QUI REND FOU

DU MÊME AUTEUR

Romans :

NOTRE-DAME SOUS LA TERRE, Grasset, 1998.
L'EGLISE DE SATAN, Grasset, 2002.
LA MUSIQUE DES MORTS, Grasset, 2003.
LE PIÈGE DE DANTE, Grasset, 2006.
LA LANCE DE LA DESTINÉE, Laffont, 2007.
LES FABLES DE SANG, Grasset, 2009.
LE JARDIN DES LARMES, Grasset, 2011.
NOTRE ESPION EN AMÉRIQUE, *la véritable histoire de la naissance des Etats-Unis*, Grasset, 2012.

Bandes dessinées :

CODEX SINAÏTICUS (avec Bertorello/Lapo/Quattrocchi)
T. 1 : LE MANUSCRIT DE TISCHENDORF, Glénat, 2008.
T. 2 : LA PISTE DE CONSTANTINOPLE, Glénat, 2010.
T. 3 : YHWH. LA RÉVÉLATION FINALE, Glénat, 2011.
LE DERNIER CATHARE (d'après *L'Eglise de Satan*, avec E. Lambert)
T. 1 : TUEZ-LES TOUS ! Ed. 12 bis, Grasset, 2010.
T. 2 : LE SANG DES HÉRÉTIQUES, Ed. 12 bis, Grasset 2011.
T. 3 : LE JUGEMENT DE DIEU, Ed. 12 bis, Grasset 2013.
SURCOUF, ROI DES CORSAIRES (avec E. Surcouf, G. Michel)
T. 1 : LA NAISSANCE D'UNE LÉGENDE, Ed. 12 bis, 2012.
T. 2 : LE TIGRE DES MERS, Ed. 12 bis, 2013.
ALIÉNOR (avec S. Mogavino, C. Gomez)
T. 1, 2, 3 : LA LÉGENDE NOIRE, Delcourt, 2012, 2013, 2014.
CAGLIOSTRO (avec H. Prolongeau, A. Lapo)
T. 1 : PACTE AVEC LE DIABLE, Delcourt, 2013.

Autres :

PHILOMÈNE ET LES OGRES, conte musical (lu par Jean-Pierre Marielle et Agathe Natanson), avec Chaillou / Dutertre, Gallimard Giboulées, 2011.

ARNAUD DELALANDE

LE PIÈGE DE LOVECRAFT

LE LIVRE QUI REND FOU

roman

BERNARD GRASSET
PARIS

Photo de couverture :
© Rubberball – Mike Kemp – Getty Images

ISBN : 978-2-246-79428-8

CONFIDENTIEL / ARKHAM ASYLUM.

Echanges de mails entre le patient et l'écrivain français Michel Houellebecq.

ATTENTION : le patient est considéré comme extrêmement dangereux.

Archivés sous réf. Dossier 42, fichiers 14 à 26 (XLT23-E). Dpt du Dr HP Inn-Sane.

Date : Sun, 7 Apr 2013 08 :33 :51 +0200
Subject : Re : http ://necronomicon.com
From : patientX@arkham-asylum.fr
To : Michel Houellebecq <xxxxxxxxxx.fr>

Cher Monsieur Houellebecq,

CECI N'EST PAS UN CANULAR. Je sais votre passion pour cet écrivain maudit que l'on nomme H.P. Lovecraft. C'est pourquoi je vous écris aujourd'hui, depuis l'asile d'Arkham, où Ils m'ont condamné au silence. C'est aussi pourquoi Ils m'ont laissé le faire, et ont demandé l'autorisation de votre éditeur, de votre agent, et en définitive, de vous. Merci d'avoir accepté de lire ces lignes. Monsieur Houellebecq, je sais que vous seul, sans doute, pourrez saisir ce que je veux dire. Ils ne me croient pas. Ils ne croient rien de ce que je leur dis, mais à vous, je le sais, à vous aussi, il a été donné de contempler les Sphères Extérieures, de réunir les Sels, et de jeter un œil au-delà de l'abîme. N'est-ce pas ? Je sais que vous L'avez approché – je veux dire Celui d'En Haut, vous savez de Qui je parle. Je parle de Lui et de Tous Ses Semblables, les Dormeurs et les Rampants, les Devanciers et les Marcheurs, Monsieur Houellebecq – oh, ne faites pas comme si vous ne compreniez pas. Pas vous, pas vous aussi ! Et souvenez-vous que vous n'êtes vous-même qu'un jouet entre Ses mains. Je parle de cette abomination qui gît au-delà de l'Espace et du Temps, et je sais que vous, vous me prendrez au sérieux. Monsieur Houellebecq, s'il vous plaît, dites-leur que je ne suis pas fou. Oui, c'est insensé... Mais vous êtes mon dernier espoir !

Le 27/04/13 15 :05, « Michel Houellebecq » < xxxxxxxxxxx.fr > a écrit :

Monsieur,

J'ai bien reçu votre mail du 7 avril dernier. Une seule question, avez-vous été en contact, de près ou de loin, avec un ouvrage nommé *Necronomicon* ?

Le 27/04/13 15 :33, < patientX@arkham-asylum.fr > a écrit :

OUI !!! OUI §§§§ JE L'AI TROUVE !!!<<<Mais Michel, le *Necronomicon* n'est pas ce que l'on croit, ce que vous avez cru, je le sais, oh j'ai lu votre essai bien sûr – mais vous vous êtes un peu planté, lisez ce qui suit et vous comprendrez pourquoi – ou plutôt SURTOUT NE ME LISEZ PAS, plutôt venez me voir, je suis à Arkham je vous expliquerai tout. D'ailleurs, vous connaissez l'adresse, n'est-ce pas ?

Le 27/04/13 15 :45, « Michel Houellebecq » < xxxxxxxxxxx.fr > a écrit :

Monsieur,

A mon grand regret, je me vois contraint de rompre tout contact avec vous.

Le 27/04/13 15 :53, < patientX@arkham-asylum.fr > a écrit :

Non, Non Michel ! Stephen aussi m'A lâCHé, pourquoi pourQUOI tu mE fAIs ça ?

« Mail Delivery System » < MAILER-DAEMON@oxxxxx.fr >

Nous sommes desoles de vous informer que votre message n a pas pu etre remis a un ou plusieurs de ses destinataires. Ceci est un message automatique genere par le serveur mwinf5d24.cthulhu.fr. Merci de ne pas y repondre / This is the mail system at host mwinf5d24.cthulhu.fr. I'm sorry to have to inform you that your message could not be delivered to one or more recipients.

The mail system « Michel Houellebecq » < xxxxxxxxxxx.fr > : host hotmail.com[65.54.188.72] said : 550 Requested action not taken : mailbox unavailable

Le 27/04/13 15 :33, < patientX@arkham-asylum.fr > a écrit :

Oh mon Dieu je comprends oH mon DIEU ils te tiennent toi aussi Michel n'est-ce pas ? ILS TE D2TIENNENT TOI TOI TOI AUSSI NON NON LAIISSSEZ6LE LAISSSEZZZ-MOOOIIIIII !!!!<<<>>>>>

Lorsqu'au giron de la lune morte
Dans l'ombre déchaînée aux replis de ténèbres
Le Souffle retentit au son d'un cor sans âge
Que les spectres glissant sur le lac de glèbe
Hululent dans des reflets d'eaux-fortes
Retentit la voix profonde des souvenirs anciens
Pour annoncer des limbes sa venue
Et s'épancher entre les arbres nus
Sors ! Sors !
– N'est pas mort qui à jamais dort.

Spencer WILLETT,
Melancholia ex Tenebris.

A David Arnold Milaud.

« Vous avez eu la chance de trouver des exemplaires de l'infernal et abhorré *Necronomicon.* S'agit-il de la version latine imprimée en Allemagne au XVe siècle, de l'édition grecque publiée en Italie en 1567, ou encore de la traduction en espagnol, qui date de 1923 ? A moins qu'il ne s'agisse de versions différentes. Pour ma part, je suis obligé de me contenter de l'exemplaire qui se trouve sous clé dans la bibliothèque de l'université Miskatonic à Arkham. Quel malheur que le texte original en arabe ait été perdu ! » Ces mots, du créateur du grimoire, ou de la Chose, car je ne sais plus comment l'appeler – me reviennent en mémoire. Selon la légende, comme le résume aujourd'hui encore l'un des nombreux sites internet de fans qui lui sont consacrés, ce livre maudit qu'on nomme *Necronomicon* (plus d'un million sept cent trente mille occurrences sur Google) a été banni de la plupart des pays du monde, et les quelques malheureux qui l'ont eu entre les mains sont devenus déments, ou se sont évanouis sans laisser de traces.

Il me faut vous le dire : moi aussi, j'ai bel et bien tenu ce « brûlot » entre mes mains, et j'ai pu en lire quelques chapitres. Ni dans la version anglaise du Dr Dee, ni dans aucune de ces versions dont je ne saurais dire si elles sont authentiques ou pas, ou même si elles existent – *mais j'ai lu le Necronomicon*, je le sais avec la plus parfaite et la plus horrible certitude. Or, il ne ressemble à rien de ce que vous avez pu lire ou entendre à son sujet, si ce n'est peut-être dans certains de ses aspects extérieurs, au gré des terribles fantaisies qu'on lui a prêtées. C'est sans doute là, d'ailleurs, sa plus grande force, sa plus effroyable ruse. J'ai lu le *Necronomicon* – ou peut-être son cousin, le livre qui s'en rapproche le plus ? – et aujourd'hui ils m'ont enfermé, parce qu'ils me croient fou. Je ne me suis pas volatilisé, sinon peut-être pour la raison des hommes, cette raison commune qui n'est qu'une autre forme de folie. J'ai lu le Livre abominable, et moi qui auparavant ne redoutais rien, je tremble chaque soir en me glissant sous mes draps, au seuil de la nuit, parce que je sais que mes cauchemars vont revenir. Ils m'assaillent immanquablement, comme si le livre continuait de me tourmenter en profitant de mon sommeil – ce long calvaire, ce rêve morbide qui prend chaque fois toutes les apparences de la réalité. Dès les premières pages de ma lecture, ma santé mentale avait commencé de vaciller. Qui que vous soyez, où que vous soyez, si vous tombez sur un exemplaire de ce livre démoniaque, croyez-moi : fuyez-le, brûlez-le – même si cela ne suffira pas à le détruire – mais par pitié, *ne l'ouvrez pas.* Vous ne pouvez imaginer la révélation qu'il contient. Et je ne puis moi-même vous la révéler sans risquer bien plus que ma vie.

Abandonnez toute espérance. Ce que vous rencontrerez ici n'appartient pas à la logique ou au cartésianisme rassurant. Rien de commun avec ces tombereaux de livres, ces mots aux accents de faux infinis coulant dans un puits sans fond, qui hantent vos magasins et dont les journaux se font les coryphées, tranquilles et routiniers, ronronnant dans leur illusoire réassurance. J'ai compris, trop tard, que tous ces mots, ces remparts, avaient été comme édifiés autour de *lui*, tout au long des générations, pour ne pas le voir. Des remparts ? Du sable. Des trompe-l'œil. Des illusions d'optique, de piètres châteaux de cartes. Ils ne vous protégeront pas. Après l'avoir haï, j'ai compris la fonction de ce culte perpétuellement rendu par nos contemporains à l'insignifiance : la promotion de la vacuité est comme un *mantra*, un illusoire sortilège de protection. Mais le *Necronomicon* se moque des carapaces et de vos rodomontades grotesques. Plus encore : il sait à quel point cette insignifiance le sert. Il en rit comme il se rit de la Comédie humaine. Car il frappe au cœur – il frappe l'Espoir – et ne renvoie qu'une image : le masque grimaçant, éternel et froid de notre Vanité. Il sait qu'il vous saisit ; qu'il vous tient par avance ; et qu'à la fin, il vaincra.

Mais tout ce que je puis vous dire est contenu dans ces lignes et dans cette histoire. La puissance du *Necronomicon* est bien réelle. Elle vient pour partie de la difficulté qu'il y a à mettre la main sur le manuscrit – je veux dire, le vrai manuscrit. Selon l'acception courante, tout lecteur se heurterait, en se plongeant dans ses pages, à une sorte d'immersion provocatrice, ésotérique et d'abord rébarbative, semée de noms étranges, de symboles hermétiques, de langues et de signes inconnus. Cette assertion est à la fois vraie et fausse. Il est dit également qu'une fois pris au jeu de l'*essence* – une fois que l'on cherche à comprendre le sens de ce texte –, le plus savant comme le plus sot de ses lecteurs est *déjà* tombé dans le piège, bien qu'il l'ignore encore. Et cela est parfaitement exact. L'illusion majeure vient sans doute du fait que l'on croit franchir les « stades » d'une initiation secrète, percer d'insolubles mystères, trouver les clés mystérieuses d'un savoir interdit. On se prend au jeu d'un soi-disant cheminement occulte, chargé de complots ridicules et de conspirations invraisemblables, mais que l'on pense toujours dominer – alors que l'esprit ne fait que s'y égarer davantage – sans *voir* le seul complot véritable, le seul qui, à l'insu du lecteur, le *dévore de l'intérieur.* Il y serait question de diverses dimensions, de divinités effrayantes. Cette rumeur n'est pas infondée, bien que la réalité soit beaucoup plus prosaïque, d'une certaine manière ; cela aussi, je puis le confirmer. Mais les sortilèges, les « psaumes », les incantations, conjurations et exorcismes qui y figurent sont bien loin de ce que vous imaginez, et ne procèdent d'aucune réalité linguistique, étymologique, ni même d'aucune réalité humaine ; du moins une fois franchie et dépassée son apparente lisibilité. N'ayez crainte : vous saisirez bien assez tôt ce que je veux dire.

Magie ? Certainement ; mais pas celle d'Abramelin et des vieux sorciers, ponctuée d'abracadabras, de poudres, de sels, de fluides et d'alambics, d'incantations qu'un esprit normalement constitué ne peut évoquer sans rire. Non, cette magie-là semble émaner de la matière même du manuscrit, confondante et hypnotique, capable d'utiliser notre simple faculté d'étonnement pour instiller son emprise. Et de l'instant où cette seule émotion est apparue – dès lors qu'il a su vous *étonner* – tout est déjà perdu en face du *Necronomicon*. Oh, vous pourrez croire, le temps de quelques paragraphes, de quelques mots, que vous serez le plus fort. Mais il est déjà trop tard. L'envoûtement commence au moment où l'on pose les yeux sur le livre, et où l'on accomplit le geste – oh, geste exécrable et atroce ! – de l'ouvrir. Au jeu des narcisses et de tous les egos, cette abomination prend figure de bûcher. Les noms qui y sont récités, les évocations barbares, les paraboles puissamment suggestives qui y sont transcrites, dit-on, y apparaîtraient comme le plus terrible reflet de l'Inconnu. Ils stimuleraient l'imagination au point de porter le psychisme à l'incandescence. La saturation. L'insoutenable. Là encore, tout cela est à la fois vrai et faux. Assurément, il vous amène à l'Evidence affreuse, et toutes les questions essentielles que vous pouvez vous poser – sur la mort et l'au-delà, sur la place de l'homme dans l'univers, sur la réalité du ou des dieux qui nous gouvernent, plus encore, sur l'origine du Mal – trouvent en effet leurs réponses. Mais ces réponses, il vaut mieux ne pas les connaître. Moi je les connais.

Mais allons ! Je… je sens que *Ça* revient.
Oh, non. Oh, je vous en prie, je vous en supplie, *non !*

Je me suis longtemps interrogé sur les ressorts de la terreur. Dans un certain registre, cette réflexion faisait partie de mon travail. Je ne parle pas ici des simples angoisses liées aux vicissitudes du quotidien qui font les aléas de nos vies ; non, je parle de cette terreur sans nom, de cette terreur primale, universelle, *métaphysique*, dont les racines mêlées plongent dans d'obscurs archétypes, chargés d'indicible et d'étrangeté, et si profondément enfouis dans nos consciences que nous n'avons pas de mots pour les nommer, encore moins pour les comprendre. J'ai pourtant cru – naïf et orgueilleux comme je l'étais – que j'y parviendrais. C'est ainsi que j'ai trouvé et affronté le *Necronomicon.* Dans ce texte, on se perd. Dans ses méandres, on se noie. Dans ce labyrinthe, on ne reçoit bientôt plus en écho que sa propre voix, celle d'un promeneur égaré, d'un fugitif solitaire perdu au milieu de marécages, d'un nid de créatures rampantes. Et jamais plus, on ne peut retrouver le chemin du retour. Parce que, une fois passée la première seconde de lecture de la première page de ce livre maudit, on n'est plus jamais *soi*, du moins le soi *d'avant.* C'est cela, la folie. Le *Necronomicon* vous tue à vous-même. Mais pour le comprendre, *N'gai,n'gha' ghaa, bugg-shoggog, y'hah; Yog-Sothoth, Yog-Sothoth*, il faut que je vous raconte mon histoire.

1

Le Cercle de Cthulhu

Les plus initiés d'entre vous, et peut-être les plus *menacés*, connaissent déjà cette légende littéraire du *Necronomicon*. Même si, je vous le dis, tout ce que vous pouvez en savoir est sans doute faux, du moins partiellement. Disons que l'essentiel vous échappe. C'était à Québec, et le hasard – mais était-ce vraiment le hasard ? – veut qu'à titre de curiosité historique, une plaque commémorative ait été apposée sur l'immeuble où Lovecraft a séjourné au début des années 1930. Cet édifice, baptisé le Saint-André, est situé aujourd'hui encore au 801, rue de Bougainville, à l'angle du chemin Sainte-Foy. H.P. Lovecraft, comme tant d'autres écrivains, avait été séduit par le cachet européen de la ville. J'y suis allé de nombreuses fois depuis, en pèlerinage et pour me recueillir, pourrait-on dire, comme si je ne pouvais me détacher des événements effrayants qui se déroulèrent dans ma ville natale, événements dont je fus l'un des témoins, et surtout l'un des principaux acteurs.

Je ne puis y repenser sans frémir de tous mes membres, et parfois gémir comme une bête blessée. Vous ne pourrez jamais mesurer l'effort que me demande la rédaction de ces lignes, en même temps qu'il représente sans doute le seul moyen qu'il me reste de donner, sinon un embryon de sens, du moins un témoignage de ce qui m'est arrivé. Un témoignage que je sais trop réel pour n'être que le fruit de la démence dont on m'accuse. Je le comprends, car c'est là la seule manière d'évacuer avec moi la ténébreuse vérité que j'ai entrevue, de mettre à distance l'Impensable, car obscurément, les gens savent, voyez-vous – ils savent que la monstruosité est *là*, tapie quelque part dans le mystère de notre destinée, de notre condition et des forces qui nous gouvernent. Ils voudraient tout comprendre, et dans le même temps, ils refusent d'y consacrer toutes leurs forces comme je l'ai fait – par instinct sans doute, parce qu'ils redoutent ce qu'ils pourraient trouver, derrière le voile tendu de leur existence.

Je m'appelle David Arnold Millow et j'habite à Québec. Je suis issu d'une famille d'immigrés français, huguenots débarqués au XVIe siècle dans le Nouveau Monde et d'abord nommés Milaud. J'ai grandi dans une maison de style colonial, un peu délabrée, au fronton triangulaire surmontant des colonnes doriques, honnêtement décorée, avec un grand salon faisant face à une cheminée centrale du plus bel effet, une porte d'entrée pourvue d'un heurtoir frappé aux armoiries familiales, à la fois élégant et ridicule. Mon père était universitaire comme moi, ma mère aujourd'hui décédée s'occupait de la maison. Je n'avais ni frère ni sœur. Les travaux de mon père, bien lui en prit, ne furent jamais comparables aux miens. Il occupait une chaire d'Histoire là où, jusqu'à une date récente, je détenais celle de Littérature française à l'université Laval. Il était spécialisé dans l'Histoire de France, en particulier la période pré-révolutionnaire. L'éducation que j'ai reçue correspondait tout à fait à celle d'une famille de notabilité moyenne, civilisée et versée dans les humanités, usant grandement de philosophie et, modérément mais sincèrement, de religion. Il n'y avait rien dans notre généalogie familiale, du moins à ma connaissance, qui pût me prédisposer à suivre la voie hideuse que j'allais prendre, sinon celle, des plus convenables, des études supérieures dans les Lettres classiques. J'appris les rudiments du grec et du latin, poursuivis dans l'étude de la littérature en complétant mon cursus avec une option consacrée aux langues et civilisations anciennes. Nous avions un train de vie relativement aisé et, tous les deux ou trois ans jusqu'à la mort de ma mère, nous passions une quinzaine de jours en Europe, à Paris, Londres, Rome ou Prague. Ma vie d'étudiant était des plus ordinaires : j'avais des cercles d'amis, sortais tantôt avec une Melissa, tantôt une Jennifer ou une Carol-Ann, et le reste du temps me consacrais essentiellement à la poursuite de mes études, en élève appliqué et plutôt doué, si j'en crois les encouragements de mes professeurs d'alors.

C'est de cette époque que date ma première rencontre avec le *Necronomicon*. Elle survint d'une manière tout à fait inattendue. L'opinion commune y verrait l'un des tours du destin qui, dans l'ombre, prépare l'émergence d'une vocation. Mais les circonstances en étant particulièrement atroces, je pense plutôt aujourd'hui que, déjà, c'était *lui* qui commençait de dérouler ses plans me concernant, pour m'attirer dans ses filets par l'un de ses monstrueux détours. Premier des établissements francophones d'Amérique du Nord, fondé en 1663, l'université Laval est située dans la belle ville de Québec, au pied de la chaîne de montagnes des Laurentides, et dominant le majestueux fleuve Saint-Laurent. Si les spécialités qui ont fait sa renommée sont surtout d'ordre scientifique – la foresterie et la géomatique, les sciences de l'agriculture et de l'alimentation, l'optique et la photonique, ou encore les biotechnologies – on y enseigne également les arts, les langues et les lettres. Laval avait ainsi ses clubs et cercles de lecture, qui rassemblaient des étudiants de spécialités et d'intérêts divers. J'étais moi-même membre d'un cercle littéraire qui s'exerçait – avec un talent très relatif, il faut bien le dire – à écrire des textes de poésie en prose. Du moins était-ce l'ambition affichée. Nous nous étions baptisés *Les Bateaux ivres*, en référence à nos fantasmes rimbaldiens ; intitulé qui, d'ailleurs, correspondait assez bien à la partie la moins louable de nos activités, car nos aspirations poétiques, comme il se doit dans tout rassemblement de créateurs maudits, servaient parfois d'alibi à des réunions bien arrosées. Au-delà de l'ironie de l'enseigne, nous nous retrouvions une fois par semaine pour déclamer et échanger nos brillants essais respectifs, tantôt dans les jardins de l'université, tantôt dans l'un des endroits de perdition dont notre « club », façon « Cercle des Poètes disparus », avait le secret.

Parmi nous se trouvait un jeune homme du nom de Spencer Willett, avec qui j'avais sympathisé assez tôt, bien qu'il fût plutôt froid et taiseux de prime abord. Le mystère qui entourait ce jeune homme m'intriguait et, derrière sa difficulté à communiquer, il me semblait deviner une profondeur dont je me demandais si elle était bien réelle, ou un fantasme de ma part. Grand, brun, traînant en toute saison un manteau noir et romantique, un livre de poésie anglaise ou française sous le bras, la figure pâle, les yeux souvent cernés, des lèvres fines lui donnant un air vaguement vampirique, Spencer passait pour avoir été orphelin très tôt. C'était un garçon secret, d'une sensibilité exacerbée, et il fallait reconnaître que ses premiers travaux, lorsqu'il se décida à nous les montrer, à défaut d'en faire la lecture – il disait avoir une voix fragile, et détester se mettre en avant – ses premiers travaux, donc, surpassaient tous les nôtres. L'écrivain en germe que j'étais alors pouvait le deviner d'un coup d'œil, tout en s'avouant aussitôt battu. Je me souviens notamment d'un poème intitulé *Melancholia ex Tenebris*, qui m'avait impressionné ; et du jour où, abandonnant sa lecture au bout de trois vers, il me tendit son œuvre, en marmonnant une excuse d'un ton fluet, pour que je puisse en terminer la déclamation devant les autres, je fus obscurément conquis par ce personnage digne d'une nouvelle de Poe, d'un fantôme romantique du XIXe façon Henry James avec son *Tour d'Ecrou*, ou d'un Dorian Gray piégé par le pinceau, ou plutôt la plume, de M. Wilde.

Je ne savais presque rien de lui, et Spencer cultivait le mystère. Mais en dehors de sa mélancolie caractéristique, jamais il ne se laissait aller à l'ironie, au cynisme ou à une quelconque forme de malveillance. Il ne participait que modérément à nos agapes ; jamais je ne le vis ivre, mais il ne cherchait pas pour autant à jouer les rabat-joie, tant sur le plan littéraire que durant nos débordements festifs. Son œil s'allumait même de temps en temps, et un sourire venait ourler ses lèvres. Il n'y avait en lui ni mépris ni arrogance – même si, comme je l'ai dit, pas un seul d'entre nous n'ignorait que son intelligence, son talent et son charisme étaient bien supérieurs aux nôtres. Sans doute le savait-il lui-même ; si tel était le cas, jamais il ne chercha à en tirer avantage de quelque façon, ni à user de cet ascendant pour nous dominer d'une manière ou d'une autre. Non, il assistait de temps en temps aux réunions, y osait quelques commentaires sibyllins, et attendait en général la fin de nos entrevues pour, sans même le vouloir, nous crucifier de sa dernière production. Je ne plaisante pas, il m'est arrivé plusieurs fois, en lisant quelques bribes de ses textes, d'être non seulement impressionné, mais encore ému aux larmes.

Si je vous parle de lui, c'est parce que, avant moi, il tomba dans les griffes du *Necronomicon.* Peut-être représentait-il une proie de choix. Peut-être cette sensibilité d'écorché fut-elle le terreau de son égarement dans les abîmes de monstruosité qui se préparaient. Je m'interroge encore sur les circonstances exactes de cette rencontre, sur le moment où sa raison, happée par le livre, a pu céder. Toujours est-il que le gouffre devait bientôt s'ouvrir sous ses pas, et entraîner avec lui certains d'entre nous – dont moi.

Lorsque je commençai à le connaître mieux – je me souviens qu'il m'avait, pour la première fois, parlé de la mort de ses parents dans un accident de voiture, et que j'avais quant à moi évoqué le décès de ma mère – Spencer, du jour au lendemain, sembla ne plus prendre goût à nos débats littéraires. Il décida de ne plus assister aux réunions et, comble de l'insulte, rejoignit un autre club de l'université. Cela nous parut à tous non seulement une grave erreur, mais aussi, pour le coup, une manière d'ingratitude, voire de mépris. Spencer parti, beaucoup laissèrent libre cours à leur jalousie, et ne manquèrent pas de lui en vouloir. D'autant que le cercle pour lequel il nous avait quittés ne pouvait que nous étonner, et éveiller l'ironie facile des plus snobs d'entre nous. Il avait en effet troqué *Les Bateaux ivres*, avenir de la poésie moderne, pour un nouveau club baptisé *Le Cercle de Cthulhu*, dont l'intitulé même nous était incompréhensible. Nous imaginions volontiers un cercle vaguement ésotérique de jeunes gothiques en rupture de ban. En fait, du moins pour ce que nous en savions, ce club se bornait à une association d'étranges compétiteurs. Ils ne s'adonnaient pas à n'importe quel type de divertissement, mais à une reprise de ces « jeux de rôles », très en vogue dans les années quatre-vingt, où, réunis par un Maître du Jeu autour de scénarios conçus pour l'occasion, les acteurs vivaient dans la peau de personnages inventés des aventures fictives, tout cela le plus généralement autour d'une simple table. L'un de ces jeux, *L'Appel de Cthulhu*, avait d'ailleurs été inspiré de l'univers du susnommé H.P. Lovecraft. Mais entre-temps, l'Internet était passé par là, et les jeux vidéo avaient pris un essor sans précédent. Les parties du *Cercle de Cthulhu* se faisaient autour d'une plate-forme virtuelle, le Maître du Jeu se nommait désormais Administrateur Système, et l'ensemble fonctionnait autour d'un logiciel téléchargeable créé par les membres de la communauté. Mais le principe restait le même : on s'échauffait entre affiliés au club avant de se retrouver pour une partie en ligne. Une partie mystérieuse à laquelle, bien sûr, aucun intrus n'était toléré, ou tolérable ; impossible d'accéder au jeu, de toute manière, sans bénéficier des mots de passe et codes requis, autant de clés implacablement, fatalement incessibles.

Qu'était-il arrivé à Spencer ? Allait-il gâcher un talent déjà brillant pour se plonger dans des jeux de rôles virtuels, fussent-ils inspirés d'univers littéraires, s'étourdir tel un fameux Otaku japonais ou l'un de ces joueurs acharnés qui émaillaient parfois les actualités ? Ces fans, happés par leur univers de substitution, au point de ne plus sortir de chez eux ? Spencer, un *sans-vie* – une expression qui voulait tout dire ? Quelque chose ne tournait pas rond. Surtout, je ne pouvais m'empêcher d'être blessé à l'idée qu'il nous ait quittés – qu'il m'ait quitté – sans préparation ni explication. Lorsque je le croisai, après avoir appris la nouvelle, et que je lui demandai ce qui avait motivé sa décision, il se contenta d'un haussement d'épaules, puis d'une phrase dont je me souviens encore : « J'ai trouvé plus intéressant. » Il ne s'y serait pas pris autrement pour nous – pour *me* – vexer, mais la façon dont il avait jeté ces mots me laissait assez entrevoir que, dans son esprit, cela n'était pas lié à un jugement sur la qualité de notre propre cercle ; c'était plutôt qu'il avait *vraiment* trouvé plus intéressant. Je ne voyais guère, pourtant, ce qu'il pouvait trouver de « plus intéressant » à des parties de jeux en ligne, certes amusantes, mais qui me paraissaient davantage le vestige d'un passe-temps adolescent qu'un tremplin pour la naissance d'une future œuvre consacrée par la critique mondiale. Et ce n'était pas parce qu'il basculait du livre à l'électronique, ou de nos belles lettres classiques au post-modernisme virtuel, qu'il serait meilleur poète. Là aussi, lorsque je lui fis part de ce scepticisme, avec les précautions qui s'imposaient, il se contenta d'un sourire énigmatique. « Mais la poésie est morte… », se contenta-t-il de me glisser.

Il s'écoula plusieurs mois avant la catastrophe, et je ne recomposai que plus tard le tableau de sa longue déchéance. Dans un premier temps, je décidai, un peu crânement, d'entretenir à son égard une sorte d'indifférence courtoise, mais provoquée – tandis que la sienne était bien réelle. Et si, au début, mon air distant cachait encore de la curiosité, celle-ci s'estompa de fait peu à peu, jusqu'à devenir routinière, à mesure que lui-même semblait s'effacer du paysage. On le voyait de moins en moins à l'université ; sa pâleur anémique grandissait, il flottait dans ses vêtements. On eût dit, là encore, un phtisique du début du siècle trop porté sur l'absinthe. Après quelques parties au sein du *Cercle de Cthulhu*, il en vint même à se déconnecter de leur petit réseau intime, sans pour autant revenir vers nous. « Ça devait arriver », ironisaient certains de mes camarades.

Au hasard d'une journée, je décidai de me rendre chez lui. Il avait dit habiter une petite chambre à quelques encablures de l'université. Il était pauvre, mais bénéficiait d'une bourse d'Etat qui lui avait permis de louer quelques mètres carrés sous la grange d'une villa d'inspiration coloniale, assez semblable à la mienne, encore qu'on n'en fît plus à Québec depuis longtemps. Lorsque je rencontrai son propriétaire, celui-ci m'annonça que Spencer avait quitté sa chambre récemment et qu'il avait emménagé ailleurs, sans lui dire où. Je revins une première fois à l'université, perdu dans mes méditations. En qualité de membre actif des *Bateaux ivres*, fils d'une ancienne sommité professorale du lieu, et délégué de ma promotion, j'avais accès au fichier d'adresses des élèves. Je savais que Spencer n'avait pu passer sous silence ses nouvelles coordonnées auprès de l'administration. Je me renseignai vite et trouvai sa nouvelle adresse, au 45, Chemin des Plants, dans la banlieue proche. Je décidai de m'y rendre le lendemain, m'inquiétant du fait que, d'après mes sources, il n'avait pas mis les pieds à Laval depuis déjà deux semaines. Il avait prétexté auprès des services concernés une maladie qui le retenait chez lui.

Chose curieuse, dans le même temps, l'un des membres du *Cercle de Cthulhu* avait emprunté pour son compte quantité de livres à la bibliothèque, qu'il avait sans doute dû lui porter. Cela me laissa perplexe, notamment parce que je connaissais la réticence de Spencer au contact et aux épanchements humains – réticence qui, à première vue, n'avait cessé d'empirer. Qui avait pu gagner à ce point sa confiance ? Pour couronner le tout, il s'avéra que son « passeur » se prénommait Albert et que, de toute évidence, lui aussi avait été séduit par Spencer – mais dans des proportions bien différentes. Petit, corpulent, également affligé d'une pâleur inquiétante, Albert avait un pied bot. Sous ses dehors évasifs, je devinais un feu des plus inquiétants. Et lorsque je l'entretins de ce qu'il faisait pour Spencer, j'eus la désagréable impression d'avoir en face de moi une sorte de serviteur disgracieux prêt à tout pour satisfaire son mentor – car Spencer devait avoir trois ans de plus que lui. Il avait l'air d'une espèce de Golem envoûté par son rabbin de maître. Spencer semblait capable d'en faire ce qu'il voulait. Je louvoyai pour m'enquérir auprès d'Albert d'une adresse que je connaissais déjà et, comme je m'y attendais, il ne m'en dit pas davantage ; pas plus sur l'adresse en question que sur la nature des livres empruntés, ou sur la prétendue maladie qui retenait Spencer loin de l'université. Il parla encore moins de ses activités. J'aurais aimé discuter aussi de la nature exacte de ces parties de jeux de rôles du *Cercle de Cthulhu*, mais étant assez ignorant en la matière, j'étais bien en peine de lui poser les bonnes questions.

En ce qui concernait les livres, il me fut facile de poursuivre mon enquête. Je me procurai sans difficulté la liste des ouvrages que Spencer avait commandés via Albert. Ma perplexité redoubla. Ils avaient été principalement empruntés au département des livres ésotériques de l'université, qui n'étaient pas légion. Leurs titres étaient pour moi de l'hébreu. Il y avait ainsi parmi eux un certain *De Vermis Mysteriis* ou *Mystères du Ver*, qui m'était alors totalement inconnu, un commentaire des *Cultes Innommables* d'un certain Friedrich von Junzt, une traduction des *Manuscrits Pnakotiques*, la fameuse *Histoire du Necronomicon*, ainsi que d'autres recueils de Lovecraft. Je doutais sérieusement, désormais, que ses seules aspirations poétiques eussent conduit Spencer à se procurer ce genre d'ouvrages, et qu'il passait ses journées à écrire des sonnets. Cela ne fit que renforcer ma curiosité.

Bien que peu enclin au commerce avec ses semblables, Spencer, sous ses dehors d'éphèbe vampirique, avait auprès des étudiantes de Laval un grand prestige. Il faisait peur autant qu'il excitait les plus romantiques – même si, à notre connaissance, Spencer avait toujours été seul depuis son arrivée à l'université. Je savais que l'une de ces jeunes filles, en particulier, qui se nommait Deborah, était éperdument amoureuse de lui. La coiffure en pétard, entre Robert Smith et Marilyn Manson, le visage fardé de blanc et les yeux charbonneux, toujours habillée d'une veste de cuir, elle avait un air gothique et une sorte de beauté funèbre ; elle semblait en effet toute désignée pour s'entendre avec lui.

Ravalant sa fierté, elle lui avait écrit plusieurs fois. Textos discrets, mails, hameçons lancés sans succès sur les réseaux sociaux – Spencer y ouvrait des pages sans jamais les renseigner, et une silhouette vide tenait chaque fois lieu de photo d'accueil – Debbie avait fini par revenir à la traditionnelle lettre d'amour. A l'encre violette, et en prenant garde à son orthographe. Spencer s'était montré gentil sans jamais lui répondre, ce qui n'avait fait qu'attiser l'étincelle sous la cendre. Pour se rapprocher de lui, elle avait rejoint, elle aussi, le *Cercle de Cthulhu.* Lorsqu'un matin je la vis pleurer discrètement sur un banc, à l'ombre d'un feuillage touffu, au bout du parc, je soupçonnai que cette Ophélie avait dû être de nouveau déçue. Il y avait du Spencer là-dessous; j'allai donc la trouver. Elle faillit détaler comme une biche mais, se souvenant de son habitude des bravades, ne bougea pas. Après quelques manœuvres d'approche, je pus en venir au sujet qui m'intéressait. Certes, elle avait été rabrouée, ce qui expliquait sa tristesse. Mais je décelai en elle quelque chose de bien plus grave. Une profonde inquiétude. Non : une véritable terreur, qu'elle s'efforçait de dissimuler. Je sentais qu'elle n'osait en parler; peut-être cherchait-elle ses mots, mais ce noyau était tapi au fond d'elle tandis qu'elle levait les yeux vers les feuillages, et elle tournait autour du sujet. Pour l'encourager, je lui dis que j'avais retrouvé sa nouvelle adresse, et que j'allais bientôt me rendre chez lui pour lui parler. A peine avais-je lancé ces mots qu'elle tourna la tête vers moi comme si j'avais prononcé le pire des blasphèmes. Ses grands yeux se fichèrent dans les miens, son mascara avait laissé des traînées noires sur ses joues. Son regard tremblait.

— Non… N'y va pas. Il ne faut pas y aller.

— Mais… Pourquoi? Debbie… Et ces parties en réseau, là, votre *Cthulhu.com*? Vous y faites quoi, exactement? Et les livres que Spencer a empruntés à la bibliothèque?

— Il… Il se passe quelque chose.

— Que se passe-t-il, Debbie? Que fait-il là-bas?

— Il ne faut pas y aller! Ce que j'ai vu… ce que j'ai vu… *N'y va pas!*

Sous sa mèche noire, ses yeux vibraient d'effroi. Elle paraissait au bord des larmes, et plus pâle encore qu'à l'ordinaire. J'allais insister mais elle se leva, mettant ainsi un terme à la discussion. Elle s'en fut d'un pas pressé en secouant la tête, une main crispée sur son sac, l'autre sur sa veste de cuir, tandis que j'essayais en vain de la retenir :

— Deborah !

2

La Grange des Laurentides

Je décidai de me rendre chez Spencer en voiture. Durant le voyage, je récapitulai ce que je savais en contemplant les cimes lointaines des Laurentides, les replis ténébreux des forêts et les collines ruisselantes de conifères. Je suivis la route 175 Nord, au cœur de la réserve faunique des Laurentides, et parvins en lisière de la rivière et du parc de la conservation Jacques-Cartier. J'y étais allé par le passé, mais ne pouvais m'empêcher de me demander pourquoi Spencer avait choisi de déménager aussi loin, alors même que son ancien logement se trouvait à deux pas de l'université, et que ni lui, ni son propriétaire précédent, n'avaient eu à se plaindre. Etait-ce vraiment une question d'argent ? Si tel était le cas, je caressais l'idée de proposer à mon père qu'il intercède auprès de l'université pour obtenir un concours financier, ou bien de l'aider par une contribution directe ; après tout, il ne restait que trois mois avant la fin de l'année, à l'issue de quoi Spencer serait diplômé – si toutefois il avait la bonne inspiration de se présenter à ses examens. Mais à y repenser, on pouvait louer des chambres bon marché partout dans Québec même.

J'espérais bien le trouver chez lui. Car, autre chose troublante, Deborah m'avait dit que dans son nouveau lieu de villégiature, Spencer n'avait pas le téléphone, et qu'il s'était même débarrassé de son portable. Son *portable?* Mais pourquoi cette soudaine posture d'ermite solitaire ?

Il devait être environ seize heures lorsque j'atteignis le 45, Chemin des Plants. Ce que j'y trouvai accentua ma confusion : une simple grange de bois, perdue à l'orée de la forêt. Peut-être la dépendance d'une ancienne ferme à l'abandon, comme semblaient en témoigner les ruines d'un autre bâtiment en pierre, non loin. L'ermite... Je ne croyais pas si bien dire ! On accédait à la baraque après avoir franchi une barrière grinçante, au bout d'un sentier à demi recouvert d'herbes folles. Au-delà de la grange et de l'ancienne ferme s'étendait le rideau touffu des conifères. Le temps s'était couvert, et le vent froid qui se levait en cette fin de journée ajoutait à l'aspect lugubre de l'endroit. Etonné, je restai quelques instants les mains dans les poches à le contempler, avant de me décider à pousser la barrière et à emprunter le sentier. Aucune lumière n'était apparente, mais en jetant un coup d'œil par la fenêtre, je devinai l'éclairage d'une lampe disposée sur ce qui semblait être un bureau, ou un établi. Au milieu d'une soudaine bourrasque, je me glissai près de la porte et frappai plusieurs coups répétés.

— Spencer ?...

J'espérais que mon intrusion ne le dérangerait pas, et me demandais de quelle manière il allait me recevoir. Le sourcil froncé, je luttais pourtant contre une désagréable impression. Cette grange, et la forêt sauvage au-delà, dégageaient quelque chose d'obscurément hostile. Pour quelle raison avoir choisi un endroit pareil ?

Mes coups restèrent sans réponse.

Je frappai de nouveau, et eus la surprise de voir le battant s'ouvrir devant moi dans un nouveau grincement.

Je glissai timidement la main sur le battant et le poussai avec lenteur.

— Spencer ? C'est David.

Toujours pas de réponse. Après une hésitation, je pénétrai à l'intérieur, me demandant soudain si je ne m'étais pas trompé. Mes yeux tentèrent de s'habituer à la semi-obscurité. La lampe que j'avais entrevue par l'une des rares fenêtres semblait une antiquité, une lampe à pétrole dont la flammèche dansait en projetant contre les murs de bois des reflets mouvants. Aucun interrupteur… Pas d'électricité non plus ? Je secouai la tête, incrédule. J'avançai sur le parquet grinçant en levant les yeux. Une ancienne grange, en effet. Il n'y avait pas d'étage, sinon une espèce de grenier ou de mansarde ajourée à laquelle on accédait par une échelle. J'y devinai la présence d'un lit et d'une seconde lampe, une autre vieille lampe à pétrole ; c'était là que Spencer devait dormir. Des poutres de sapin soutenaient le toit en triangle agrémenté d'une fenêtre au fronton sud, tandis que deux autres fenêtres, de part et d'autre de l'édifice branlant, croisaient leurs rais de lumière finissante. L'endroit était incroyablement poussiéreux. Le mobilier, quant à lui, était pour le moins dépouillé. Une chaise miteuse devant l'établi, une table basse qui semblait sur le point de s'effondrer. Un ordinateur – éteint, bien sûr – traînait sur une table devant une fenêtre aveugle.

A l'est, un renfoncement donnait sur une sorte de local séparé, équipé d'une douche rudimentaire, d'un évier et de toilettes. Le tout composait un tableau pour le moins rustique. Contre l'un des murs reposaient une pioche rouillée, une truelle et un râteau. En dehors du décrochement des commodités, et d'un autre que je devinai au sud-ouest, plongé dans l'ombre, le lieu était d'un seul tenant.

— Spencer ?

L'endroit semblait vide, mais la lampe allumée et les reliefs d'un maigre repas attestaient d'une présence récente. Etait-il sorti ? Dans ce cas, je pourrais toujours l'attendre un moment. Mais la nuit commençait à tomber. Je regardai ma montre, soupirai, puis m'avançai vers l'établi. Il était composé d'une large planche reposant sur deux tréteaux. Je m'avançai encore, constatant grâce à un rapide coup d'œil à travers la fenêtre, qu'une brume bleuâtre se glissait en langues indistinctes à la lisière de la forêt. Sur l'établi, je distinguai une pile de livres dont la présence ne me surprit pas. Je retrouvai le *De Vermis Mysteriis*, le commentaire des *Cultes Innommables*, les *Manuscrits Pnakotiques* et les divers recueils de Lovecraft, ainsi qu'une très vieille reproduction émaillée de gravures des *Histoires extraordinaires* de Poe. Je les feuilletai, tandis qu'un frisson me gagnait. L'atmosphère était glacée. Pas de chauffage, pour finir ! Une cheminée en pierre, assortie d'un four d'un autre âge, était coincée auprès du mur de gauche ; mais lorsque je m'approchai pour remuer d'un vieux tison rouillé les quelques braises noircies, je m'aperçus qu'elles étaient froides. De retour vers l'établi, et vers la table sur laquelle reposait l'ordinateur éteint, je retins un cri de surprise en découvrant de grandes feuilles de papier, sur lesquelles était déposé un petit carnet noir.

Ce que j'y vis était proprement hallucinant. Carnet et feuilles étaient griffonnés d'une écriture minuscule et irrégulière, qui ne laissait pas un espace vide. Plissant les yeux et approchant la lampe, je ne pus retenir une exclamation. L'écriture, tantôt en anglais, tantôt en français, était quasi illisible. De temps en temps revenait, en caractères chaotiques et confus, la mention : *Necronomicon.* Je n'en compris que des bribes, qui ressemblaient à des invocations dont le sens m'échappait ; parsemées de noms étranges, elles s'interrompaient pour laisser place à une calligraphie d'un autre genre, qui m'était totalement inconnue : on eût dit une sorte d'écriture cunéiforme, ou curviligne, qui rappelait certains manuscrits ou parchemins propres à la culture mésopotamienne, sans que je puisse en être sûr ; et cette invraisemblable calligraphie, ponctuée de symboles mystérieux, acheva de me désorienter. Des bougies rouges, éteintes et presque entièrement consumées, avaient laissé couler leur cire sur le bois de l'établi. Le comble fut atteint lorsque je visualisai plus distinctement les *dessins* qui accompagnaient les documents.

Spencer… Est-ce toi qui as fait ça ?

On y voyait des créatures parfaitement hideuses, que je serais bien en peine de décrire aujourd'hui avec exactitude, tant mes souvenirs sont confus ; ils s'accordent à ce brouillard qui, alors, gagnait les environs, et à cette forêt noire qui paraissait avaler le flanc immense et déchiqueté de la montagne voisine. Les dessins avaient été réalisés au crayon et au fusain. Je me rappelle surtout l'impression à la fois ténébreuse et grotesque qui s'en dégageait : des monstres sortis tout droit du *Necronomicon* et des œuvres de Lovecraft, du moins pour le peu que j'en savais alors, ou de Stephen King et autres écrivains ou cinéastes du même genre, spécialisés dans le fantastique et l'horreur.

Des créatures sans forme distincte, pourvues d'yeux arachnéens et disposés en triangle au bout de membranes de chair spongiforme ; des tentacules infinis qui paraissaient presque danser sous mes yeux, à moins que ce ne fussent les reflets de la lampe à pétrole située non loin de moi ; des corps titanesques et lacérés, cerclés d'appendices qui donnaient l'illusion d'une sorte de barbe mouvante, avec à la base la figuration de pieds gélatineux ; à ces éléments chimériques se mêlaient des aspects anthropomorphes, combinant à leur apparence immonde les vestiges de corps humains ; des visages glissés dans ces replis obscurs, à peine décelables, hurlaient dans des remous de peau tantôt parcheminée, tantôt striée de noir. Des queues semées d'écailles luisantes s'achevaient en une sorte d'antenne surmontée d'un autre œil, froid et ouvert sur je ne sais quelle obscurité ; des arêtes acérées dardaient leur pointe sur des échines frissonnantes, comme celles de molosses sur le point d'attaquer. Tout se confondait, les dessins semblant parfois avoir été exécutés avant que les écritures sibyllines ne les recouvrent, lorsqu'ils ne surgissaient pas au détour de l'une des formules hermétiques écrites dans ce langage inquiétant et tortueux. A les regarder, j'eus le brusque sentiment d'être hypnotisé, tandis que mon inquiétude redoublait. J'eus spontanément un mouvement de recul.

— Spencer ?

La gorge sèche, je me préparais à appeler de nouveau lorsque mes yeux furent attirés par un détail insolite. Sur le sol, l'endroit était si poussiéreux que l'on devinait des traces de pas. J'y reconnus les miennes, ainsi que celles de chaussures de marche qui pouvaient être celles de Spencer. Mais – était-ce le fruit de ma nervosité ou celui de la lumière déclinante ? – dans ces traces de poussière, je crus deviner d'autres empreintes de taille bien supérieure à celle de pieds humains, ou de n'importe quelles pattes d'animal connu. Quelque dix orteils, répartis autour d'une sorte de ventouse en étoile. Un objet quelconque aurait-il pu laisser une trace semblable ? Lequel ? Un bâton ou une canne, peut-être ? Le parquet grinça. Mon imagination ne pouvait que me jouer des tours ! Je remarquai que ces traces, dessinant sur le sol leur étrange ballet, conduisaient au second renfoncement du mur sud-est, que j'avais deviné sans l'avoir encore exploré. Clignant les yeux, je suivis les empreintes. Elles se recouvraient parfois les unes les autres ; plus étrange encore, elles semblaient se suivre de manière régulière, comme si elles appartenaient à… un *être unique*, dont la trace gauche aurait été celle de la patte aux contours imprécis, tandis que la droite avait une apparence normale !

Je ne pus m'empêcher de lâcher un rire nerveux. Ces dessins ineptes avaient sur moi un effet inattendu. Je chassai avec autorité ces impressions absurdes. Pourtant, le sentiment d'hostilité immanente et secrète qu'il m'avait semblé percevoir en arrivant redoublait. La nuit du dehors se répandait autour de moi, cernant la grange, alors qu'une lune blanche surgissait derrière les conifères ; j'avais l'impression de glisser moi-même dans un abîme irréel, au milieu de cette brume montante. Je crus la voir se glisser sous le seuil de la porte, et de nouveau je jetai un rire nerveux. Entendre ce rire eut pour effet paradoxal de me calmer. L'obscurité du renfoncement, sorte d'alcôve, était telle que je retournai me saisir de la lampe à pétrole. Je la dressai devant moi, puis en direction du sol. Je m'aperçus de l'existence d'une trappe, munie d'un verrou en fer.

Le verrou était ouvert.

J'hésitai un long moment à poursuivre mes investigations, et me retournai en direction de l'établi. Les feuilles à dessin, le carnet griffonné, les livres de la bibliothèque, tout avait été happé par l'obscurité, je ne distinguais plus que des angles écornés.

Je m'accroupis devant la trappe. Ma main saisit le verrou. Les traces s'engouffraient à l'intérieur… et les paroles de Debbie revinrent aussitôt frapper mon esprit : « Il ne faut pas y aller ! Ce que j'ai vu… *N'y va pas !* » Deborah était-elle descendue par cette trappe ? Et qu'avait-elle vu qui pût justifier une telle terreur ? Quant à moi… avais-je vraiment envie de le savoir ?

Surmontant mon effroi, je finis par saisir le verrou et tirai la trappe d'un coup.

Je découvris un étroit escalier de marches pourries. Aussitôt, un air pestilentiel venu des profondeurs m'assaillit, au point que, dans un mouvement de recul, je dus retenir une nausée.

Puis, relevant la lampe, je tentai de l'approcher des marches. Elles descendaient vers la bouche d'ombre, sans que je puisse savoir où elles s'arrêtaient.

— *Spencer ?* Bon Dieu, Spencer, tu es là ?

Mais je n'entendis que le vent au-dehors, et je sursautai lorsqu'un volet de bois vint frapper le mur.

Et s'il lui était *vraiment* arrivé quelque chose ?

Je ne pouvais plus renoncer. Plus maintenant.

Avalant ma salive, prenant garde aux miasmes qui se dégageaient de l'ouverture, je m'aventurai sur la première marche.

Puis la deuxième…

Lentement, je m'enfonçai dans l'obscurité.

3

Pandémonium

L'escalier grinçant me conduisit quelques mètres plus bas, sur un sol de terre humide. Autour de moi, les parois alternaient la pierre et la terre, sous des voûtes irrégulières soutenues ici et là par des poutres. Cette cave s'ouvrait sur une galerie plongeant vers de nouvelles noirceurs.

Je restai là quelques instants, saisi par la puanteur et l'aspect repoussant de l'endroit. J'appelai de nouveau Spencer, mais l'écho sinistre que me renvoyèrent les murs me dissuada de recommencer. De minces filets d'eau suintaient des voûtes, portant à son comble le sentiment d'oppression qui me submergeait.

Je suivis lentement la galerie, et m'aperçus bientôt qu'elle n'était pas unique. C'était insensé. La grange communiquait avec un réseau souterrain, sans doute d'une ampleur incalculable. De nombreux couloirs couraient sous la terre, vaste gruyère supporté par ces poutres de guingois qui semblaient au bord de l'effondrement. J'eus beau me dire qu'il pouvait s'agir là des vestiges d'une quelconque mine aurifère, abandonnée depuis des lustres, mon cœur battait toujours plus fort.

Cette hypothèse, pourtant, était la plus vraisemblable. Peut-être la grange avait-elle appartenu à des mineurs, ou servi d'entrepôt, au début de l'exploitation des ressources des Laurentides. Les poutres, les crochets sur les murs témoignaient que ces souterrains avaient été creusés par des hommes, je ne sais quels pionniers d'autrefois. Il devait donc exister d'autres sorties, à flanc de montagne ou au cœur de la forêt, mais la mine n'étant signalée sur aucune carte, on pouvait en conclure que le site était condamné depuis longtemps.

Tandis que je me perdais en conjectures, ma main se crispait, moite, sur la lampe. Puis un souffle, sorte de brise nauséabonde, me parvint. L'idée brutale que ma lampe puisse s'éteindre me jeta quelques instants au bord de la panique. Je me vis soudain égaré au milieu de ces galeries noires et suintantes, errant sans fin dans les ténèbres. Je me retournai vers la vague lueur qui provenait de la trappe, prêt à prendre mes jambes à mon cou. Mais la curiosité fut la plus forte. Je repoussai ce sentiment d'effroi pour avancer vers l'endroit d'où venait l'odeur. A ma grande surprise, au détour de la galerie, je vis d'autres lampes suspendues à intervalles réguliers. Or, elles étaient *allumées.*

— Spencer ?

Retrouvant mon souffle, je suivis la galerie sur une trentaine de mètres… et débouchai dans une sorte de salle voûtée, dont la vue m'arracha un cri d'horreur.

Non, ce n'était pas une mine.

Quelle abomination !

Sur trois des quatre murs de la salle, des trous étaient creusés, peut-être une dizaine en hauteur, les uns au-dessus des autres, et une quinzaine en largeur. Chacun était rempli d'ossements et de crânes qui m'accueillaient dans un concert de ricanements muets.

Des catacombes ! Je suis dans des catacombes !

Etait-ce là une sorte de crypte, de mausolée interdit ? Un cimetière réservé aux pionniers d'autrefois ? Toujours est-il que ces masses calcifiées composaient un spectacle de cauchemar ; des os jaunis par la lueur des lampes, rongés par le temps et les rats qui avaient dû élire domicile dans ces profondeurs, étaient amoncelés dans chacun des réduits. Plus étrange encore : des étagères couvertes de toiles d'araignées étaient alignées le long de la dernière paroi, la seule qui fût épargnée par ces sépultures affreuses. Là se trouvaient des livres poussiéreux, au-dessus d'une table où étaient rangés des flacons sans étiquette, remplis de substances dont je préférais ignorer la nature. J'étouffai une exclamation nauséeuse en m'apercevant que, sur la table, étaient abandonnés les cadavres de trois ou quatre petits rongeurs qui ressemblaient à des écureuils. Seigneur – *des écureuils !* Mais c'était à leur queue caractéristique qu'on les reconnaissait – parce que, pour le reste, c'était un carnage.

Décapités. Ouverts de la gorge à l'arrière-train, ils étaient éventrés, éviscérés comme s'ils avaient fait l'objet d'une dissection aussi attentive que maladroite. Certains étaient déjà dévorés de l'intérieur par quelques larves luisantes. Des traînées de sang avaient coulé jusque sur le sol. Du plafond pendaient des branchages réunis en triangles ou en pentagrammes cassants, agrémentés de curieuses boules de verre, le tout composant des figures tintinnabulantes des plus inquiétantes. Je fus saisi de vertige. Indépendamment du malaise puissant que ces lieux pouvaient susciter en n'importe quelle personne normalement constituée, les éléments que je rencontrais tour à tour ne témoignaient que trop de l'état de confusion, voire de délabrement mental dans lequel devait se trouver l'habitant de la grange. Et c'était cela, par-dessus tout, qui m'angoissait.

Je m'avançai près des flacons disposés sur la table et en saisis un en tremblant. Il était empli d'une poudre vert pâle, à laquelle répondait, dans un autre flacon, une substance rouge qui ressemblait à du mercure, en plus visqueux. D'autres produits se trouvaient là, ainsi que des instruments en verre dépoli, alambics et pipettes ordinaires, ou vases aux formes insensées. Cet « atelier » abritait les relents de quelque sombre nécromancie, à moins que ces ustensiles confinant au grotesque ne fussent seulement destinés à décourager les curieux. Je secouai la tête, passant la main sur mon visage. La puanteur m'agressa à nouveau. Le moins que l'on puisse dire était que Spencer avait visiblement dérapé – et bien dérapé.

Une profusion de dessins m'environnaient : certains posés à même le sol, d'autres trônant sur des chevalets de diverses dimensions, ou encore roulés auprès de l'ossuaire, à la manière des rouleaux de Qumrân oubliés dans leurs jarres, le long des rives de la mer Morte. Et sur chacun de ces dessins, tous obsessionnels, dans des débordements de fusain et d'encre noire, je retrouvais les créatures improbables aperçues en haut ; gargouilles et entités grouillantes, aux crocs sanglants, êtres fongueux avalant le monde, et qui semblaient le travail d'un artiste touché par la démence. Face à cet étrange cimetière, j'eus de nouveau l'impression que ces créatures menaçantes étaient *vivantes*, et pouvaient à tout instant surgir de leur toile ou de leur papier pour se jeter sur moi et dévorer mes entrailles comme celles de ces écureuils sacrifiés sur la table.

— N… Non…

Je brandis le faisceau de ma lampe à gauche. Puis à droite.

Celle-là… N'avait-elle pas *bougé ?*

La sueur dégoulinait le long de mes aisselles.

Une pâleur froide, mêlée de fièvre, gagna mon front. Je n'étais plus très sûr ni de mes sens ni de ma raison, et dus faire un effort surhumain pour ne pas hurler. Quel était cet enfer ? Au pied des étagères, à côté des flacons, reposaient des figurines reproduisant la difformité monstrueuse et indistincte des créatures rassemblées autour de moi, à ceci près qu'elles étaient dénuées de visage. Je ne savais si elles étaient d'argile, de pierre ou de quelque autre matière. Un autre carnet quadrillé était ouvert au milieu de cette profusion suspecte, et lorsque j'y jetai les yeux, je fus saisi d'horreur. Il était barbouillé de traînées noires, et mille noms barbares s'y trouvaient consignés, tantôt en anglais, tantôt en français, les deux langues elles-mêmes entremêlées dans cette écriture inconnue que j'avais vue là-haut ; et en un geste autant guidé par mon instinct que par ma terreur du moment, j'en arrachai une page. Chaque pouce était couvert de ces noms horribles, qui composaient une sorte de pathétique pandemonium, de panthéon de ténèbres dont le sens, tout d'abord, m'échappa.

Une liste interminable.

Arwassa, the Silent Shouter on the Hill, Aphoom-Zhah, the Cold Flame, Lord of the Pole, Atlach-Nacha, le Dieu-Araignée, Baoht Z'uqqa-Mogg, the Bringer of Pestilence, Basatan, Le maître des Crabes, Bokrug, the Great Water

Lizard, the Doom of Sarnath, Bugg-Shash, The Drowner, The Black, Byatis, The Berkeley Toad, the Serpent-Bearded, Chaugnar-Faugn, Horror from the Hills, The Feeder, Cthugha, the Living Flame, the Burning One, Cthulhu, Le Dieu Dormeur, Maître de R'lyeh, Kthulhut, Cthylla, Secret Seed of Cthulhu, Cyäegha, the Destroying Eye, the Waiting Dark, Cynothoglys, The Mortician God, Dagon, Father of the Deep Ones, Dweller in the Gulf, Eidolon of the Blind, Eihort, the Pale Beast, God of the Labyrinth, Ghatanothoa, The Usurper, God of the Volcano, Ghizguth, Glaaki, the Inhabitant of the Lake, Lord of Dead Dreams, Gloon, the Corrupter of Flesh, Master of the Temple, Gol-Goroth, God of the Black Stone, Hastur, l'Innommable, Celui dont le Nom ne doit pas être dit, Mother, Mother of the Deep Ones, Hzioulquoigmnzhah, Idh-Yaa, Iod, The Shining Hunter, Ithaqua, the Wind Walker, the Wendigo, God of the Cold White Silence, Juk-Shabb, God of Yekub, Knygathin Zhaum, Lloigor (Great Old One), The Star-Treader, M'Nagalah, The Great God Cancer, the All-Consuming, Mnomquah, Mordiggian, The Charnel God, the Great Ghoul, Lord of Zul-Bha-Sair, Nug and Yeb, The Twin Blasphemies, Nyogtha, The Thing which Should Not Be, Haunter of the Red Abyss, Oorn, Othuum, Othuyeg, the Doom-Walker, Quachil Uttaus, Treader of the Dust, Q'yth-Az, Rhan-Tegoth, He of the Ivory Throne, Rlim-Shaikorth, The White Worm, Saa'itii, The Hogge, Sfatlicllp, Shathak, Shudde_M'ell, le Grand Chthonien, Summanus, Tharapithia, Tsathoggua, Le Dormeur de N'kai, le Toad-God, Zhothaqqua, Sadagowah, The Worm that Gnaws the Night, Doom of Shaggai, Vulthoom, Gsarthotegga, Le Dormeur de Ravermos, X'chll'at-aa, Lord of the Great Old Ones, the Unborn God, Enemy of All That Live, Y'hkmaat, Queen of a Thousand Eyes, Yhoundeh, The Elk Goddess, Yig, Father of Serpents, Ythogtha, the Thing in the Pit, Zhar, The Twin Obscenity, Zoth-Ommog, Zushakon, Old Night, Zul-Che-Quon, Zvilpoggua, Ossadagowah, the Sky-Devil, Zystulzhemgni, Matriarch of Swarms et Zsystulzhemgni.

Merde, Spencer… Quel est ce DÉLIRE ?

Je tournai fébrilement page après page, tandis que mes yeux s'emplissaient d'une nouvelle horreur à la vue de cette folie. Ces noms… certains m'étaient vaguement familiers. Repérant Cthulhu et Nyarlathotep, je compris qu'il devait sans doute s'agir, là encore, des divinités chimériques et atroces inventées par Lovecraft – ce pandemonium était-il vraiment jailli de ses œuvres ? C'était ridicule. Ridicule et grotesque. Je poussai un cri et jetai le carnet loin de moi. Au dos du feuillet que j'avais arraché, mon cerveau enregistra la première strophe de ce poème que j'avais lu quelque temps plus tôt pour le compte de Spencer au cercle des *Bateaux ivres* : *Melancholia ex Tenebris.*

Lorsqu'au giron de la lune morte
Dans l'ombre déchaînée aux replis de ténèbres
Le Souffle retentit au son d'un cor sans âge
Que les spectres glissant sur le lac de glèbe
Hululent dans des reflets d'eaux-fortes
Retentit la voix profonde des souvenirs anciens
Pour annoncer des limbes sa venue
Et s'épancher entre les arbres nus
Sors ! Sors !
– N'est pas mort qui à jamais dort.

Le poème était là, consigné sur ce feuillet quadrillé – mais nulle poésie pourtant ici, et tout à coup je me demandai : était-ce vraiment *lui*, Spencer, qui avait écrit ces vers sortis tout droit des enfers ? Etait-il… sous influence ? Quant à ces dessins, ces œuvres abjectes répandues partout, était-ce également lui qui les avait exécutés ? Son talent avait-il réellement autant de facettes, ou… ?

Je dois partir. Immédiatement.

J'allais rebrousser chemin lorsque je vis, au bout de la crypte, un morne chevalet. Il était dressé en face d'un miroir, de la taille d'un homme, comme préparé pour je ne sais quel autoportrait d'artiste fou. Je m'avançai vers lui, presque malgré moi. Le chevalet était vide, le miroir impavide renvoyait son reflet. Obscurément attiré, j'en touchai la surface. Il était ovale et monté à la manière d'une psyché ; en certains endroits, le verre était moucheté de particules noires. Je sursautai face à mon propre reflet, tant j'eus la détestable impression d'y voir un zombie errant et hagard. J'étais pâle comme la mort ; mes cheveux en bataille me donnaient un air de Raspoutine au bord du meurtre. Le faible éclairage soulignait les cernes sous mes yeux, le creux ombré de mes joues et la circonférence cadavérique de mon crâne. Je me vis en membre honoraire de ces sinistres catacombes, car en cet instant je ne me ressemblais plus. Mes traits achevèrent de se peindre d'une horreur sans nom lorsque j'eus l'impression – était-ce toujours une illusion de cauchemar ou une indicible réalité ? – que mon doigt, qui touchait encore le miroir, était comme *aspiré à l'intérieur*, à travers une substance liquide et froide, qui irisait cette surface comme l'onde... une substance visqueuse, qui voulait m'attirer à elle !

— *NON!*

Je reculai d'un bond.

Je trébuchai alors sur un dessin roulé dans la poussière, qui avait dû glisser du chevalet. Du pied, j'en déroulai une partie, et m'arrêtai à mi-chemin, car la créature que j'y vis dépeinte surpassait en abomination toutes celles que j'avais vues jusqu'à présent, et toutes celles qui se trouvaient autour de moi. En fait de dessin, c'était une peinture. *Un blasphème colossal et sans nom*… La créature était accroupie. Elle dardait vers moi des yeux fulgurants, illuminés d'une rage blafarde. Son mufle surmontait une gueule lippue, mais ce n'était pas cela qui révulsait l'âme; entre ses griffes squameuses, elle tenait le cadavre d'un enfant, dont elle rongeait la tête. Son épiderme vérolé de mousses et de flétrissures luisait de plaies béantes. Par-dessus tout, de ce regard, de ce poitrail congestionné, animé d'un souffle rauque, de l'ensemble de cette forme sans âge, paraissait émaner une vie propre, qui tremblait d'invisible et de mort. Je retirai aussitôt mon pied, comme si je craignais d'être inexorablement happé par cette monstruosité.

Les pensées se bousculaient dans mon esprit; et bien que j'eus encore toute ma raison, je me sentis glisser vers un tel abîme de folie que tous mes sens en furent affectés; ces seules visions suffisaient à m'entraîner dans le dédale tortueux de l'âme triste et furieuse qui avait pu concevoir tout cela. Mon cœur battait plus que jamais…

Lorsque enfin je la vis.

Derrière le chevalet et le miroir se trouvait une porte, une petite porte en bois qui, si je ne l'avais repérée à cet instant, à demi plongée dans l'ombre, m'eût échappé à jamais; et sans doute cela eût-il suffi pour mon salut. Quelle force obscure me retenait encore ici, alors que la terreur suait à présent par tous les pores de ma peau? Quelle entité avait pu à ce point se saisir de moi, au point de me contraindre à rejeter les injonctions de mon cerveau, qui me hurlait de partir sans me retourner? Je n'en sais rien. Mais je m'approchai encore de la porte, tandis qu'un grotesque et dernier : « Spencer? »

agonisait au bord de mes lèvres. La porte muette était là, et derrière… j'entendis quelque chose.

Ce fut d'abord un souffle indistinct. Puis une voix chuchotante.

Je restai pétrifié. Tous mes sens se ruèrent dans cette direction.

— Oui, entendis-je, je Te reconnais, Tu es Celui Derrière la Porte… Je suis à Toi, mon Dieu, je suis à Toi, ma vie t'appartient, j'agirai selon Ta Volonté. Je Te rends grâces, je suis en Toi, et Tu es en moi…

Puis la voix se mit à marmonner des paroles inintelligibles.

Etait-ce Spencer ? Une autre voix, à présent, paraissait lui répondre. Elle s'exprimait dans une langue inconnue. Et cette… conversation avait des accents, des intonations qui, croyez-moi ou non, n'avaient rien d'humain. Puis je réalisai soudain que ces bribes de phrases n'étaient peut-être pas le produit d'une *conversation*, mais l'effet d'une seule et même voix ; c'étaient bien deux sonorités qui se répondaient, se chevauchaient parfois, mais il me semblait – comment vous dire ? que ces deux réalités *coexistaient* ; et j'entendis soudain la, ou les voix s'élever, pour scander une sorte de litanie qui s'imprima à tout jamais dans ma mémoire, bien qu'alors je n'en compris pas un traître mot. Traduit en phonétique humaine, cela donnait à peu près : *N'gai, n'gha'ghaa, Bugg-Shoggog, y'hah ; Yog-Sothoth, Yog-Sothoth, YOG-SOTOTH !* Suivit un rire – mon Dieu, ce *rire !* – précis et bref, un ricanement hideux, qui fit refluer tous mes sangs.

Cette fois, je ne pus aller plus loin ; et, abandonnant là cette porte maudite, je tournai les talons. Quelle abomination pouvait bien se cacher ici ? *Par Dieu, Spencer, qu'avais-tu fait?* J'en lâchai ma lampe, qui se brisa sur le sol et, éperdu de terreur, me jetai dans la galerie éclairée de ses lanternes froides. Parvenu à l'endroit où la galerie plongeait de nouveau dans l'obscurité, cette noirceur même ne m'arrêta pas. Je me débattis un moment au cœur des ténèbres avec l'impression que mon heure était arrivée, et que la terreur que j'avais éprouvée en entrant trouvait là son accomplissement : j'allais mourir au cœur de ce mausolée, de cette tombe sans lumière, et mon squelette lui aussi pourrirait à jamais dans cet océan de roches impures, pour rejoindre l'un des compartiments de l'ossuaire derrière moi ! Puis, par je ne sais quel miracle, alors qu'un seul faux pas eût pu m'engloutir dans l'une de ces autres galeries affreuses et noires où je me serais perdu pour toujours – je trouvai l'escalier, je rabattis la trappe à la volée, m'élançai dans la grange et me jetai au-dehors, échappant enfin à cette pestilence. Je fus accueilli par une tornade de vent glacé et le roulis obscur de ces nuages qui se mouvaient au-dessus de moi, s'agrippant comme une griffe immense au sommet des montagnes. La brume nimbait les conifères d'une aura cotonneuse, et pourtant, alors même que je retrouvais cette nature gigantesque et sauvage, je fus plus heureux et soulagé que je ne l'avais jamais été.

Sans attendre un instant de plus, manquant trébucher dans les mottes de terre et les herbes folles, je me précipitai sur le sentier, franchis la barrière branlante et m'engouffrai dans ma voiture. Les phares trouèrent l'obscurité, le moteur rugit et le véhicule fit une embardée en direction de la grand-route qui m'entraînerait enfin loin d'ici.

4

Melancholia Ex Tenebris

Lorsque je rentrai chez moi ce soir-là, mon père m'attendait pour le dîner, dans la vaste salle à manger ornée de ses deux colonnes, qui donnait sur la petite véranda et le jardin adjacent. Les lustres étaient allumés. Comme souvent, mon père s'était assis en bout de table. Il s'inquiéta de ma pâleur. Je refrénai les tremblements qui n'avaient cessé de me faire frissonner tout au long de la route du retour. J'avais traversé la brume et longé la forêt séculaire des Laurentides avec l'impression de m'arracher à un autre monde, un abîme dont j'avais seulement entrevu le seuil. La confusion de mes sentiments le disputait à celle de ma raison. Je parvins à retrouver peu à peu mon sang-froid, mais toute trace de ma terreur était loin d'avoir disparu lorsque je pénétrai dans le vestibule de la maison, où j'abandonnai mon manteau.

Au-dehors, il faisait nuit noire. Dans la salle à manger, une soupe chaude était servie, mais j'étais incapable d'en avaler une seule gorgée. Une question me taraudait : ces épisodes n'avaient-ils été que le fruit de mon imagination, le produit sur mes sens d'une situation inhabituelle et angoissante, ou avais-je vraiment rencontré sous la grange quelque chose de tout à fait… anormal ? De… *surnaturel* ?

Mon père approchait la soixantaine ; le front haut, la moustache blanche, il avait un visage large et rassurant, bien que marqué depuis le décès de ma mère. Maman était morte des suites d'une longue maladie neurologique dégénérative, contre laquelle nous avions vainement lutté durant deux ans. Une épreuve terrible, bien sûr, et depuis, mon père et moi avions continué de vivre ensemble. Entre son veuvage et mes conquêtes épisodiques et sans intérêt, nous étions ici, sous ce toit, un peu comme deux naufragés d'un autre temps, oscillant entre classicisme et modernité, dans nos limbes à nous… et dans cette maison, habitée par les fantômes des huguenots, réfugiés du temps passé. Une maison pétrie de souvenirs d'un autre siècle – et de celui, plus récent mais bien plus triste, de maman, dont il me semblait, de temps à autre, apercevoir la silhouette, dans la chambre, au sommet des escaliers ou dans la salle de bains, et qui me souriait, avant de s'évanouir au détour d'une porte ou d'un corridor.

On peut dire que l'Histoire avait sauvé mon père. Il avait mis autant que possible le deuil derrière lui. Sa physionomie savait volontiers se faire joviale, lorsqu'il n'était pas accablé de soucis ou d'interrogations parfaitement cruciales au sujet de la destinée d'une quelconque famille prérévolutionnaire, rattachée à ses recherches de prédilection. Depuis qu'il avait quitté son poste à l'université, il trouvait encore dans l'étude matière à des joies et des questionnements de tous les instants. L'érudition était son refuge. Il passait dans sa bibliothèque le plus clair de son temps, lorsqu'il n'allait pas jouer aux cartes, rendre visite à ses amis ou participer à l'un des clubs ou conseils d'administration dont il était encore membre.

Ce soir-là, tiré à quatre épingles comme toujours dans son costume de tweed, il fut naturellement surpris de mon retard, et de mon apparence de déterré. Peinant à m'expliquer, je parvins à aligner quelques mots sans suite, proférant je ne sais quelle excuse au sujet d'une bagarre idiote à l'université. En vérité, je mourais d'envie de lui raconter ce qui s'était produit – mais j'en étais incapable, étant encore plus incapable de faire le tri dans mes pensées. Si je m'étais ouvert à lui à ce moment-là, sans doute m'aurait-il pris pour un fou, mais peut-être aurions-nous empêché la tragédie qui allait suivre. Et aujourd'hui encore, je le regrette, oh oui, je le regrette de toutes mes forces. Toujours est-il que, sur le moment, il me fut impossible de trouver mes mots, tant ma conscience se refusait à faire le point sur ce qu'elle avait subi et à comprendre ce qu'elle avait rencontré. Mon sentiment d'effroi et d'étrangeté était tel qu'il me laissait faible et désorienté. Je me composai un visage de circonstance, mais cet état de fragilité n'échappa pas à la sagacité de mon père. Il ne sollicita guère ma conversation et, dès que nous eûmes terminé, il me conseilla d'aller me reposer. Je quittai la table avec soulagement et montai dans ma chambre, regardant au passage les anciens portraits de famille qui, je ne sais pourquoi, me procurèrent alors un sentiment d'oppression et d'étouffement parfaitement singulier.

Je ne me couchai qu'au beau milieu de la nuit, et m'endormis peu avant le lever du jour. Durant les deux heures de sommeil qui suivirent, je fus assailli de visions terrifiantes. Les grands yeux de Debbie soulignés de mascara s'ouvraient devant moi, et elle répétait : « Il ne faut pas y aller ! Ce que j'ai vu… N'y va pas ! » Elle étreignait une poupée brisée, chantonnait pour elle une comptine triste. Je la voyais accroupie, comme une enfant elle-même, puis elle relevait le visage en sanglotant et en murmurant : « Elle est cassée ! Elle est cassée ! ». Les écureuils disséqués au scalpel par une entité sans visage, et ces galeries sans fin sous la grange revenaient me hanter.

Ces images s'effacèrent à mon réveil brutal – j'avais cours une heure plus tard – sans que me quittent, toutefois, leurs réminiscences. Mais le jour, le glorieux jour s'était levé, un soleil froid s'épanchait ce matin-là sous un ciel céruléen, et je me mis en route vers l'université aux alentours de neuf heures. Refusant obstinément d'ouvrir la porte aux souvenirs de la veille, me jetant à corps perdu dans les bras de cette aube réconfortante, je me dis que, peut-être, tout cela n'avait été qu'un cauchemar momentané, une heure dans les limbes, sans conséquences. J'aurais pu, j'aurais dû alerter l'université, tout mettre sens dessus dessous, peut-être me rendre à la police, ou au moins expliquer à mon père, le jour revenu, de quel sortilège j'avais été la proie. Mais mon âme me hurlait de me taire. Elle voulait la normalité, et répudier ces souvenirs comme un ridicule dérapage grand-guignolesque. Je ne voulais plus voir Spencer, ni entendre parler de lui, et surtout, je ne voulais plus avoir à revenir dans la grange du 45, Chemin des Plants, au bord des Laurentides.

Le lendemain, en approchant du bourdonnement familier de l'université, je retrouvai toutefois courage. Ma raison reprenait le dessus, le contact de mes pieds s'ancrant sur ce sol ordinaire, le passage de ces visages connus me rappelaient au réel avec de plus en plus d'insistance. Je commençais à me résoudre à aller trouver le directeur en personne pour lui faire part de mes inquiétudes. Je n'aurais pas forcément à raconter *tout* ce que j'avais vu, n'est-ce pas ? Cette solution évidente avait mis du temps à cheminer en moi, embrouillé et obscurci que j'étais par le souvenir brumeux de cette soirée et mes deux heures de sommeil agité. Mais je marchais maintenant d'un pas assuré et déterminé.

Mais une nouvelle irruption du cauchemar ne tarda pas à rendre mon projet dérisoire. Je croisai quelques amis sur le campus, me préparant à aller frapper à la porte du bureau du directeur avant de me rendre à un cours de littérature comparée, lorsque je tombai sur Debbie. Plus loin, j'aperçus la silhouette claudicante d'Albert, qui nous lorgna brièvement avant de disparaître comme une ombre.

— Tu y es allé ? demanda Deborah.

J'opinai du chef.

— Debbie... *Es-tu descendue sous la grange ?* As-tu...

Mais soudain nous l'aperçûmes.

Spencer, vêtu comme de coutume de son ample manteau noir. Si, de l'endroit où nous étions, nous ne pouvions encore deviner les traits de son visage, sa démarche ne pouvait nous tromper – à ceci près qu'il semblait avancer... plus *gauchement* qu'à l'ordinaire. Mon premier sentiment fut le réveil de cette terreur sans nom qui m'avait saisi la veille au soir, et je faillis détaler comme un lapin alors que, de nouveau, m'assaillait un tourbillon d'images violentes et d'émotions incontrôlables. L'effet fut identique sur Deborah, que je sentis frémir à mes côtés. Je serrai les dents et les poings, et m'avançai au contraire d'un pas vif vers le nouveau venu.

— David ! s'écria Deborah.

Spencer s'approchait, seul et indifférent aux grappes d'étudiants disséminés dans les allées, au milieu des quelques arbres qui lui faisaient comme une haie d'honneur de part et d'autre. Et alors que j'allais ouvrir la bouche pour le héler sèchement, mes paroles s'échouèrent au bord de mes lèvres, et mes yeux s'agrandirent d'horreur.

D'un geste, il venait de rabattre les pans de son manteau pour révéler un objet que j'identifiai aussitôt. L'instant suivant, il braquait au hasard un fusil à canon scié, aux reflets métalliques. La première détonation, accompagnée d'un éclair, explosa à mes oreilles. Il y eut un bref moment qui sembla demeurer en suspens, une centaine de visages tournés vers l'origine du coup de feu. Et soudain, une jeune fille, le ventre maculé de sang, s'effondra avec son sac, portant les mains à ses entrailles. Tous les autres demeurèrent tétanisés puis, comprenant ce qui venait de se passer, se mirent à hurler. Certains lâchèrent leurs sacoches et, dans des tourbillons de livres et de papier, se mirent à courir pour trouver un abri. De son côté, Spencer braquait de nouveau son fusil en direction d'un autre groupe d'étudiants. Il tira, et je vis à une trentaine de mètres de moi la calotte crânienne d'un jeune homme sauter comme un fruit trop mûr. J'étais moi-même paralysé, lorsqu'un troisième coup de feu faucha en plein élan un adulte – je crus reconnaître un professeur de langues – qui, contre toute raison, s'était précipité vers Spencer pour tenter de le désarmer. Loin de s'arrêter, le Poète continua sa marche dans l'allée, titubant à moitié.

Il était tout près de moi à présent et son visage m'apparut clairement. Il était d'une pâleur mortelle, ses lèvres rouges semblaient s'animer comme s'il se parlait à lui-même, ses paupières se fermaient le temps des détonations, son bras compensait le recul de l'arme, et il repartait en quête d'une nouvelle cible. A un moment, il dressa le fusil en l'air en poussant un hurlement barbare, puis ses mâchoires se crispèrent de nouveau et il tira. Ce fut un autre étudiant qui, le visage emporté, tourna sur lui-même de manière grotesque avant d'aller frapper l'écorce d'un arbre, et de s'affaler le long de ses racines. Il tira une fois encore et je poussai un hurlement, car je sus immédiatement qui était sa nouvelle victime.

— *DEBBIE!*

Elle avait voulu s'enfuir; il venait de la faucher en pleine course, lui emportant une épaule. Je vis le visage fardé de blanc se tourner vers moi, son mascara couler sous sa chevelure gothique. Elle murmura mon nom, puis le sien. J'étais pétrifié, comme dans ces cauchemars où l'on court à l'infini dans une mélasse immonde pour échapper à d'obscures menaces, sans avancer d'un pouce; si bien que, lorsque le visage de Debbie, aux yeux vides et morts, rencontra le bitume de l'allée, j'étais encore moi-même à quelques mètres d'elle, et de lui, et dans l'impossibilité totale de réagir. Mes chevilles étaient vissées dans le béton et tout autour de moi les étudiants hurlaient, couraient en tous sens. Je tremblais de tous mes membres – et soudain il fut sur moi. Je frissonnai de plus belle en contemplant son apparence. Il roulait des yeux hallucinés sous sa chevelure noire; ses traits semblaient si tendus que l'on devinait, à ses tempes, aux commissures de ses lèvres, les veines bleuâtres qui couraient sous sa peau.

Puis il me regarda; et dans ce regard échangé, passa quelque chose qui me remplit d'horreur, une horreur absolue, archaïque : devant moi se tenait le Mal incarné. Il me sembla deviner, dans l'éclair de ses yeux, une lueur de reconnaissance, comme si son esprit malade était soudain traversé à ma vue d'un étrange sentiment de familiarité. Mais cette lueur disparut aussitôt, et j'eus quant à moi l'impression affreuse que Spencer, non seulement n'était pas lui-même en cet instant, mais qu'il était en quelque sorte habité – *habité par quelqu'un d'autre que lui*, sombre entité débordant de haine et de rage pâle, qui me fixait de ses prunelles flamboyantes et injectées de sang.

Un filet de salive furieuse coulait de ses lèvres. Il continuait de murmurer des paroles incompréhensibles, qui m'évoquaient je ne sais quelle langue jaillie du fond des temps, celle consignée sur ses carnets noirs. Et il avait de nouveau cette voix, Seigneur, dont les intonations ne pouvaient être d'origine humaine. Les mots me manquent pour en donner une juste description ; comme frappée de modulations juxtaposées, elle semblait composée, non d'un seul timbre, mais de plusieurs inflexions mêlées à des degrés divers, des notes les plus graves de l'infrason aux plus élevées, au-delà des sons humains articulables. Cette voix, mon Dieu ! *C'était bien la même que celle que j'avais entendue sous la grange !* Elle glaçait le sang. Nous étions face à face et, en cet instant, je crus déceler en Spencer une sorte de lutte indéfinissable – comme si ces deux personnalités s'étaient reprises à lutter l'une contre l'autre. Brusquement, son regard se fit suppliant ; l'espace d'un instant, ses sourcils remontèrent sur son front hagard, et sur ses traits flotta une expression de détresse absolue. Sa voix redevint normale et il parvint à me dire, dans un halètement rauque :

— C'est… Celui Derrière la Porte ! Il nous abuse… Oh, David, je L'ai vu !

Il secouait la tête frénétiquement :

— C'est un piège horrible... Je suis prisonnier !

Je crus qu'il allait lâcher son arme et tendre les mains vers moi, tandis que, par un tour absurde de ma conscience, jaillissait de nouveau en moi le souvenir des vers de son poème, *Melancholia ex Tenebris*.

Dans le même instant, je discernai à son poignet, ou plutôt à la naissance de son avant-bras, un signe étrange ; les manches de sa chemise et de son manteau étaient légèrement remontées et je vis ce qui ressemblait à une sorte de tatouage, de motif imprimé, presque gravé dans sa chair. C'était un symbole hypnotique qui lui faisait comme une cicatrice, et ressemblait à ces lettres de la langue inconnue que j'avais vues sur les carnets noirs. Deux traits imprécis, se rejoignant au cœur d'un demi-cercle, évoquant sans l'être l'Oméga grec. Il dessinait sur sa peau comme un signe impie... Une idée épouvantable fulgura dans mon esprit. Je me souvins de ce miroir, de cette peinture affreuse qui gisait sur le sol, représentant une créature jaillie d'abysses insondables, avec son mufle de chien, ses griffes squameuses et ses yeux injectés de sang... Cette peinture qui, de toute évidence, avait glissé de son chevalet, installé là, m'étais-je dit, pour je ne sais quel autoportrait. Et en face, le miroir. Ce miroir... Peut-être Spencer n'avait-il pas peint ce monstre, ni les autres, à partir de sa seule imagination ? Peut-être avait-il eu besoin d'un *modèle*, peut-être l'avait-il peint... *d'après nature !*

Le chevalet, le miroir...

L'idée inconcevable jaillit dans ma tête.

Peut-être était-ce *vraiment* un autoportrait !

Puis l'Autre reprit le dessus ; et dans l'affrontement final qui se jouait en lui, sous mes yeux, les deux forces semblèrent se neutraliser. Alors, contre toute attente, sans cesser de me regarder, Spencer retourna le canon de l'arme contre lui, et le cala sous son menton. Et de cette voix atroce, je l'entendis encore prononcer, distinctement cette fois, ces paroles : *N'gai, n'gha'ghaa, Bugg-Shoggog, y'hah ; Yog-Sothoth, Yog-Sothoth !*

Il appuya sur la détente.

La balle traversa son visage jusqu'à faire exploser tout l'arrière de sa tête et, pantelant, je fus éclaboussé de gerbes de sang.

5

Les Origines du Mal

Les jours suivant ce massacre, je gardai le lit chez mon père sans plus compter le temps. Hanté par la vision de Debbie suppliante sur le sol, de Spencer tirant au hasard, fauchant avec rage les étudiants et se tuant sous mes yeux, je frissonnais de tous mes membres, tentant de fuir ces images, incapable d'exprimer de façon claire aux policiers et aux médecins ce que j'avais vu et entendu cet après-midi-là. Au total, une demi-douzaine de personnes avaient succombé au carnage, et le drame marqua pour jamais l'université de Laval.

Je lus, bien plus tard, les coupures de presse : MASSACRE SUR LE CAMPUS, L'ÉTUDIANT FOU SÈME LA MORT, HORREUR SUR LE PARVIS… De temps en temps, les articles étaient émaillés de photos de Spencer. Des photos d'avant le drame, pour la plupart de vulgaires photomatons qui avaient orné son dossier à l'université. Orphelin et de parents inconnus, il disparut dans le plus parfait néant. Nulle famille ne vint se préoccuper de la destinée de son corps, que l'on enterra dans un cimetière désolé, en osant à peine y apposer une plaque. Il n'y eut pas d'oraison funèbre et les fossoyeurs se bornèrent à enfouir ce cadavre avec dégoût le plus profondément possible. Pas un étudiant n'assista à cet événement. Dans les semaines qui suivirent, une frénésie impensable s'empara de l'université. La presse du monde entier s'interrogea sur ce qui avait bien pu pousser un « si brillant jeune homme » à cette abominable extrémité. On évoqua, bien sûr, les raisons sociologiques des plus évidentes ; mais pour moi, qui peut-être avais effleuré une part plus intime de ce mystère, il était évident que ces explications étaient insuffisantes. Il se trouve que ce jour-là, Spencer avait mis le feu à la grange du Chemin des Plants, en lisière de la forêt, avant de gagner l'université… si bien que, ni dans l'édifice de la surface, ni dans le grenier, ni même dans les appentis souterrains et les galeries effondrées, on ne trouva le moindre indice des « choses » que j'avais vues. Bouleversé et osant à peine établir entre ces faits un rapport de causalité qui eût pu détruire pour de bon ma santé mentale, je me gardai bien d'en parler.

De tout cela il ne restait rien que cendres fumantes et décombres auprès de la ferme en ruine. On la disait sise au-dessus des anciennes galeries d'une mine aurifère, fermée depuis longtemps. Et il eût été insensé pour moi de parler de ce que j'avais vu – de révéler que cette soi-disant mine avait dû servir à bien d'autres choses, au temps même de son exploitation, en des temps bien plus reculés – ou au contraire, *après* qu'elle eut été désaffectée. Je devinais facilement les interprétations que l'on n'aurait pas manqué de m'opposer. Un séjour en maison de repos ou en hôpital psychiatrique était la dernière chose dont j'avais besoin. Je souhaitais de toutes mes forces renvoyer ces lambeaux de mémoire au rang d'affabulations cauchemardesques, et ne pouvais sensément imaginer m'ouvrir à quiconque de ce que j'avais vécu.

D'une certaine manière, j'étais déjà emmuré. Emmuré vivant – comme je le suis encore à l'heure où j'écris ces lignes, aux tréfonds de l'asile d'Arkham.

Toutefois, pendant un temps, ces murs semblèrent provisoirement s'estomper. Mon cachot, ou mon sépulcre, se fit plus transparent, quelques mois durant. Je parvins presque à croire que tout cela n'avait été qu'un songe affreux, à ranger dans les drames du passé, et qui n'aurait plus aucun impact sur mon avenir. Une fois passé le choc initial, la saison changeant, il se remit à faire beau à Laval. On nettoya les traces de sang, on changea les parterres et le goudron des allées. Les Pavillons de l'université, de Ferdinand-Vandry à Jean-Charles-Bonenfant, semblèrent refleurir. Le fil de mes études reprit brièvement un cours à peu près normal. Absorbé par la préparation de mes examens, je me refusais à songer ne fût-ce qu'une seconde à cette horreur; celle-ci ne rejaillissait en moi qu'à l'occasion d'une soirée d'ivresse ou d'une nuit éprouvante – le cauchemar me surprenait et je me voyais alors me redresser dans mon lit, les doigts crispés sur le drap, criant et suant sous l'œil pâle de la lune, me remémorant ces incantations pathétiques hululées dans une langue inconnue. Le groupe des *Bateaux ivres* avait été dissous, sans parler bien sûr du *Cercle de Cthulhu*. Albert se fit fantôme – et de toute façon, je l'évitais comme la peste.

Ce fut à cette époque que je rencontrai Anne-Lise et en tombai amoureux. Il était dit que je l'épouserais deux ans plus tard, mais lorsque je commençai à être rattrapé par ce terrible après-midi où Spencer s'était donné la mort, nous venions juste de nous rencontrer. Cette fois-ci, notre relation semblait, à mon propre étonnement, devenir sérieuse. Anne-Lise était la fille d'un lointain ami de mon père. Celui-ci s'était trouvé ravi de renouer à cette occasion avec le digne M. Armitage, ancien notaire de son état. Anne-Lise aussi venait d'une famille de huguenots et disposait de sa bonne vieille maison à colonnades. Du côté de la vie matérielle, tout semblait devoir nous sourire. La blondeur de ses cheveux sur un front charmant, des yeux pétillants, une fossette gentille au coin de ses sourires, Anne-Lise était ma couleur tombée du ciel ; elle me permit de glisser du seuil des ténèbres à un espoir renaissant et tranquille, qui, durant un bref laps de temps, me transporta dans une île, mol et nonchalant asile, où je me crus réconcilié avec la face lumineuse de la vie et ses illusions sereines. Une diversion, sans nul doute. Pour mieux m'obliger à baisser ma garde. Car c'était mal connaître le *Necronomicon*, qui continuait de m'attirer à lui comme un aimant.

Le moment était également venu pour moi de choisir un sujet de thèse qui, outre le fait qu'il pourrait m'ouvrir ultérieurement les portes d'une chaire à l'université, devait me permettre de me constituer une niche, une spécialité dans un domaine littéraire donné, suffisamment élégant pour rassurer mes professeurs, et alléchant pour me démarquer des sujets rebattus.

Malheur à moi ! Ce fut par ce détour que le *Necronomicon* commença de me rattraper – et encore une fois, je ne sais s'il s'agissait là d'une deuxième erreur cruciale de ma part, ou d'une fatalité qui devait s'exercer sur moi quoi que je fisse, tant je reste incrédule face aux parts respectives du déterminisme et du libre-arbitre dans nos choix de vie. Toujours est-il que, par ce biais insidieux, et par cette soif secrète de comprendre qui n'avait cessé de m'habiter, le livre maudit revint dans ma vie. Je fis tout pour l'éviter – mais comment contrebattre une obsession personnelle, même si elle se refuse encore à s'avouer telle ? Mon esprit exigeait de comprendre ce qui s'était produit le jour de la mort de Spencer. Outre qu'il avait pris à mes yeux des aspects quasi surnaturels, cet épisode, que j'avais sans cesse tenté de conjurer, de refouler, continuait de me poser des questions absolues auxquelles je ne pouvais plus me dérober. Cet après-midi-là, j'avais tout simplement rencontré le Mal à l'état brut, dans son caractère métaphysique et inexplicable ; et derrière le voile qui s'était entrouvert, j'avais cru un instant déceler le mystère d'un abîme sans fond. Que je le voulusse ou non, c'était une réalité. Et cette volonté intime de *comprendre* continuerait de me hanter, sans doute, tant que je ne lui aurais pas trouvé de solution – sinon définitive, du moins suffisante pour que je puisse échapper à mes absurdes terreurs, et vivre en paix. Un exorcisme, en quelque sorte – voilà ce à quoi, profondément, j'aspirais.

La violence... La violence du monde. La violence de nos sociétés. De nos familles. De notre nature. Cette vision incarnée, si *présente*, que j'avais eue du Mal, me terrifiait encore. Comme quiconque a été confronté à la violence, dans sa chair, j'étais certes traumatisé. Mais il y avait *autre chose*. J'avais entrevu le mal... métaphysique. Combien de voisins s'étonnent de la folie subite d'un être apparemment ordinaire qui, du jour au lendemain, se transforme en bête fauve ? Qui n'a pas formulé l'hypothèse, en s'interrogeant sur cette étrange faculté que nous avons d'extermi-ner nos semblables, parfois scientifiquement, massivement, d'une entité supérieure capable de posséder, à des moments déterminés du temps, autant les individus que les peuples, pour les amener au bord du gouffre et de la folie, tant individuelle que collective? On pouvait y voir la marque de l'irruption brutale, récurrente, de ce Béhémoth d'un autre âge, cette force nous dépassant largement; le Diable, Satan, l'Ahriman du zoroastrisme, ou quelque autre nom qu'on pût lui donner... *Cette entité existait-elle?* Etait-ce elle que j'avais vue dans les yeux de Spencer? Bien sûr, on pouvait se méfier avec raison de cette « facilité » qui consisterait à imputer à une telle intervention surnaturelle la résurgence endémique de nos barbaries. Considérer le Mal comme une entité distincte, immanente ou transcendante, pouvait servir d'alibi bien pratique à la responsabilité de l'homme. Mais cette responsabilité suffisait-elle à rendre compte de l'intégralité du Mal? Car à l'inverse, pouvait-on faire de la violence le seul produit d'une société? Invoquer la société ou le contexte ne revenait-il pas tout aussi bien à invoquer une sorte de Chose, de Léviathan, sous les dehors changeants de tel ou tel « milieu », telle ou telle civilisation? *Qu'est-ce que le Mal?* Telle était la question que je me posais alors. N'était-ce qu'un *manque*, selon la définition de la philosophie classique? Fallait-il le réduire à la souffrance? Et, plus prosaïquement : *comment Spencer avait-il pu basculer?*

Cela étant, dans cette quête étrange que j'entrevoyais à peine, tout se disputait encore dans un océan de pensées confuses. Je ne savais par quel bout commencer. Et le choix de mon sujet de thèse ne souffrait guère de délai ; il n'était le lieu ni de ma psychanalyse ni d'une résolution névrotique, dont j'eusse d'ailleurs été bien incapable. Si bien que, comme souvent lorsqu'en nous bouillonnent ce genre de questions lancinantes et sans réponse, je finis par trouver un moyen pratique de poursuivre mes recherches sans risquer, du moins en apparence, de mettre en péril mon équilibre mental. Je ne savais pas à quel point j'étais déjà engagé, pourtant, sur le chemin qui me conduirait jusqu'ici, dans les profondeurs muettes et terribles de l'Arkham Asylum.

Il était clair, surtout après ma visite de la grange, au pied des Laurentides, qu'il existait un lien direct entre le massacre de Laval, la nature des livres que Spencer s'était procurés et le *Cercle de Cthulhu*, ce cercle de jeux de rôles virtuel auquel il avait brièvement participé. Le nœud se trouvait là, quelque part. La figure d'Albert, qui avait servi momentanément de passeur entre lui et la bibliothèque, était maintes fois revenue me poser question. Mais, comme je l'ai dit, après le drame, j'avais été trop longtemps absorbé par ma propre convalescence pour avoir ne serait-ce que l'envie de le croiser pour l'interroger. Albert avait d'ailleurs fini par quitter Québec pour repartir aux Etats-Unis où vivait une partie de sa famille. Et moi par découvrir des faits qui ne laissèrent pas de me troubler. Albert, membre de divers fan-clubs aussi délirants les uns que les autres, et suivant les affreuses prédispositions que j'avais cru deviner en lui, avait rapidement atterri dans l'un de ces groupuscules satanistes de bas étage qui pullulaient en Pennsylvanie. Il s'était lui aussi suicidé dans des circonstances troubles – un mois après avoir été interpellé par la police pour avoir égorgé quarante poulets de ferme.

La chose eût pu sembler anodine à un autre observateur que moi, mais je n'y voyais que trop le prolongement logique du drame de Laval. Que s'était-il passé au sein du *Cercle de Cthulhu*?… A quel jeu jouait-on alors, exactement? Qui en faisait partie, en dehors d'Albert, de Debbie et de Spencer? Les listes, depuis la dissolution du club, s'étaient perdues. D'ailleurs, du temps de son exercice, la plupart de ses membres avaient tenu à rester secrets; sur la Toile, ils utilisaient des pseudos, comme sur Facebook ou les autres réseaux sociaux. C'était comme si les anciennes communautés de joueurs, les partisans du livre « traditionnel » et des jeux de société, avaient trouvé le prolongement numérique parfaitement adapté à leur délire. Du papier au livre numérique… L'idée m'avait bien traversé de retrouver la trace de quelques-uns de ces membres du Cercle, et de réveiller ainsi des souvenirs pas si anciens. Mais la plupart d'entre eux m'étaient inconnus, ou avaient quitté l'université pour des destins que j'ignorais. Aussi, restais-je sur la rive, non sans me souvenir du contexte dans lequel le Cercle s'était constitué, puis délité. Ce nom, longtemps resté incompréhensible pour moi, ce nom insolite et barbare, *Cthulhu*, suffit à me jeter sur la piste – une piste que, sous couvert de recherches littéraires, je refusais encore de reconnaître pour ce qu'elle était.

J'étais tout simplement parti en quête des origines du Mal.

6

World of Lovecraft

Telle fut donc la genèse de la quête qui allait m'entraîner au-delà de l'espace et du temps.

A cette époque, mes connaissances concernant le père littéraire de *Cthulhu* et du *Necronomicon* n'étaient pas « nulles », mais disons, embryonnaires. Toujours pénétré par cette affaire et les circonstances de la mort de Spencer, je commençai ainsi à m'approcher de lui, trois ans plus tard. Je me souviens de la première fois que j'ouvris un livre traitant de ce sujet, lors des innombrables heures passées à la bibliothèque. Je me revois, penché sur l'un, puis sur l'autre de ces ouvrages, allant les emprunter tour à tour ; je revois la nuit qui s'avançait alors sur moi, trop concentré pour en prendre conscience ; j'entends encore le bruit de la pluie cinglant les carreaux de la salle. Peu à peu il se déployait là, sous mes yeux : le monde de Lovecraft.

H.P. Lovecraft avait vécu au début du XXe siècle. Il avait rédigé ses premiers poèmes, et sa première nouvelle, *The little glass bottle*, à six ans. En 1924, il épousait Sonia Haft Greene avant de s'installer chez elle, à Brooklyn, New York. En 1926, il retourna vivre à Providence chez une vieille tante, Lillian Clark. Il divorça trois ans plus tard et ne se remaria jamais. A en croire ces premières informations, le moins que l'on puisse dire était que sa vie avait été une amère potion. Il était réputé solitaire, d'apparence maladive, hanté par un mal-être permanent, comme rongé de l'intérieur. Bourreau de travail, il était pourtant sans cesse en pleines turpitudes financières, l'écriture ne suffisant pas à le faire vivre. Il publiait dans des pulps dont le fameux magazine *Weird Tales*. Mais, rétif au contact humain, décalé dans une société qui lui faisait peur, il était souvent pris pour un martien, et ses textes loin d'être acceptés. Ses mondes enténébrés, peuplés de divinités titanesques et mystérieuses, ne correspondaient guère aux goûts du moment et pouvaient sembler hermétiques à une littérature fantastique plus accoutumée aux goules, vampires et autres lycaons, ainsi qu'aux effets théâtraux dont raffolait le grand public.

L'une des choses les plus étonnantes était que l'écrivain avait souffert d'une superbe indifférence, plus grande encore que celle dont avait été victime un siècle plus tôt l'un de ses maîtres – Edgar Poe. De son vivant, jamais Lovecraft n'avait eu le plaisir d'apercevoir le moindre de ses livres dans une vitrine. *Pas une seule de ses œuvres n'avait été éditée en librairie ou commercialisée sous forme de livre par un professionnel de l'édition.* C'était extraordinaire, et rendait d'autant plus fascinante, et admirable, cette indéfectible vocation d'écrivain. Car jamais Lovecraft n'avait renoncé pour autant. Le monde entier s'en moquait, hors les lecteurs des *fanzines* spécialisés, communauté qui pèserait lourd, plus tard, pour sa postérité. En tête bien sûr, la revue *Weird Tales*, ses couvertures aux tons pulp et ses amateurs d'histoires étranges ; *soap opera* de quat'sous qu'une certaine critique, convaincue de détenir la Vérité littéraire, considérait avec une morgue, fille de l'ignorance, infatuée de cette sûre arrogance qui la rendait si prompte à faire beaucoup de bruit pour rien, et à ne se réveiller qu'une fois passées les batailles dignes d'être menées. Lovecraft était à leurs yeux un représentant entre mille de la « littérature de masse », de « l'infra-littérature », à peine digne d'exister. Le salut – posthume – lui vint de ses amis, à commencer par les fondateurs d'Arkham House, August Derleth et Donald Wandrei, puis des fidèles du groupe Necronomicon Press, maison d'édition créée en 1976 par Paul Michaud, professeur à Harvard, et reprise ensuite par son frère Marc, assisté de S.T. Joshi, l'un des plus éminents spécialistes de Lovecraft.

Necronomicon Press publiait une revue, *Lovecraft Studies*, ainsi qu'une quantité de plaquettes et de brochures – billets astronomiques de Lovecraft parus dans la presse locale, reproductions de son bulletin *The Conservative*, correspondances, témoignages, etc. Le succès posthume de Lovecraft dut aussi beaucoup aux Français – dont le même complexe de supériorité littéraire est pourtant bien connu. Jacques Bergier et Louis Pauwels, coauteurs du *Matin des Magiciens* et rédacteurs en chef de la revue *Planète*, furent parmi les premiers à prendre la mesure de ce génie méconnu et à réparer cette erreur historique, en assurant sa diffusion avec le soutien de périodiques amis comme *Fictions*, et d'éditeurs comme Denoël ou les Editions des Deux Rives. Il fallut tout de même attendre longtemps pour que Lovecraft commence à faire parler de lui en Amérique, avec l'article de Michaud intitulé *In Paris,*

Lovecraft Lives, paru dans le *Providence Evening Bulletin* de décembre 1970.

Lovecraft était mort d'un cancer de l'intestin, laissant derrière lui de nombreux textes non publiés. Son testament chargeait Robert H. Barlow, l'un de ses correspondants, de la diffusion du reste de son œuvre. Barlow ne put s'acquitter de cette mission, qui fut reprise par Derleth et Wandrei, les fondateurs de la maison d'édition Arkham House. Leur acharnement permit à ses récits de rencontrer un large public, et de conquérir le succès qu'il n'avait jamais connu de son vivant. Triste sort, d'une certaine façon ! Depuis, les biographies et essais publiés à son sujet s'étaient multipliés, de Joshi à Houellebecq en passant par les travaux de référence de Lyon Sprague de Camp. L'existence de l'écrivain *underground* avant l'heure avait été, finalement, assez brève. Deux romans, dix-huit contes ténébreux et gothiques avaient suffi. Ils débordèrent assez vite le cercle des *happy few*, comme ils avaient dépassé les frontières de la littérature d'horreur traditionnelle. Sans doute parce qu'ils s'emparaient de sujets jusque-là jugés « inaccessibles » à ce type de littérature, alors qu'ils en constituaient bel et bien l'essence : sujets métaphysiques, philosophiques, tels que la liberté, l'éternité de l'univers, la puissance infinie du cosmos, la fragilité de l'existence humaine. Dans cette révélation de l'essence du fantastique, miroir de l'angoisse liée à l'incertitude cruciale de notre condition, Lovecraft avait porté la cagoule de la littérature populaire, mais s'était employé à développer des visions essentielles qui, selon certains exégètes, devaient alimenter par la suite le moulin des existentialistes.

De séance en séance, dans la bibliothèque de Laval, je continuai mes lectures, de plus en plus intrigué.

L'ensemble des contes faisant appel à ces divinités était communément appelé « Mythe de Cthulhu », du nom de la créature de son invention la plus connue, et selon un terme inventé par August Derleth. De la même manière qu'un Tolkien s'inventant un monde, dans un autre genre, peuplé de citadelles, de créatures merveilleuses et de langues elfiques, Lovecraft avait donné moult détails sur sa mythologie, notamment dans l'une de ses œuvres les plus abouties, *l'Appel de Cthulhu*. Je m'étais procuré l'intégralité de ses œuvres, dont toutes celles qui mentionnaient de près ou de loin le *Necronomicon*, comme *La Cité Sans Nom, Le Molosse, Le Festival, L'Appel de Cthulhu, L'Histoire du Necronomicon, L'Affaire Charles Dexter Ward, L'Abomination de Dunwich, Celui qui chuchotait dans les ténèbres, Le Monstre sur le Seuil* ou *Dans l'Abîme du Temps*. Je les lisais dans l'ordre de leur création, pour disséquer le fil de ces apparitions et la façon dont le mythe s'était peu à peu organisé.

Brossé à grands traits, celui-ci prétendait que des temps avaient existé où d'autres Choses avaient régné sur la Terre avant les êtres humains, au sein de grandioses et mythiques cités. Les restes de ces cités pouvaient encore être retrouvés, sous forme de pierres cyclopéennes, par exemple dans les îles du Pacifique. Toutes ces entités avaient disparu à des époques très lointaines, avant l'arrivée de l'homme, mais certains procédés permettaient de Les convoquer en ce monde. Elles reviendraient un jour, lorsque les étoiles auraient retrouvé les positions qui convenaient dans le cycle de l'éternité. Elles-mêmes étaient issues des étoiles, et avaient apporté avec elles leurs représentations – par exemple, des figurines. Je me souvins alors de celles que j'avais vues sous les étagères poussiéreuses des catacombes, dans la mine aurifère : figurines difformes, sans visage, dont on distinguait à peine les traits. Naturellement, ainsi exprimé, le mythe présentait tous les aspects de la fantaisie la plus invraisemblable. Mais, outre que ses sources païennes le rattachaient à des traditions folkloriques, antiques et pré-antiques, à résonances universelles, elles l'orientaient vers une métaphysique parfaitement barbare dont le *Necronomicon* n'était que le produit le plus hideux.

A ce stade, les souvenirs se réveillèrent en moi avec tumulte ; si bien que, de nombreuses fois, je suspendis mes lectures, redoutant de voir encore se mêler réalité et fiction, et d'affronter ces dangereuses réminiscences. Je ne cessais pourtant d'y revenir, guidé par une volonté tout aussi impérieuse de percer le mystère de ma propre conscience, et du *rapport* qui pouvait exister entre ces livres et le drame d'alors. A l'extérieur, mon univers semblait avoir retrouvé sa sérénité et sa sagesse, de sorte que, sitôt que je suspendais mes recherches, je pouvais me retrouver dans un giron réconfortant et sûr, qui suffisait à diluer le sentiment de menace. Avec le temps, les traumatismes que j'avais subis me permettaient de recourir à des justifications psychologiques derrière lesquelles il m'était facile de m'abriter. Et lorsque je tenais ces livres entre les mains, éprouvant leur simple poids, leur réalité inerte, faisant de ces assemblages de papier des *amis*, il me paraissait bien absurde de voir dans ces éditions très officielles le vecteur de je ne sais quelle indicible malédiction dont Spencer aurait été l'objet.

Après tout, ce n'étaient *que* des livres, n'est-ce pas ?

Au fil de mes lectures, dans l'année qui précéda mon choix de thèse, puis dans celle qui suivit, je pénétrai ainsi l'univers qui avait hanté Spencer au point de le rendre fou. Ces Grands Anciens n'étaient pas entièrement faits de chair et de sang, mais aussi d'une autre matière. Cependant, bien qu'ils n'aient plus été en vie, Ils ne mouraient jamais vraiment. Ils demeuraient dans leurs maisons de pierre et la grande Cité de R'Lyeh, préservés par les charmes du puissant Cthulhu, attendant leur glorieuse résurrection. Il faudrait alors l'intervention d'une force extérieure pour libérer Leurs corps. Ce culte ne disparaîtrait qu'au moment où les étoiles seraient à nouveau en position adéquate ; alors les prêtres secrets pourraient aller chercher le Grand Cthulhu dans Sa tombe, pour qu'Il redonne vie à Ses sujets et Se remette à gouverner la Terre. Selon les exégètes, ces temps seraient venus lorsque l'humanité elle-même serait tout à fait semblable aux Grands Anciens : sotte et matérialiste, libre et fougueuse, au-delà du bien et du mal, les lois et les morales rejetées, tous ses membres criant, tuant et se divertissant joyeusement. C'est alors que les Anciens, enfin libérés, leur enseigneraient de nouvelles manières de crier et de tuer, de se divertir et de jouir de leur existence ; puis toute la Terre s'enflammerait dans un flamboyant holocauste d'extase et de liberté. En attendant, le culte, par des rites appropriés, devait maintenir vivant Leur Souvenir et faire pressentir la prophétie qui annonçait Leur Retour. C'était le rôle du *Necronomicon*, recueil de légendes et de rituels, que de préserver la mémoire de ces divinités effrayantes.

Je ne fus pas à l'abri, en avançant pas à pas sur ce chemin, de nouveaux chocs ; et s'ils n'avaient été largement disséminés dans le temps, me permettant chaque fois de reprendre habilement mes distances, j'eusse sans doute cédé au vertige de l'irrationnel. Ainsi, alors que je lisais l'une des nouvelles du recueil intitulé *L'Abomination de Dunwich*, je restai, un soir, tétanisé par une description. La nouvelle, *Le Modèle de Pickman*, racontait comment un peintre maudit s'était inspiré d'une créature fantastique pour exécuter un portrait d'après nature. La lecture me laissa pantelant.

> C'était un blasphème colossal et sans nom, aux yeux rouges et fulgurants, qui tenait dans ses griffes osseuses une chose qui avait été un homme, et lui rongeait la tête comme un enfant ronge un sucre d'orge. Il avait l'air accroupi, et on avait l'impression qu'il allait, d'un instant à l'autre, lâcher sa proie et se mettre en quête d'un morceau plus savoureux. Mais, de part tous les diables, ce n'est pas tellement le thème du tableau qui le rendait si effroyable ; non, ce n'était pas cela, ni la face de chien avec ses oreilles pointues, ses yeux injectés de sang, son nez aplati et ses lèvres baveuses. Ce n'étaient pas non plus les griffes squameuses, ni le corps pétri de moisissures, ni les pieds à moitié fourchus, rien de tout cela, bien que n'importe lequel de ces détails eût été suffisant pour conduire à la folie un homme impressionnable. C'était la technique... cette technique maudite, impie, contre nature ! Aussi vrai que je vois, nulle part ailleurs je n'ai vu le souffle de la vie si intimement mêlé à la toile ! Le monstre était là, dévorant, et ses yeux lançaient des éclairs, et je savais que seule une interruption des lois de la nature permettait à un homme de peindre pareille chose sans un modèle – sans quelque coup d'œil sur le monde d'en bas que nul mortel, à moins d'être vendu au Malin, n'a jamais vu.

C'était *la description exacte de la toile que j'avais vue sous la grange*. Presque trait pour trait. Dès lors, de nombreux éléments revinrent me hanter. Les listes de divinités terribles que j'avais lues, sur l'un des carnets noirs de Spencer, me sautèrent au visage. Le même soir, j'allai fébrilement ouvrir une petite boîte au sein de laquelle j'avais en quelque sorte conjuré le sort, depuis trois ans... Dans cette boîte, j'avais gardé le feuillet arraché au carnet, qui énonçait un à un les Noms du pandémonium de Lovecraft, et dont je m'étais emparé à la suite d'une pulsion subite. Lui-même lecteur assidu de l'écrivain et membre de l'obscur cercle de jeux de rôles, Spencer pouvait très bien s'être procuré cette triste litanie en recensant ces divinités au fil des œuvres interdites. A moins qu'il ne les ait trouvées ailleurs... Mais *où ?* Et malgré moi l'idée revenait m'assaillir – se pouvait-il qu'il ait puisé son inspiration... dans le *Necronomicon* lui-même ?

De nombreux points concordants entre mon expérience et la matérialité même des récits de Lovecraft me portèrent à de terribles interrogations. Le nom de Yog-Sothoth, que j'avais entendu distinctement prononcer plusieurs fois dans le souterrain, correspondait à l'une des divinités de ce panthéon ténébreux. Les symboles cunéiformes ou curvilignes étaient maintes fois évoqués dans ses récits ; et le langage inconnu qui figurait sur les dessins et les carnets de Spencer paraissait le même que celui qui avait servi à la rédaction du *Necronomicon* et d'autres livres anciens. Les signes étaient légion, et je luttais pour ne pas me laisser définitivement entraîner dans ces nuages de correspondances. La scène à laquelle j'avais moi-même assisté, ce concert à deux voix qui n'en faisaient qu'une, derrière la porte, cette voix aux intonations inhumaines, se retrouvaient sous d'autres traits dans un récit intitulé *L'Affaire Charles Dexter Ward*, dont le personnage, à certains égards, me ressemblait – érudit engagé sur la piste de savoirs interdits et réveillant les démons du passé ! Les fioles, les dessins, le miroir, tout cela paraissait absolument issu de l'univers même de l'écrivain – et les analogies ne s'arrêtaient pas là.

En revanche, je ne trouvai nulle part mention du poème *Melancholia ex Tenebris*, dont la première strophe figurait au dos du feuillet quadrillé, et qui semblait bel et bien de la seule inspiration de Spencer. A relire ce poème, des années plus tard, je fus saisi de frissons comme au premier jour. Avait-il servi… *d'invocation ?* De passage ? D'intermédiaire entre deux faces d'une seule et même réalité ? Je m'arrêtais parfois pour rire de ma propre imagination. Tout cela *ne pouvait être*, bien entendu. Une fois de plus, mon esprit mélangeait les impressions et les faits, le passé et le futur, au point de reconstituer ce ballet sans plus savoir ce qui relevait du réel et du songe – ou de ces livres. En dépit de quoi, une question demeurait valide : le *Necronomicon* – ou quelque chose d'approchant – *existait-il véritablement ?* Spencer n'avait-il pas, à l'époque, emprunté à la bibliothèque des ouvrages qui, eux, étaient bien réels ? Ne pouvait-on se figurer, dès lors, que le *Necronomicon* lui-même n'était pas *seulement* une œuvre d'imagination ? Ou bien, qu'il avait inspiré d'autres livres dangereux ? Spencer avait-il pu avoir en sa possession un exemplaire de cet ouvrage maudit… ou des fragments ? Autre chose enfin : y avait-il un lien réel entre le *Necronomicon*, les anciens jeux de rôles et leur… prolongement numérique ? Si oui, quelle était la nature exacte de ce lien, quel en était le contenu concret ? Formaient-ils… *continuum ?*

Pour répondre à ces questions, je retrouvai également la trace des livres dont je me souvenais – ceux qu'Albert avait fait passer au Poète, quelques jours avant sa mort.

Ils avaient brûlé avec la grange ; mais leur souvenir figurait encore dans les fiches jaunies de la bibliothèque universitaire, où je me rendis pour profiter d'une discussion avec une documentaliste. Il apparut assez vite que, si les manuscrits avaient été rangés sous les intitulés que j'avais vus, il ne s'agissait pas d'œuvres originales. Si les fragments des *Manuscrits Pnakotiques*, les *Mystères du Ver* ou les *Cultes Innommables* n'existaient pas, en revanche, des auteurs improbables y avaient consacré d'incroyables études et de multiples commentaires, comme s'ils les avaient eus véritablement sous les yeux. Cela me rassura un peu, sans pour autant balayer totalement mon interrogation cruciale au sujet de la possible réalité du *Necronomicon.*

Et puis, je finis par en retrouver un – de manière assez simple, d'ailleurs.

Je veux dire : un membre du Cercle d'origine. L'un de ceux qui avaient rejoint leur mystérieuse partie, inspirée de l'œuvre de Lovecraft.

Il s'appelait Thomas.

Pseudo pour la « communauté » : *Astaroth41.*

7

Fantastic Stories

On pourrait s'étonner que je ne sois pas devenu fou dès ces premières approches, en constatant les rapports troublants que je pouvais établir entre mes lectures et mes souvenirs que, bon an mal an, je mettais bien au rang d'expériences réelles. Heureusement, mon quotidien me permettait d'échapper à la gravité implicite et philosophique de ce problème.

Le biais de la recherche littéraire m'offrait également un alibi et une opportunité de mise à distance, en le traitant d'un point de vue purement analytique, comme si je devais être moi-même le spectateur et le commentateur de mes réminiscences ; il s'inscrivait d'autre part au cœur d'un océan d'événements qui me confortaient dans l'idée que je pouvais me consacrer à ces recherches sans perdre la raison, pour peu que je fusse capable de conserver ce rideau opportunément tendu entre les livres et moi – autant dire entre la réalité et la fiction. Le reste de ma vie, en effet, se déroulait sous les meilleurs auspices. Je me mariai avec Anne-Lise assez rapidement et elle tomba enceinte tout aussi rapidement. Avant même la fin de mes études, nous eûmes la chance, grâce au soutien parental, d'acheter une maison agréable située tout près de la demeure de mon père, et nous y dînions souvent en sa compagnie et avec M. et Mme Armitage. Mon père accueillit mon départ de chez lui – de chez nous – avec un mélange de nostalgie et de bonheur soulagé. Anne-Lise avait une sœur qui, elle aussi, paraissait sur le point de se fiancer avec un jeune médecin. Peu à peu le cercle allait s'élargir, et en définitive, mon père trouvait aussi dans la constitution de cette nouvelle famille une seconde jeunesse.

J'étais de plus en plus apprécié à l'université. Plus personne n'évoquait le massacre de Laval depuis des mois. J'avais initialement formulé mon sujet de thèse de la façon suivante :« Littérature fantastique et livres maudits : réalité et historicité du genre », ce qui me paraissait à la fois suffisamment précis et suffisamment fumeux pour me permettre de développer mes recherches comme je l'entendais. J'avais commencé à surfer tous azimuts sur Internet, en plus de mes emprunts à la bibliothèque, pour alimenter ma documentation. Le cacochyme M. Wallace, mon directeur de thèse, n'était d'ailleurs pas trop regardant, si ce n'était dans la mesure où il se préoccupait de se trouver prochainement un successeur, et de puiser éventuellement dans mon travail de quoi donner matière à ses propres publications. Mais sa spécialité étant le roman sentimental français du XVIIe siècle, la passerelle n'était pas des plus évidentes. Il reste qu'il me tenait en haute estime, avait pour moi une réelle sympathie et, bien qu'il n'en devinât certes pas tous les ressorts, il trouvait mon sujet « vivement intéressant », selon ses mots.

J'ai tort pourtant de me moquer. Si j'avais su le tour que prendraient les événements, sans doute aurais-je bifurqué aussitôt, moi aussi, vers le roman sentimental et les émois de la *Princesse de Clèves*.

C'était l'époque où quelques anciens des *Bateaux ivres* fondèrent la revue *Fantastic Stories*, précisément sur le modèle des vieux fanzines, pulps et comics des années trente aux années cinquante. Il s'agissait en fait d'une sorte de gazette spécialisée dans les nouvelles de fiction, fantastiques ou non d'ailleurs, menée par l'un de mes amis du nom de Matthew Ward, et écrites tantôt en français, tantôt en anglais. En qualité de lointain pourvoyeur de poèmes rimbaldiens pour les *Bateaux ivres*, je fus sollicité pour apporter mon écot à l'entreprise, en proposant une nouvelle de temps en temps à la gazette, éditée à cinq ou six cents exemplaires, avec les moyens du bord. Echaudés par le peu de succès rencontré par leurs stances des années passées, quelques membres du personnel de notre ancienne association s'étaient donc reconvertis vers des essais plus prosaïques, mais aussi plus accessibles. Et bien que l'on pût regretter le dévoiement de certains au bord de sombrer dans l'infra-littérature, la reconstitution d'un petit club faisait du groupe de nos poètes disparus une sorte de phénix auquel je ne pouvais refuser une contribution, même modeste.

Mon contact à *Fantastic Stories* était par ailleurs l'un des rares étudiants à avoir participé également quelques semaines au *Cercle de Cthulhu*.

C'était lui, *Astaroth41*.

Lorsque je l'appris, je mentirais en disant que ce ne fut pas l'une des raisons qui me poussèrent, au début, à accepter une collaboration avec la gazette en question. Ce garçon s'appelait Thomas Edwood. Là où l'on se serait attendu à trouver un jeune homme à veston et petit foulard, on tombait au contraire sur un chevelu bedonnant, mal rasé, aux lunettes d'écaille, affichant en toutes circonstances des T-shirts *Heavy Metal* qui pouvaient laisser penser – à tort d'ailleurs – qu'il n'avait pas grandi. Une casquette sur la tête achevait de le ranger dans une caricature de lui-même dont il se délectait. Il avait pour tâche d'assurer la commande et la coordination des rendus, un boulot de rédaction en chef en quelque sorte. C'était lui qui s'occupait également de la maquette et de la couverture. Cette dernière, d'une soixantaine de pages tout de même, était le plus souvent recouverte de couleurs criardes, à l'image des fanzines d'autrefois, et exhibait dans des tons bariolés d'étranges créatures jaillies de lacs noirs, des martiens d'aspect volontairement outré ou des *psycho-killers* à la hache encore dégoulinante de sang. Elle était mensuelle – mais on aura compris, donc, que l'orientation générale de nos recherches littéraires expérimentales avait changé.

Les bureaux de *Fantastic Stories* n'étaient pas dans les locaux de l'université – et il était un peu exagéré d'appeler « bureaux » les deux pièces pouilleuses qui faisaient office de salle de rédaction, dans un grand immeuble gris du centre de Québec. J'y passais une fois par mois pour y voir le plus souvent Thomas avachi dans un fauteuil pivotant, cendrier sur la table, au milieu de poubelles remplies, de piles invraisemblables de livres, feuillets et précédents numéros. Tout cela baignait dans un déluge de poussière qui dansait entre les rivets des stores fréquemment baissés. Je lorgnais, tantôt avec amusement, tantôt avec une inquiétude lointaine, ces couvertures et ces titres invraisemblables des histoires émaillant nos parutions. *L'Avaleur d'Espaces, L'Homme qui rêvait le*

Monde, Alerte au Maxitron, La Désolation d'Arcadia ou les *Goules de Troie*, les titres à eux seuls étaient des poèmes d'une autre sorte. Pour ma part, je fournis quelques textes écrits un peu de la main gauche, et qui étaient pourtant plus sérieux qu'ils ne le laissaient paraître. Ces petits récits, outre qu'ils m'offraient de faire mes premières armes sur le plan de mes créations personnelles, étaient aussi une forme de pied-de-nez à ce qui m'était arrivé – et, au fond, à l'horreur de mes souvenirs. Je ne faisais pas du fantastique : je me moquais de lui, parce que, au fond, je savais qu'il était mon but et ma terreur, que le secret terrible était logé là, quelque part – et sous l'apparence du jeu, lorsque j'écrivais moi-même *Les Tentacules de Miseria* ou *Le Dernier Trône de Rivendelle*, je savais que c'était l'horreur enfouie chez Spencer, et enfouie en moi et en chacun d'entre nous, que j'interrogeais. C'était encore là le fruit de cette quête qui n'osait s'avouer telle.

Ce jour-là, pourtant, je restai un moment à discuter avec Thomas de mon dernier texte, du début de mes travaux de thèse et de la parution du prochain numéro de nos *Histoires Fantastiques*. Décontracté, cigarette aux lèvres, Thomas abandonna un instant ses travaux en cours et posa les pieds sur la table. J'avais résolu de lui parler depuis quelque temps ; mais l'une des choses les plus difficiles pour moi était de reparler du passé sans en donner l'impression, ou même d'avancer la moindre suggestion qui rappelât de près ou de loin les souterrains sous la grange et le massacre de Laval. Or, je fus presque glacé lorsque j'aperçus, pour la première fois, sur l'avant-bras de Thomas… le signe que j'avais également remarqué sur celui de Spencer.

Deux traits imprécis, se rejoignant dans le demi-cercle de l'Oméga.

Ce signe me fit aussitôt frissonner.

Je vis dans les yeux vifs de Thomas, derrière ses lunettes d'écaille, une brève lueur d'inquiétude. Embarrassé, il recula le bras. Je laissai passer quelques secondes, puis :

— Thomas... Tu étais membre de *Cthulhu*, il y a trois ans, non ?

— Quatre jours exactement.

Oubliant l'enthousiasme qu'il avait manifesté jusqu'à présent, il se tut lui aussi un instant, puis finit par continuer, du bout des lèvres :

— On m'a souvent emmerdé avec ça... *Après.* Mais je ne suis entré dans leur... univers que quatre jours ! Pseudo : *Astaroth41.*

Il eut un sourire vaguement amer.

— Beaucoup utilisaient des pseudos issus des ordres de la démonologie. Ou des figures de la littérature ou du cinéma fantastiques. On avait un *Azazel28*, un *Dracula22*, un *Frankenstein*, deux momies, même un *Godzilla56*... C'était censé être marrant. Des trucs de *geeks.*

Il leva les yeux vers moi.

— Pourquoi me demandes-tu ça ?

Je me raclai la gorge.

— C'était quoi, exactement, ce Cercle ? Un simple rassemblement d'amateurs de fantastique un peu branques ? Un club de fans de Lovecraft qui aurait mal tourné ? Tu as connu Spencer, toi aussi ?

— Très peu.

Il était visiblement de plus en plus ennuyé, comme si mes questions réveillaient également en lui des souvenirs qu'il aurait préféré mettre de côté.

— Il se connectait de temps en temps, finit-il par dire. Pseudo : *Melancholia426.*

— A l'époque, les flics n'ont pas essayé d'enquêter de ce côté ?

— Si. Ça a vite tourné court. Et le réseau a fait *pschiit.* Mais j'étais parti depuis longtemps.

— Quatre jours. Tu as vite décampé… Pourquoi ?

Il me regarda encore.

— Ils étaient timbrés. Tous timbrés. Même… Spencer. *Surtout* lui.

Je me penchai, baissant d'un ton ; non que nous fussions écoutés, mais le voile qui était tombé tout à coup sur la conversation invitait maintenant à ces expressions de confidence.

— En quoi consistait le jeu, exactement ? hasardai-je.

De nouveau, ses yeux me parurent fuyants.

— En rien. Ça a commencé comme des trucs de potache. Comme tu dis, c'était un jeu, David. Un *jeu*, c'est tout. Et je ne suis pas resté assez longtemps pour en saisir… tous les codes, si je puis dire.

Il me regarda et vit que j'en attendais davantage. Il soupira, puis :

— Un logiciel pirate circulait. On disait que c'était un truc pour les fans, un peu underground. On l'installait, on choisissait un mot de passe, on recevait un code personnel. Puis on accédait à un site… Un site fantôme. Et on pouvait télécharger des éléments. Et… jouer en réseau.

— A quoi ?

— Je… Je ne peux pas te le dire. C'était un jeu idiot, sauf que… que…

Il ôta ses pieds du bureau. Il n'avait aucune envie d'épiloguer. Il prit sa casquette et la jeta nonchalamment sur la table.

— Ecoute, Dave, vaudrait mieux en rester là, tu crois pas ?

C'était bien entendu impossible. Au contraire, tout cela n'avait fait qu'attiser ma curiosité.

— Thomas… Depuis ce drame à l'université… Je dois te dire… Il y a quelque chose qui me pèse. Tu sais que Spencer… enfin, tu te souviens… qu'il s'est *tué* devant moi…

Il ne répondit pas davantage, se contentant de me fixer avec intensité. Je voyais bien, pourtant, qu'il était suspendu à mes lèvres. J'hésitais encore ; mais s'il y avait bien quelqu'un à qui je pouvais parler, c'était lui. Aussi, balayant ce qui me restait de préventions, je me jetai à l'eau.

— La veille, je suis allé dans une sorte de grange qu'il avait louée… Tu sais, celle qu'il a brûlée. Deborah aussi y était allée et a essayé de m'en dissuader. Mais je m'y suis rendu quand même. Et ce que j'ai vu… Thomas, y étais-tu allé aussi ?

— Non.

— Il y avait *quelque chose sous la grange*, Tom… Ce jour-là, Spencer n'était pas là. Enfin, je pense – j'espère qu'il n'était pas là. Mais il y avait des dessins, couverts de créatures difformes… Je sais que ça a l'air grotesque, mais on aurait dit qu'elles étaient *échappées* de vos lectures… Et plus que ça. Il y avait aussi des textes, des extraits de… je ne sais quel livre…

Je cherchais mes mots, ne sachant jusqu'où pousser mes confidences, craignant moi-même de me retrouver trop exposé à ces souvenirs qui, à mesure que je les formulais, revenaient avec une acuité déconcertante.

— Je vois, dit cette fois Thomas.

Il marqua une pause.

— C'est à cause de ce genre de conneries que je me suis très vite barré. Ils en parlaient tous, de ce livre. Ils se racontaient toutes sortes d'histoires sur « les livres qui n'existent pas ». Et certains balançaient des photos, aussi. Des photos de… de…

— De quoi ?

Il balaya l'air d'un revers de main. Il avait pâli.

— Tu n'as pas à le savoir. C'était censé faire partie du jeu.

Son regard était toujours aussi intense… puis, brusquement, il se détendit.

— Ah, le *Necronomicon* ! Le livre des Noms morts ! La Porte des Cauchemars, derrière laquelle se trouvent le Dormeur, et Celui dont le Nom ne doit pas être prononcé ! Bien sûr, Dave. Du Lovecraft tout craché. Tout le monde voudrait savoir, n'est-ce pas… ce qu'il y a derrière la Porte… Derrière la mort, derrière la prétendue réalité de nos vies… Connaître le dieu qui nous inflige tout ceci… Mais c'est du pipeau, tout ça. Du pipeau !

Il fit les gros yeux, mimant d'une voix grotesque je ne sais quelle créature des abîmes. Puis il esquissa un sourire, dont je ne sus s'il était ironique ou sincère. Au ton de sa voix, et à son brutal changement d'attitude, je compris que je n'obtiendrais plus grand-chose de lui. Visiblement, cet épisode l'avait marqué lui aussi, mais d'une tout autre manière. Et il n'avait aucune envie de laisser tout cela remonter à la surface. Pourtant, j'insistai.

— Il y en avait d'autres… D'autres membres du Cercle. Les connaissais-tu ?

La gorge sèche, il hésita longuement… Puis me regarda.

— Tu connais Spencer, Debbie. Il y avait ce con, Albert. Deux autres gars qu'on voyait à la fac et qui sont partis. Une nana, pareille. Mais tous naviguaient sous pseudos, et pour la plupart, je ne connaissais pas leur identité réelle. Je doute qu'eux-mêmes se connaissaient tous. On m'avait dit qu'au début du Cercle, il y avait à peine dix adhérents. Quand je les ai rejoints… ils étaient 3 500. Mais au moment où tout s'est arrêté, David… ils étaient *200 000.* A peu près. Pas seulement aux Etats-Unis. Je te parle… je te parle du monde entier. Et c'était en train de monter. Puis, du jour au lendemain, tout s'est arrêté. *D'un coup.*

Je mis quelques instants à digérer l'information… avant de dire, d'une voix blanche :

— Quoi ?

Il se contenta d'opiner du chef.

— Le monde moderne, David. A la vitesse de l'éclair. Et personne n'a enquêté… Parce que personne ne savait. Et parce que tout a disparu aussi vite que ça avait commencé, comme si le jeu… n'avait jamais eu lieu.

De nouveau nerveux, il parla tout bas, comme si nous étions écoutés.

— Il y avait un pseudo qui revenait souvent. *Anthrax222.* Et un autre, qui se faisait appeler « Le Maître : Arandul Addelnae. »

— Arandul quoi ? Encore un… un démon pioché dans les livres ?

— J'en sais rien. Ça ne voulait rien dire. Mais le soir… Le soir de… ma première connexion…

Un instant, ses yeux se perdirent dans le vide.

— J'ai tellement flippé que… Bref, j'ai vite tout arrêté.

Thomas se tut. Je le vis serrer les maxillaires. Puis il conclut, tapotant ses revues, visiblement plus mal à l'aise encore que je ne l'aurais cru :

— Mais oublie tout ça. Crois-moi, Dave. Ces histoires de jeux, de Cthulhu… Le *Necronomicon* est une légende… une simple légende littéraire, tu le sais bien !

8

Une légende littéraire

Du livre au jeu et du jeu au livre, il n'y avait qu'un pas.

A première vue, en effet, la question de la réalité du *Necronomicon* trouvait facilement sa résolution : à de nombreuses reprises, Lovecraft lui-même avait affirmé qu'il s'agissait de sa part d'une pure invention. Le problème paraissait donc réglé avant que d'être posé. Mais l'écrivain évoquait ce livre avec tant de précision et de conviction que, naturellement, il avait intrigué ses amis, ses lecteurs, et bientôt les passionnés d'ouvrages rares, ou encore les milieux occultistes – de New York en particulier. Le livre existait-il ? Sinon, de quelles sources Lovecraft s'était-il inspiré ? En 1936, deux de ses correspondants, James Blish et William Miller, lui avaient écrit qu'ils étaient sur la piste d'un exemplaire, proposé dans une annonce. Lovecraft s'était amusé de ce qu'il avait pris pour une plaisanterie et, jouant le jeu, avait répondu avec un sérieux feint. Il avait alors rédigé *L'Histoire du Necronomicon*, court texte usant d'une érudition convoquée pour l'occasion, initialement publié dans le recueil *Night Ocean*, puis dans les *Œuvres complètes*, vol. I.

En bon conteur de fiction, il entoura les circonstances de la création et de la postérité du livre d'une multiplicité de détails et d'indices destinés à asseoir sa vraisemblance. Il y fit mention de personnages célèbres, glissa dans son bref historique des indications étymologiques, précisa des dates et des lieux de publication paraissant attester l'authenticité de cette légende qu'il était lui-même en train de construire. Par exemple, il citait Ibn Khallikan, écrivain syrien bien réel du XIIIe siècle, auteur du *Dictionnaire biographique*, premier ouvrage au monde de cette catégorie et fruit de vingt ans de recherches, largement diffusé dans le monde islamique.

« *HISTOIRE DU NECRONOMICON.* Titre original : *Al-Azif – azif* étant le nom que les Arabes donnent à ce bruit (émis par des insectes) qu'on entend la nuit, et qui est censé être le hurlement des démons. » Ainsi, le livre aurait été composé par un certain Abdul Alhazred, poète dément de Sanaa, au Yémen, qui aurait vécu sous le règne des califes Omeyades, vers 700 de notre ère. Il visita les ruines de Babylone, les souterrains secrets de Memphis, et demeura dix ans dans la solitude du grand désert situé au sud de l'Arabie – le Roba El Khalyiah ou « Espace Vide » des Anciens, le « Dhana » ou désert écarlate des Arabes actuels, disait Lovecraft, qui passait pour être peuplé d'esprits malfaisants et de monstres mortels. Ceux qui prétendaient y avoir pénétré racontaient des choses aussi merveilleuses qu'incroyables. Vers la fin de sa vie, Alhazred se serait établi à Damas, où il écrivit le *Necronomicon.* « Sa mort (ou sa disparition définitive) en 738 après J.-C. a donné lieu à bien des récits horribles et contradictoires. Selon Ibn Khallikan, biographe du XIIIe siècle, il fut dévoré en plein jour par un monstre invisible, devant une foule de spectateurs terrifiés. Sa folie a inspiré de nombreux témoignages. Il se vantait d'avoir vu la fabuleuse Irem, la Cité des Piliers, et d'avoir trouvé, sous les ruines d'une cité anonyme perdue dans le désert, les annales et les secrets scandaleux d'une race plus vieille que l'humanité. Indifférent à l'islam, il adorait des entités inconnues, qu'il appelait Yog-Sothoth et Cthulhu. »

Puis Lovecraft déroulait le fil de cette genèse supposée. « Quoique diffusé sous le manteau, l'*Azif* était déjà bien connu des philosophes de l'époque quand Théodore Philétas, de Constantinople, le traduisit secrètement en grec (950), sous le titre de *Necronomicon.* » Un siècle durant, il aurait inspiré aux expérimentateurs d'horribles essais, avant d'être interdit et brûlé sur l'ordre du patriarche Michel. Par la suite, il ne fit plus l'objet que d'allusions furtives. En 1228, cependant, Olaus Wormius en aurait donné une traduction latine, imprimée une première fois au XVe siècle en Allemagne et en caractères gothiques, puis une seconde au XVIIe, vraisemblablement en Espagne. Les deux éditions seraient dépourvues de tout signe d'identification : seul un examen typographique permettrait de situer leur provenance. Peu après la traduction de Wormius, qui eut un certain retentissement, le pape Grégoire IX aurait interdit l'œuvre (dans ses deux versions, grecque et latine) en 1232. Selon Lovecraft, l'original arabe était déjà perdu à cette époque. Il citait toutefois l'existence d'une copie à San Francisco rapportée par de vagues témoignages, copie disparue lors d'un incendie. Quant à la traduction grecque, imprimée en Italie entre 1500 et 1550, elle aurait été signalée pour la dernière fois en 1692, lorsqu'on brûla la bibliothèque d'un certain citoyen de Salem. Une version anglaise, due au Dr Dee, était toujours restée à l'état de manuscrit, et il n'en subsistait que des fragments. Lovecraft affirmait, enfin, que le British Museum conservait sous clé un exemplaire de l'édition du XVe siècle, tandis que la Bibliothèque Nationale de Paris, la Widener Library de Harvard, les bibliothèques de la Miskatonic University d'Arkham et de l'université de Buenos Aires possédaient chacune l'édition espagnole du XVIIe siècle – sans parler d'autres variantes clandestines circulant sous le manteau, dont celle détenue par un célèbre milliardaire américain, dans sa version allemande. Ainsi l'écrivain commençait-il de jeter les fondations de son mythe. « L'ouvrage, rigoureusement interdit par la plupart des gouvernements de la planète, ainsi que par toutes les organisations religieuses, est donc peu connu du grand public. On dit que les rumeurs auxquelles il a donné naissance ont fourni à R.W. Campbell l'idée de son premier roman, *Le Roi en Jaune* (1895). »

Mais Lovecraft s'était vite rendu compte que ce petit jeu donnait naissance à de bien curieuses élucubrations. Le 19 mai 1936, il écrivait à l'un de ses amis : « A propos du Necronomicon, juste ciel ! J'étais persuadé que vous saviez qu'il s'agissait d'un ouvrage purement imaginaire ! L'annonce où vous avez lu qu'il était à vendre au prix de 1,45 dollar était une plaisanterie : je ne sais pas qui l'a faite, mais je soupçonne cependant le jeune Bloch » – Robert Bloch était l'un des jeunes auteurs de science-fiction avec qui Lovecraft correspondit également, et qui se fit connaître par la suite, en particulier pour son scénario du *Psychose* d'Hitchcock. L'écrivain tenta de mettre un frein au mouvement qu'il avait déclenché ; trop tard… Par la suite, ces précisions suffirent à entraîner dans une quête sans fin des hordes d'ésotéristes et de lovecraftophiles. Plus tard, le *Necronomicon* fit l'objet de thèses, d'études et d'expertises publiées dans des essais et des revues, des plus sérieuses aux plus improbables. Et pour quelqu'un comme votre serviteur, chercheur et jeune écrivain, cette postérité, qui *a priori* ne reposait sur rien, sinon du vent – ou du moins, sur le seul pouvoir de l'imagination – était une inépuisable source d'étonnement. Lovecraft avait inventé un livre si monstrueux qu'il faisait irruption malgré lui dans la réalité. Dès lors, l'idée de percer le secret obscur de cette création ne cessa de me tarauder.

Une interprétation intéressante de sa genèse était fournie par Christophe Thill, un spécialiste de Lovecraft, qui voyait dans *l'Histoire du Necronomicon* un récit autobiographique déguisé. Du propre aveu de l'écrivain, Abdul Alhazred était le nom qu'un ami de la famille avait inventé pour lui, par déformation du nom d'une des branches familiales, les Hazzard, lorsque Howard avait cinq ans et se passionnait pour l'Orient et ses Contes des Mille et Une Nuits. En 1895, le petit Lovecraft s'était d'ailleurs formellement déclaré « converti à l'islam » et s'était fait appeler lui-même Abdul Alhazred. L'Arabe fou était donc à placer au rang des « fantasmagories infantiles ». Bien plus tard, Lovecraft s'était de nouveau identifié à Alhazred en signant de ce nom ses lettres adressées à son ami E. Hoffman Price, lui-même auteur de contes orientaux, qu'il surnommait « Malik Taus, le Sultan des Paons ». Du reste, le parallèle métaphorique entre la destinée du poète dément de Sanaa et celle de Lovecraft était frappant. Toujours selon Thill, HPL avait en effet commencé par se rêver poète avant de devenir auteur de prose ; rêve longtemps brisé à l'angle sec d'un anglais archaïque et de structures métriques rigides, sortis de manuels trouvés dans la bibliothèque de son grand-père. Les habitants de son quartier le considéraient comme étrange, voire inquiétant, et cette folie qui semblait sans cesse au bord de se libérer n'était pas sans lien avec les forces obscures prêtes à se déchaîner qui hantaient son œuvre. Si Alhazred avait sillonné dix ans l'« Espace vide » du désert d'Arabie, Lovecraft, lui, était également resté longtemps dans un profond désert affectif qui l'avait conduit à la misanthropie et à la répugnance au contact humain.

Ce portrait, lui-même légendaire, pouvait d'ailleurs être nuancé. Certains textes de Lovecraft ne manquaient pas d'un humour subtil : il inventait parfois sa mythologie en se moquant ouvertement d'une forme de littérature de science-fiction alors en vogue dans le magazine *Weird Tales*, bombardait de références improbables des récits abracadabrants, écrivait avec des auteurs amis des nouvelles à plusieurs mains, où chacun s'amusait à reprendre le fil du récit à l'endroit où son confrère l'avait laissé. Dans cet esprit, *l'Histoire du Necronomicon* elle-même n'était pas dénuée d'une arrière-pensée qui confinait à la plaisanterie. De toute évidence, lorsqu'il n'était pas oppressé par le vaste mystère de l'univers, Lovecraft devait se dire qu'il en faisait un peu trop lui-même. Pour autant, le sentiment d'oppression qui animait toute son œuvre en était aussi, et indubitablement, la source.

Tout comme Alhazred, originaire de la ville de Sanaa, une des villes les plus anciennes de la péninsule arabique, Lovecraft trouvait ses racines dans un cadre urbain façonné par de nombreux siècles. « Voyageur de l'étrange » comme l'appelait Thill, Alhazred avait visité les ruines de Babylone, les souterrains secrets de Memphis, la fabuleuse Irem, la Cité des Piliers, ces vestiges anonymes perdus dans le désert… Lovecraft lui-même avait voyagé sans cesse vers les endroits les plus chargés d'histoire, tels Charleston, la Nouvelle-Orléans, Québec et bien sûr Providence, fasciné qu'il était par les traces d'un passé transformé par l'imaginaire en écrins de secrets immémoriaux, révélant le passage successif et mystérieux de différentes civilisations – et ce, bien qu'il ne se fût jamais trouvé réellement en face des sites les plus antiques de l'Europe, du Moyen ou de l'Extrême-Orient, ni même de l'Amérique latine. Il avait ainsi cheminé, tel son poète fou, en fabuliste halluciné et pétri de fantasmes.

Je me sentais obscurément saisi par ce personnage des plus étonnants, devinant avec une sorte de stupeur glacée le gouffre apparent de sa vie. Au-delà de l'humour plus ou moins pince-sans-rire qui émaillait certaines de ses œuvres, quelque chose de froid, de mort et d'abyssal gisait en lui, et je peinais à me représenter comment il avait pu vivre, ne fût-ce que pour éprouver des sentiments simples et chaleureux, comme l'amour, le désir, la simple satisfaction de goûter à un plat chaud ou un bon vin. Bref, s'abstraire un bref instant de la fureur du monde et de son cortège d'angoisses métaphysiques, pour allonger ses jambes et laisser un sourire épanoui planer sur ses lèvres. Non, cédant peut-être à mes propres fantasmes, je ne voyais là qu'un gouffre, un désespoir obsessionnel, quasi psychotique, qui eût paru intolérable à tout être normalement constitué. Sa xénophobie, son racisme, sa peur de la consanguinité, des femmes, de tout enfin, le rendaient fatalement antipathique. Ce rejet de toute illusion, de toute consolation surtout, le déni de toutes les formes de mythes et de religions postulant l'immortalité de l'âme ou réalisant la promesse d'un au-delà meilleur, semblaient ne devoir conduire qu'au renoncement et à la détresse, à une noyade autogénérée et annoncée d'avance dans une folie aussi inéluctable que le retour des Anciens ; l'abandon morbide à une philosophie matérialiste et nihiliste associée à un profond dégoût de l'homme, ou du moins une reconnaissance fataliste, cynique, de sa place dérisoire dans l'ordre des choses et le cours de l'univers. Un abîme ouvert sous nos pieds, sous ses pieds, que le seul nom de Cthulhu, puissamment évocateur, tentaculaire et délétère, suffisait à résumer. Seule la distance liée à son intelligence, sa pratique de la poésie, de la métaphore et du second degré, ainsi que la détresse profonde de ses premières années le rendaient paradoxalement plus accessible.

Un monstre, oui – peut-être cet homme avait-il porté en lui cette monstruosité, mais toute son œuvre semblait vouloir nous signifier qu'il n'en avait pas l'apanage : elle n'était que l'expression de la part de ténèbres de chacun d'entre nous, nos fantasmes enfouis par la civilisation, sorte de Ça, d'Indicible freudien que nous portions tous en germe, et auquel nous refusions d'ouvrir la porte, comme à une vérité insoutenable. Lovecraft parlait finalement du Monstre en nous, du mal, certes, mais pas seulement du mal humain, ou généré par le mauvais exercice de notre liberté, non : du Mal comme cette entité métaphysique étrangère, autonome et confondante dont je parlais, et à laquelle il trouvait non pas un, mais mille nouveaux noms ; le Mal en nous peut-être, mais trouvant surtout sa racine bien au-delà de nous, ombre immensément supérieure, unique et pétrifiante, et dont la seule rencontre signifiait le glissement vers la démence, et en un mot, la Terreur, la terreur sans nom – cette terreur primale que j'évoquais au début de mon récit, et que j'avais moi-même éprouvée dans un seul regard échangé avec Spencer devenu fou.

C'était ce même monstre qui dévorait vivant Alhazred devant une foule de spectateurs terrifiés, le monstre de sa propre folie, mais aussi de sa rencontre avec cette réalité supérieure, ou plutôt inférieure, sombre, hideuse et souterraine. Ce cancer, peut-être, qui avait dévoré Lovecraft tout cru, alors qu'il avait à peine dépassé la quarantaine… Cet autre monstre qui l'avait possédé jusqu'à le tuer. Fallait-il voir, dans cette angoisse, une sorte de prescience de ce qui allait lui arriver, de cette maladie inéluctable qui le conduirait prochainement vers la mort ? Etait-ce le *Ça*, qui avait orienté inconsciemment cette œuvre prolifique, Cthulhu ou Yog-Sothoth n'étant que ses autres appellations ? Et la Porte, celle de sa propre mort – sa putréfaction annoncée et sans retour ? Il avait vécu avec cette gangrène avant même qu'elle ne se déclare. Il avait été *habité.* Voilà qui en faisait un auteur, mais pour rien au monde je n'eusse échangé ma vie avec la sienne, même au prix de la postérité et d'une légende littéraire sans équivalent dans le monde. Comment avait-il pu *vivre ?* Abdul Alhazred n'était-il pas Lovecraft lui-même – et *le Necronomicon*, le sceau de sa démence, l'ensemble de l'œuvre lovecraftienne ? On pouvait fouiller toutes les caves, tous les greniers, les chapelles obscures, les châteaux en ruine, les bibliothèques oubliées, les égouts putrides, les vestiges de civilisations immémoriales, à la recherche de sinistres révélations et de manifestations terrifiantes des Grands Anciens : le *Necronomicon* n'existait que sous une forme métaphorique, celle d'une œuvre littéraire, un prodige ensorcelant de la littérature fantastique, un fantôme immense et tenace dans la forêt de notre imaginaire collectif. Et c'était bien cela, d'ailleurs, cela et rien d'autre, qui le rendait si *réel.*

9

Réalité et fiction

— Cette affaire est insensée, dis-je ce soir-là au professeur Verhaeren que nous avions invité à dîner.

Le professeur était une sommité, spécialisé dans la littérature fantastique. Sexagénaire dont la corpulence paraissait défier les lois de la gravité, d'origine hollandaise, il avait enseigné vingt ans à Harvard et écumait encore les colloques internationaux. C'était à la fin du repas. J'aidais Anne-Lise à débarrasser la table. Elle était alors enceinte de six mois. Elle me sourit sous une mèche de cheveux blonds qu'elle envoya valser d'un souffle, tandis que je terminai d'un trait mon verre de vin. Puis je proposai à notre invité de passer au salon. Depuis quelque temps, j'avais commencé moi-même à donner des cours épisodiques à Laval, avant une titularisation définitive, hautement probable, à l'issue de ma thèse. Celle-ci était en chantier, et j'en possédais une centaine de pages, plutôt des bribes, car j'avais le sentiment de n'avoir pas encore trouvé le noyau qui en fixerait l'armature définitive. Anne-Lise, de son côté, avait achevé ses études de psychologie et travaillait dans un bureau d'assistance sociale de Québec, en attendant paisiblement son congé. Nous vivions dans le confort tranquille et bourgeois de notre maison de la rue Sainte-Foy.

J'avais rencontré le Pr Verhaeren à la suite d'une conférence qu'il avait donnée deux jours plus tôt à Laval. Sa réputation le précédant, je m'étais empressé d'aller le trouver pour lui parler du sujet sur lequel je travaillais. Mon approche l'avait amusé. Nous avions sympathisé et je l'avais invité à dîner. J'avais lu ses principaux ouvrages, notamment sa *Sémiotique du récit fantastique, Le Pouvoir du Non-Dit* ou encore *Quelque chose derrière la porte.* Il connaissait bien sûr Lovecraft par cœur. Il faut vous dire aussi qu'à ce moment, j'avais entamé, parallèlement à ma thèse, quelques essais de fiction, me souvenant des *Bateaux ivres* et de mon vieux rêve intime de devenir moi-même écrivain. Si, pour des raisons que la décence m'interdit de formuler, j'avais renoncé à devenir Rimbaud, l'idée de progresser vers l'écriture d'un roman me taraudait, et apportait aussi un peu de cette lumière bénéfique qui compensait la fréquentation régulière des Lovecraft et autres goules de la littérature ; en même temps, celle-ci ne pouvait qu'exercer sur moi une influence bien compréhensible. Si je travaillais sur le fantastique en tant que genre, en revanche je voulais à tout prix m'en éloigner pour le merveilleux roman que je préparais dans l'ombre et l'anonymat, selon un réflexe tout aussi compréhensible. Je pensais plutôt à une saga familiale historique, qui serait prétexte à raconter l'origine de ma famille depuis les huguenots français, projet que mon père, on s'en doute, ne pouvait que soutenir avec enthousiasme. Mais pour le moment, ce projet – qui avait déjà son titre, *Les Lumières du*

Monde – n'en était qu'au stade du balbutiement. En revanche, mes quelques nouvelles mélodramatiques étaient assez encourageantes : Anne-Lise les adorait et un éditeur ou deux paraissaient intéressés, à condition de me céder un à-valoir proche du dérisoire.

Au salon, Verhaeren alluma donc sa pipe, puisqu'il était un des rares spécimens à en fumer encore. J'allumai quant à moi une cigarette, et m'assis dans un fauteuil profond en face de lui, tandis qu'Anne-Lise ranimait les braises d'un petit feu dans la cheminée.

Rencontrer ce professeur et discuter avec lui de mes obsessions sous une forme simplement ludique et universitaire participait aussi de ces stratégies de mise à distance dont j'ai déjà parlé. Elles me permettaient de communiquer sans dire, et donc sans éprouver de danger, en même temps que, par ce genre de conversations avec les plus grands érudits du genre, j'espérais parvenir à découvrir quelques clés indispensables à la poursuite de mes travaux. Je ne lui avais évidemment pas dit un traître mot du drame de Laval, ou de la façon dont j'y avais été mêlé, me bornant à discourir sur le même mode de fascination amusée que celui dont il usait pour parler de Bram Stoker, Mary Shelley ou Lovecraft, et leurs hordes de créatures de la nuit.

— Je suis fasciné, disais-je, moins par les œuvres elles-mêmes, que par ce qu'elles ont engendré… N'est-ce pas étonnant ? Savez-vous, hasardai-je ensuite après une hésitation, que je me suis vraiment demandé, à un moment, si le *Necronomicon*, par exemple, existait réellement ?

La pipe de Verhaeren quitta ses lèvres et il me regarda longuement. Puis un léger sourire courut sur ses lèvres.

— Mais il existe, mon ami… *Il existe…*

— Comment ? demandai-je aussitôt, la voix blanche.

Anne-Lise, qui se redressait devant le feu en posant le tisonnier, leva les yeux au ciel. Elle ramena derrière son oreille une boucle blonde et la fossette à ses lèvres s'accentua en une moue sceptique.

— Personnellement, dit-elle, je me demande comment tu fais pour passer ton temps dans des histoires pareilles. Sauf votre respect, professeur.

Il est vrai que certains traits de mon obsession n'avaient pu lui échapper. J'avais pourtant tout mis en œuvre pour lui épargner mes divagations. Elle savait, au demeurant, que j'avais assisté au carnage de Laval ; mais je m'étais bien gardé de lui faire part de tous les détails, et lorsque nous avions évoqué cet épisode, je m'étais borné à lui expliquer le traumatisme réel que j'avais subi ; je m'étais aussi peu dévoilé en lui avouant à demi-mot que cette expérience n'était pas étrangère à l'orientation qu'avaient prise mes recherches. Elle l'entendait parfaitement d'ailleurs, et du moment, m'avait-elle dit, que je ne glissais pas dans je ne sais quelle complaisance ésotérique ou morbide ou dans quelque fascination malsaine, elle n'y voyait guère à redire, cette problématique philosophique du mal ne la laissant pas non plus indifférente ; je devais juste veiller à garder les pieds sur terre. Pour elle, tout cela n'était bien sûr qu'un problème théorique, au moins à moitié en tout cas. Les ramifications et manifestations profondes du Mal lui étaient étrangères. Comme tous les gens qui passent au travers, et je dis cela sans arrogance aucune – elle devait se sentir obscurément protégée par je ne sais quelle Providence qui lui servirait de bouclier face à tous les malheurs. J'enviais profondément ce sentiment, car pour ma part je luttais souvent contre ce gouffre d'insécurité, de fragilité et d'urgence qui était tapi au fond de ma boîte comme ce petit feuillet quadrillé, arraché au carnet noir de Spencer, que j'avais remisé quelque part dans le dressing jouxtant notre chambre.

— Comment cela, il existe? insistai-je auprès de Verhaeren, qui paraissait prendre un malin plaisir à différer sa réponse, tel un chat jouant avec sa pelote de laine.

— Il existe, au moins *en imagination*, David. C'est là, précisément, que je veux en venir… L'imagination a parfois plus de réalité que la réalité elle-même, pour qui se laisse piéger… Voyez-vous, les mythologies personnelles d'un Poe, d'un Lovecraft, d'un Stephen King, ou d'autres écrivains ou cinéastes de fantastique, de SF ou de fantasy, de *Dune* à *Star Wars*, même si elles relèvent de la fiction, ont eu un rôle important dans toutes sortes de directions… Vous me parliez de ces jeux de rôles jadis à la mode, et des excès des jeux en réseau sur Internet – comme *World of Warcraft*. Mais avez-vous entendu parler de la « magie du chaos » ?

— Non. A moins que vous ne parliez de l'administration de notre bonne vieille université…

Il eut un rire qui ressemblait à un hoquet et, reportant sa pipe à sa bouche :

— C'est une forme originale et dynamique de l'occultisme actuel. Un courant qui a vu le jour en Angleterre à la fin des années 70, et qui prétendait marquer une rupture avec l'approche traditionnelle de la magie. Pour les mages du chaos, la question n'est pas de discuter de l'authenticité objective de l'objet. Les résultats dépendent avant tout de la volonté et de la puissance de l'imagination, pas seulement de formules et de rituels. En ce sens, le vrai-faux *Necronomicon* est pour eux du pain bénit.

— Ou plutôt, maudit…

— Sans doute. Mais plutôt que de porter un jugement, il vaut mieux s'interroger sur cette fascination, cet étrange besoin que nous avons de croire, ou de nous représenter, l'existence d'un tel livre. Ou bien, d'aller au cinéma voir un film ultraviolent, ou un film d'épouvante. Ou encore, dans un autre genre, d'acheter la presse à faits divers et à scandale. Du voyeurisme, seulement ? Ou la recherche de la bonne vieille catharsis ?

— Je vous l'accorde.

— Certains voient dans cette persistance une forme de résurgence moderne de la tradition gnostique, obsédée par la solitude de l'homme, le conflit entre le bien et le mal, et l'impossible alliance entre l'esprit et la matière… Si vous connaissez la vie de Lovecraft, vous savez que ce ne sont pas de vains mots. Voyez-vous, le fantastique traite de beaucoup de choses qui existent ou qui n'existent pas. C'est même le principe, en littérature fantastique : *soit* c'est cela… *soit* c'est cela. Mais la notion d'*existence* n'a pas de signification… sinon rapportée au crédit qu'on veut bien lui accorder. Pour les néophytes de la magie du chaos, les phénomènes ne sont pas abordés sous l'angle de la question de leur existence objective, mais traités *comme s'ils* existaient réellement. Ce que je veux dire, c'est que la question de savoir si le *Necronomicon* existe est superflue : il existe, indépendamment du fait de savoir s'il a été inscrit dans le monde objectif ou non, par le seul pouvoir fantasmatique qu'il a pu exercer sur le genre. Vous me suivez ?

— Tout est affaire de représentations, si je vous suis bien.

— Le réel est une image recomposée par nous, en fonction de nos sens, de nos présupposés, de notre vision du monde… Il est représentation en effet, il dépend de notre *humeur.* C'est si vrai, qu'un matin, en vous levant, vous voudriez vivre éternellement, et le lendemain, mourir pour en finir ; sans pour cela qu'ait changé le prétendu « réel objectif »… Et même lorsqu'il change, c'est l'attitude que nous aurons à son égard qui conditionnera notre vécu de ce changement. Ainsi du rapport à la mort et au deuil, ou au bonheur et au malheur. Ce que je veux dire, c'est que le réel n'a d'intérêt que dans le *rapport* que notre conscience entretient avec lui… et plus exactement, la variation de nos états de conscience. Considérez un instant les apports de la physique quantique et de la mécanique ondulatoire : tout n'est que fluctuation énergétique, au point que, sitôt que nous croyons saisir la position objective d'une particule, elle est déjà ailleurs, et que nous en venons à les considérer, non plus comme des objets déterminés et uniques, mais comme des éléments n'ayant de signification que dans des schèmes cosmiques, des fluctuations d'état, des *champs de force*… Autrement dit, dans leurs interactions. La difficulté est d'embrasser ces interactions d'un seul regard… C'est là, sans doute, le privilège de Dieu !

— Je pense à l'expérience de Heiselberg… L'action d'observer influe elle-même sur le sujet de l'observation…

— Est-ce que des beignets à la framboise, engageant une variation de conscience de vos papilles, vous feraient plaisir avec le café ? ironisa Anne-Lise.

Verhaeren eut un nouveau sourire et acquiesça tandis que je revenais à la charge.

— Cela me paraît pourtant dangereux, dis-je. A considérer que tout est illusion, on peut en effet se livrer à toutes sortes de pratiques et de rituels qui, en définitive, font le terreau des sectes et de tous les illuminés de la Terre, et ne produisent ni plus ni moins que le mal !

— Mais toute connaissance peut devenir dangereuse selon la nature de ses utilisateurs, cela n'est pas nouveau…

— A force de relativisme, il n'y a plus de vérité nulle part… N'est-ce pas le pire ? L'absolu fuyant, la fuite du référent ? A trop s'aventurer dans ces dédales, on se perd. Au final, tout n'est plus qu'illusion ! Jusqu'à la morale elle-même !

— On se perd, sans doute, mais en croyant se trouver… Il est un courant philosophique en effet, le solipsisme, pour lequel tout est illusion hors de soi. *La vie est un songe…* Sommes-nous en plein cauchemar, ou dans le rêve de Dieu ? Mais ce n'est pas ce que dit le fantastique – car c'est bien de littérature que nous parlons, n'est-ce pas ?

Il fit une pause, me regardant de nouveau avec intensité, puis :

— Le fantastique ne dit pas que le réel n'existe pas, il dit que l'important réside dans la perception que nous en avons, et l'attitude conditionnée par elle. Le rapport, comme un effet de miroir…

A cette évocation, je refrénai un tremblement.

— L'important est moins ce qui est que ce que nous croyons être. Et cette réalité peut être plus réelle que le réel…

Je pris ma tasse de café ainsi qu'un beignet à la framboise.

— Je cherchais à affiner l'angle de ma thèse... Trouver le noyau...

— Je crois que vous l'avez, dit Verhaeren, repu, se renfonçant dans son fauteuil.

Et il ajouta :

— Vous devriez étendre vos recherches aux autres livres.

10

Les Livres maudits

Plus j'avançais et plus je croyais rêver, mais le dernier soupçon de légèreté qui m'avait parfois animé au cours de mes recherches cédait le pas à une inquiétude croissante, lorsque j'entrevoyais le lien entre la postérité du *Necronomicon* et l'affaire qui m'occupait. Le malaise de Thomas lors de notre conversation dans les bureaux de *Fantastic Stories* ne cessait de me revenir en mémoire. De toute évidence, il *savait*; il savait autre chose. Mais depuis notre entrevue, il faisait le mort ; et j'étais convaincu qu'il ne me dirait plus un mot.

Aussi, selon ma vieille habitude, héritée sans doute de celle de mon père, me précipitai-je de nouveau à la bibliothèque de Laval pour poursuivre mes recherches.

Clubs de fans et éditeurs s'étaient complu à alimenter la légende du *Necronomicon*, parfois avec un goût prononcé pour le canular. Des rumeurs lancées par le cercle lovecraftien avaient couru. Dans une annonce du *Publisher's Weekly* de juillet 1945, la librairie new-yorkaise de Grove Street prétendait rechercher un *Necronomicon* (ainsi qu'un *Mysteries of the Worm* de Ludwig Prinn). Des bibliothécaires qui ne manquaient pas d'humour avaient créé des fiches fictives au nom du Livre maudit. Mais ce fut Lyon Sprague de Camp, auteur d'une biographie de Lovecraft, qui ouvrit vraiment le feu en 1973. Sous sa houlette parut, chez Owlswick Press, un *Necronomicon* quasi illisible, puisque écrit… en duraïque, soi-disant dialecte sémitique pratiqué aujourd'hui encore par les vieillards du hameau kurde de Duria, au nord de l'Irak. De Camp racontait dans sa préface comment, alors qu'il était en voyage en 1967 aux Indes et au Moyen-Orient, il dénicha un étrange ouvrage écrit dans cette langue incompréhensible, et dont seul se détachait le mot *Al Azif*. Les experts convoqués pour l'analyse de sa « trouvaille » furent formels : De Camp s'était amusé à recopier les pages d'un manuscrit syriaque, auquel il avait ajouté de glorieux signes cabalistiques, sans la moindre signification. De Camp finit par reconnaître la supercherie et demanda de considérer ce livre comme « une bonne blague ». Mais ainsi était née la légende, et plusieurs versions du prétendu *Necronomicon* avaient commencé de voir le jour.

La plus connue d'entre elles était parue en 1978, à l'initiative d'un écrivain du nom de Colin Wilson, sous le titre de *Necronomicon de George Hay* ou de *Necronomicon de Langford et Turner*, publié dans le monde entier et en France chez J'ai Lu. Il se présentait comme la transcription d'un manuscrit du magicien élisabéthain John Dee, le *Liber Logaeth*, retrouvé par hasard au British Museum et décrypté par un savant autrichien totalement fictif. Dee aurait demandé au mathématicien David Langford une analyse du texte, mais, à sa grande surprise, ce dernier aurait remarqué que, si les noms des Grands Anciens étaient certes dissimulés sous des chiffres mystérieux, le manuscrit n'était en réalité qu'une compilation de différents grimoires, tels *Les Trois Livres de la Philosophie Occulte* d'Agrippa, ou *La Goérie*, le traité d'Alkindi connu aussi sous le nom de *Livre essentiel de l'âme.* La même année, l'artiste suisse H.R.Giger, bien connu pour avoir conçu le monstrueux *Alien* de Ridley Scott, avait lui aussi proposé son *Necronomicon*, à grand renfort d'accouplements chimériques entre humains et machines, dans un déluge cybernétique et organique époustouflant. L'imagination s'emparait des artistes les plus talentueux : toujours en 1978, dans le célèbre fanzine *Métal Hurlant*, le dessinateur Philippe Druillet donnait à son tour sa vision de l'ouvrage maudit, oscillant entre formules incantatoires griffonnées en langue inconnue et spectres de villes gigantesques épanouies en croquis ténébreux, hantées de chauves-souris et de lézards difformes.

L'une de ces versions surtout avait fait couler beaucoup d'encre. Publiée fin 1977 par l'éditeur occultiste Magickal Childe, il avait pour titre : *Le Necronomicon*, par Simon, parfois rebaptisé avec ironie le *Simonomicon.* Il se prétendait un recueil de très vieux textes mésopotamiens qui auraient inspiré Lovecraft. Cet autre succédané affichait aussi sans ambages l'idée que le Livre *préexistait* à Lovecraft, qu'il s'agissait d'un ouvrage authentique remontant aux plus anciennes civilisations, et à l'origine d'une tradition occulte dont HPL aurait entendu parler. Sous une façade pseudo-érudite, l'ouvrage dissimulait des références antiques inexactes, mais capables de bluffer aisément les profanes. Le « Simon » en question semblait lui-même ne pas exister, bien que l'éditeur l'entourât d'une nébuleuse aura d'espion international. Peut-être son auteur était-il en fait Peter Levenda, déjà connu pour son ouvrage *The Unholy Alliance* réprouvé par les historiens, et censé analyser les liens entre nazisme et magie noire. Sous couvert d'allusions à des pratiques magiques babyloniennes, akkadiennes ou sumériennes émaillées d'*abracadabra* du meilleur effet, Simon utilisait des sources mésopotamiennes et des données issues de la culture cunéiforme, en arrangeant ses références au gré de ses intérêts – allant jusqu'à des raccourcis entre Sumer et la race aryenne qui pouvaient laisser perplexes. Simon avait pourtant récidivé avec une suite, *The Necronomicon Spellbook*, censé être un grimoire de magie. Dans cette version, l'auteur apparaissait en évêque errant, de religion orthodoxe, qui reçut le manuscrit grec du *Necronomicon*, datant du IXe siècle, des mains de deux « moines voleurs » de sinistre réputation.

Les élucubrations au sujet de l'authenticité du manuscrit de Simon avaient un moment alimenté les controverses des fans. Mais voir tant de passion s'élever autour d'un faux débat m'était, par le seul fait de son existence, tout à fait fascinant. La communauté occultiste new-yorkaise s'en était mêlée. On s'étripait à grand renfort de références et de contre-références, sur un sujet… *virtuel!* C'était dire l'emprise du livre et de ce « monstre » qu'avait créé Lovecraft.

Suivant les conseils de Verhaeren, j'élargis donc le champ de mes recherches. C'est ainsi que, lorsque le *Necronomicon* croisa de nouveau ma vie, je n'étais plus vierge sur ce terrain, si je puis dire. Ce livre prenait place au milieu de nombreuses légendes littéraires qui formaient de toute évidence un *courant* auquel bien peu de chercheurs s'étaient intéressés. Pourtant, il était bien là. En professeur virtuel moi-même, écrivain tout aussi virtuel et bibliophile compulsif, je me procurai nombre de travaux, des plus sérieux aux plus occultes, consacrés à ces sujets. Le *Necronomicon* prenait à la fois place dans une série de livres imaginaires devenus cultes, et une curieuse tradition de notre inconscient collectif qui consistait à se nourrir de ce genre de représentation quasi archétypique – celle de grimoires ultimes qui renfermeraient le secret de notre vie, le plus souvent un secret terrifiant conduisant inéluctablement à la folie.

Ils constituaient en quelque sorte le versant matérialiste faisant pendant aux Ecritures sacrées, la Bible, le Coran, les paroles révélées, les Upanishads. Que l'on songe à l'impact de ces textes sur nos cultures, et l'on comprendra que ce versant maudit pouvait, de la même manière, enflammer les imaginations. Dans cette constellation, la Kabbale, conduisant aussi bien à la Vérité qu'à la démence, pour qui la pratiquait sans initiation correcte, pouvait par exemple constituer une sorte de tradition intermédiaire, composée de textes bien réels mais faisant appel à des pratiques magiques. En tant qu'objet d'étude, ou proposition de recherches sur la constitution jungienne de nos images mentales, mon enquête sur les manuscrits maudits commençait à prendre un tour inattendu, certes vaguement inquiétant, mais aussi tout à fait jubilatoire ; et le fruit de ces travaux pouvait aussi susciter l'enthousiasme de nombre de mes collègues, professeurs ou écrivains eux-mêmes. La plupart de ces œuvres imaginaires avaient donné naissance à une abondante production, généalogie d'ouvrages se réclamant d'une paternité légendaire ou mythologique, essayant parfois de se faire passer pour « le » grimoire originel entre tous. Je m'employai moi-même à en rassembler un maximum dans ma bibliothèque personnelle – elle aussi pour beaucoup imaginaire, fatalement, malgré les ersatz qui s'étaient appropriés ces légendes pour se prétendre systématiquement « authentiques ».

Au rayon des livres interdits, figurait par exemple une pièce de théâtre des plus extraordinaires, intitulée *Le Roi en Jaune*. Dramaturgie conçue pour une représentation scénique, elle faisait figure d'œuvre tout à fait à part dans les catégories dont je m'occupais. Pièce en deux actes d'un auteur et d'une origine inconnus, que l'on disait écrite à la fin du XIXe siècle, elle avait la réputation d'avoir connu en Europe un succès soudain et pernicieux, puisque sa lecture avait occasionné nombre de suicides. Sa saisie par les autorités françaises, et par d'autres gouvernements, n'avait pas empêché certains de s'y plonger. On disait que tous les exemplaires avaient été détruits, à l'exception d'une traduction anglaise de 1895 encore en circulation (mais que, naturellement, je n'ai jamais pu me procurer nulle part). Cette pièce, *Le Roi en Jaune – Dramatis Personae* – frappait d'abord par sa beauté, sa perfection inégalée, capable de susciter un syndrome assez voisin de celui décrit par Stendhal lors de son voyage à Florence. A l'extase de la révélation succédait un effondrement nerveux, crise dépressive se traduisant par une perte de sommeil et des sautes d'humeur critiques, qui laissaient une impression de malaise spongieux et indéfectible.

Je parlais à l'instant du syndrome de Stendhal, mais on pourrait aussi évoquer celui qui pousse parfois les otages à une sorte d'attachement paradoxal à leur ravisseur : le fameux syndrome de Stockholm. Chez certains commentateurs, ou bien une complicité se créait avec l'œuvre, à laquelle succédait un sentiment de communauté avec les autres lecteurs, sujets à une addiction esthétique morbide, voisine de celle des drogues, de l'absinthe ou de l'opium, ou bien cette lecture débouchait sur des délires de persécution et des crises de paranoïa aiguë. Plus tragique encore, et s'inscrivant dans le droit fil du syndrome de Stendhal, de nombreux lecteurs prétendaient, d'une façon qui défiait toute explication, avoir *pénétré* la matière même du texte pour se retrouver dans l'univers de la pièce, et y jouer le rôle préparé pour eux !

Ceux qui triomphaient de cette épreuve ultime gardaient la vie à défaut de la raison ; les autres étaient perdus. Ici, l'émotion esthétique perverse était la Porte : une esthétique décadente où la Beauté côtoyait de si près la Mort qu'elle semblait elle-même l'incarnation d'une divinité ancienne, et païenne. Christophe Thill, cet exégète passionné dont je m'étais procuré les articles, le formulait de manière évocatrice : « On reconnaît une des idées maîtresses de l'esthétique décadente, celle d'une proche parenté entre la mort et la beauté. L'œuvre d'art, qui vise à représenter celle-ci, est le produit d'une alchimie dont le résultat est parfois un poison mortel. Telle est l'essence du *Roi en Jaune*, ouvrage si parfait qu'il en détruit la santé mentale de ses lecteurs et les ronge comme une gangrène. (...) Les réflexions des personnages laissent deviner des pages dénonçant avec désinvolture et esprit, en des mots précieux et empoisonnés, les illusions morales qui rendent la vie vivable, un peu comme les amers traits d'esprit que savait si bien manier le prince des décadents, Oscar Wilde. Si *Le Roi en Jaune* est insoutenable, c'est au même titre que ces romans de Sade dont les outrances laissent le lecteur avec une profonde sensation de malaise ; ou, mieux encore, que ces films de Peter Greenaway, comme *Meurtre dans un jardin anglais* ou *The Baby of Macon*, dans lesquels la somptuosité des décors, des costumes et de la musique ne souligne que mieux la cruauté de l'intrigue, le cynisme des personnages et la perversité de leurs relations... Tel est l'effet de la pièce maléfique. Elle offre au lecteur la Vérité, mais celle-ci n'est qu'un Spectre inhumain et grimaçant. »

Le Roi en Jaune n'était cependant que l'un des multiples exemples de ma fameuse bibliothèque imaginaire. Je m'amusais maintenant à la représenter sous la forme d'une sorte d'arbre généalogique et culturel de nos représentations. On y trouvait aussi *El Libro de Arena : Le Livre de Sable*, de Borges, où Borges lui-même, se mettant en scène, racontait comment un colporteur était venu frapper chez lui pour lui proposer des livres anciens, parmi lesquels un étrange volume rédigé en caractères illisibles – soi-disant livre sacré d'un ancien peuple d'Asie. Intrigué, Borges acceptait de l'échanger contre une bible ancienne et se mettait à l'étudier. Or, comme le sable, ce livre... n'avait pas de fin ! Se sentant peu à peu entraîné vers la folie, Borges décidait de s'en débarrasser, l'abandonnant à un obscur rayon de la bibliothèque de Buenos Aires.

Aux côtés du *Libro de Arena*, je me bornerai à ne citer que quelques titres qui s'inscrivaient dans mon champ de recherches : le *Malleis Maleficorum* ou *Marteau des Sorcières*, et autres ouvrages de sorcellerie ; mais aussi le fameux *De Vermis Mysteriis* ou *Mystères du Ver*, grimoire classique de magie noire ; le *Livre d'Eibon* aux origines hyperboréennes, le *Livre de Dzyan*, dont les six premiers chapitres auraient été écrits avant la naissance de la Terre, le *Cthaat Aquadingen, Le Livre de Toth, Les Tessons d'Eltdown, Les Fragments de G'harne, Les Manus-*

crits Pnakotiques, Les Révélations de Glaaki, Le Texte de R'lyeh ou *Les Tablettes de Zanthu* ; et pour finir, *Les Cultes des Goules* publié en 1703 à Paris, œuvre de François-Honoré Balfour, comte d'Erlette, qui y relatait ses expériences interdites en tant que membre d'un culte secret dédié aux goules. Selon la tradition, les d'Erlette avaient dû émigrer en Bavière et changer leur nom en Derleth, dont l'écrivain August Derleth, ami et exécuteur testamentaire de Lovecraft, décédé en 1971, aurait été le descendant direct… On disait qu'il demeurait aujourd'hui quatorze exemplaires des *Cultes des Goules*.

Plus j'avançais dans mes recherches, plus je devais me rendre à l'évidence. Il y en avait des tonnes. Et jusqu'à présent… je n'en avais pas vu un seul ! Et pour cause : au milieu de cette profusion insensée de livres réclamant mon attention, il me fallait faire le tri entre ceux qui relevaient de la seule imagination et ceux qui avaient bel et bien existé – car on pouvait tout de même s'en procurer quelques-uns. Ce travail d'approche, bien que passionnant, ne fut pas des plus aisés, et me demanda des heures de recherches acharnées. Je me rapprochai d'à peu près toutes les grandes bibliothèques du monde. L'Internet facilitait les contacts et j'avais accès facilement aux bases de données et aux ressources documentaires. J'entrai en relation avec l'université de Buenos Aires et la Widener Library de Harvard. Profitant d'un voyage en Europe, je rencontrai même à Londres le conservateur de la British Library ; dans l'enfer de la Bibliothèque Nationale de France, le célèbre archiviste Hubert Laugier ; et sur les quais de l'île de la Cité, ainsi que dans le Marais, quelques libraires et bibliophiles que rien ne pouvait duper. Bien entendu, tous sourirent à l'évocation du *Necronomicon*, s'amusant parfois à dire qu'ils l'avaient croisé sur leur route – mais avec un clin d'œil – avant de se prêter de bonne grâce à mes efforts de tri.

Heureusement, Lovecraft lui-même m'apporta son concours dans ce travail. Dans un courrier de 1936 adressé à l'un de ses amis, il expliquait : « Tous les mystérieux livres maudits cités dans les magazines d'histoires fantastiques sont imaginaires. J'ai inventé le *Necronomicon*, Clark Ashton Smith a imaginé le *Livre d'Eibon*, Robert E. Howard est responsable de l'*Unaussprechlichen Kulten*, Searight a « découvert » les *Eltdown Shards*, Bloch est à l'origine de *De Vermis Mysteriis* de Ludwig Prinn, comme du choquant *Culte des Goules*, et ainsi de suite… » Il se trompait, d'ailleurs, sur ce dernier titre, puisqu'on le devait en réalité à August Derleth. Mais c'était comme s'il y avait eu, du temps même de Lovecraft, un premier *Cercle de Cthulhu*. A démonter l'organisation insolite de cette première communauté d'apostats, je trouvai une nouvelle fois quelque chose de jouissif; ce club littéraire s'amusait à inventer des livres dont chacun des écrivains bâtissait la légende, les uns les autres se citant réciproquement, alimentant le mythe créé par tel ou tel de leur confrère, Lovecraft au premier chef, et le reprenant à leur compte au gré de leurs fantaisies, dans une sorte d'échange ludique, jubilatoire. Comme si tous les membres du Cercle évoquaient le même envers de réalité. Ainsi se répondaient et s'entremêlaient les mythes de ces livres virtuels. C'était une contagion, une complicité, une conspiration ! Les auteurs jouaient de leurs propres références à l'envi, se renvoyant la balle dans les plus incroyables mises en abyme.

Et peu à peu, des lignes de force se dégageaient dans mes travaux. Le cousinage de ces Livres maudits avec le *Necronomicon* était évident, parfois revendiqué. Chaque fois, le mécanisme de création mythique de l'ouvrage maudit était identique à celui du *Necronomicon*, et l'on retrouvait des éléments de structure analogues. Il s'agissait toujours d'un auteur occulte, versé dans les sciences interdites, devenu fou et mort dans des circonstances mystérieuses ; d'un livre rare dont on ne lisait que des fragments ou des éditions incomplètes, ou bien dont la lecture intégrale était impossible, en raison de la panique qu'il suscitait ; d'un livre que cherchaient désespérément les chasseurs d'ouvrages, comme moi, les bibliophiles avertis, et dont le contenu fonctionnait au moyen d'allusions dont Howard avait sans doute trouvé l'une des meilleures formulations, quant à ses effets insupportables : « Le fait de lire ce que von Junzt [l'auteur prétendu des *Unaussprechlichen Kulten*, les *Cultes Innommables*] a *osé* laisser imprimer fait naître des spéculations inquiètes quant à ce qu'il n'a *pas osé* dire. » Ainsi, au cœur de ce jeu de chimères et de rébus étranges, auquel je prenais goût à chaque pas davantage, qui pourtant me perdait un peu plus chaque fois, je commençais à déceler des mécanismes archétypaux que je perçais à jour. Et je ne cessais de me demander : « Existe-t-il à toutes ces œuvres… une racine commune ? *Véritable*, celle-là ? »

L'idée de faire du *Necronomicon* quelque chose qui existât réellement, comme certains s'étaient exercés à le faire, avait à la fois séduit et effrayé HPL. D'après ses propres textes, un tel ouvrage devrait avoir près de mille pages. Mais imaginer ce genre d'entreprise le laissait perplexe. Il ne lui paraissait pas possible de « créer un objet dégageant une horreur même dix fois moindre que celle qu'elle était censée suggérer ». Quiconque tenterait d'écrire pour de bon le *Necronomicon* accoucherait d'un succédané, forcément décevant pour tous ceux qui avaient tremblé à la lecture des allusions obscures faites à son sujet. La seule chose qui lui paraissait envisageable – il n'excluait pas, à cette époque, de s'y atteler lui-même – était de « traduire » certains passages de l'ouvrage de l'Arabe fou… étant entendu qu'il s'agirait de fragments, parmi les moins épouvantables, qu'un être humain pouvait lire sans se retrouver assailli par des créatures abyssales ! Il se délectait à l'idée que le manuscrit puisse être illustré par son ami Clark Ashton Smith qui, en plus d'être poète et écrivain, peignait et sculptait admirablement. Un tel *Necronomicon* se serait alors présenté sous la forme d'un recueil de textes – bribes d'un contenu abrégé et expurgé. En revanche – et la nuance pour moi était fondamentale – il était vigoureusement opposé à l'idée de monter un *véritable* canular qui, selon lui, ne ferait que semer la confusion et gênerait l'étude sérieuse du folklore. « Je me sens un peu coupable », confessait-il, « à chaque fois que j'apprends que quelqu'un a perdu son temps à chercher un exemplaire du *Necronomicon* dans les bibliothèques publiques… » Tout était dit.

Le plus extraordinaire de tout cela restait la façon dont ces livres virtuels avaient généré la création de courants bien réels, qui s'affrontaient les uns les autres comme on l'eût fait dans les plus beaux moments de théologie contradictoire à la Sorbonne, au sujet d'ouvrages originels qui n'existaient pas. Mais voilà : malgré tout, et malgré son auteur, les gens *exigeaient* que le *Necronomicon* existât. Pourquoi ? Sans nul doute était-ce le plus grand fantasme de Lovecraft lui-même : être l'auteur de l'authentique *Necronomicon.* L'Arabe fou. N'était-ce pas l'objectif, le point culminant de toute son œuvre, son but inavoué et inavouable, parce que impossible, le fantasme ultime de l'écrivain – écrire un Livre définitif, le Livre impossible, englobant le Tout, existant Partout et pourtant Nulle Part ? L'absolu de la confluence entre le réel et le virtuel. Le numérique avant la lettre !

Peu à peu, je parvins ainsi à faire ce tri impossible entre livres réels et livres imaginaires. C'était assurément le triomphe pour ces écrivains, et pour Lovecraft en premier lieu, d'avoir rendu « l'affabulation plus vraie que la vie », comme le disait Francis Lacassin. Entraîné par jeu et passion dans la reconstitution acharnée de ces bestiaires maudits et de ces légendes littéraires, j'y trouvais autant de raisons de cultiver mon obsession acharnée à la découverte de je ne sais quelle « racine commune », quel nœud, quel lien qui pût rendre compte du sens profond de ce courant des livres maudits, réels ou non. Dans le paysage et le spectacle quotidiens des bizarreries humaines, et n'étaient-ce le souvenir de la grange et du massacre de Laval qui en avaient constitué le déclencheur, mon travail eût pu paraître à première vue anodin – voire salutaire, car comment lutter contre le Mal si on ne le comprend pas ? Initialement, il ne s'agissait de rien d'autre que d'ouvrir un nouveau champ de recherches. Un champ qui, même s'il avait été approché par d'autres passionnés que moi, avait pour particularité un angle d'attaque très stimulant : la considération de ces ouvrages, non en tant que livres bien réels, mais comme miroirs de nos angoisses, de nos représentations, de notre *inconscient.* C'était bien sur cette piste, d'ailleurs, que m'avait lancé le sagace, trop sagace Verhaeren.

A ce titre, mon travail voisinait avec une certaine forme de psychanalyse, ou de réflexion sur la psyché humaine. Ce qui me fascinait désormais n'était plus seulement la recherche minutieuse de « preuves » absurdes concernant l'authenticité de telle ou telle œuvre, mais la volonté de montrer en quoi leur absence dans le monde réel ne signifiait pas pour autant leur absence de réalité. Mon propos était de montrer que ces représentations revêtaient parfois des atours plus concrets que la réalité immédiate, et engageaient nos actes ou nos cultures bien davantage que tel ou tel « système » politique ou social objectif, reposant sur la seule raison. Et ce, par cela même que les livres en question *n'existaient pas.* Oui, Verhaeren m'avait donné mon angle. J'aurais pu, à vrai dire je faillis le faire, me consacrer à Lewis Carroll ou à Tolkien ; et il aurait été aussi absurde de vouloir démontrer l'existence des Elfes ou de rassembler des preuves sur l'existence d'un lapin qui parle. Mais à ce stade mon travail était, en définitive, celui d'un universitaire comme il y en a mille, et qui en soi ne se prédisposait à aucune atrocité ni à aucune des formes de barbarie dont nous savons déjà les secrets, ceux-là aussi très réels.

Ce soir-là, je relevai la tête après une séance prolongée à la bibliothèque de l'université.

Et le lendemain, l'abomination me revint en plein visage. La monstruosité que je n'avais cessé de vouloir contrôler et refouler fit de nouveau surface. Je rouvris cette porte qu'aujourd'hui encore, ce qui me reste de faible raison refuse, du fond du puits terrible où elle est tombée, d'écouter ou même de concevoir.

Car l'horreur absolue fondit de nouveau sur moi.

11

Le jeu n'est pas terminé

Aujourd'hui, lorsque je me remémore tous ces événements, je me dis encore qu'à ce stade, tout aurait pu en rester là... si je n'avais reçu cette enveloppe, déposée dans ma boîte aux lettres, et ce mot de Thomas Edwood, de *Fantastic Stories*...

David,

J'ai longtemps hésité avant d'oser te reparler de tout cela. J'ai peur. Si peur de t'entraîner à ma suite que je te demande, par avance, de me pardonner. Mais je ne sais plus comment les arrêter. Comment te le dire ? J'ai fait quelque chose... que je n'aurais pas dû. Avec Anthrax222... Et d'autres. Ce jeu insensé... David, il faut que tu le saches : le Necronomicon n'est que le point de départ... Pas le point d'arrivée. Je ne puis t'en dire plus, malheureusement, sans te mettre en danger. Et sans me mettre en danger plus encore – enfin, si c'est possible. Je t'en ai déjà trop dit. Et s'Il venait à l'apprendre... Car rien ne Lui échappe ! Rien ! En te communiquant ceci, j'enfreins la Règle. Mais c'est aussi la preuve, comprends-tu, la seule preuve que tout cela est bien réel. Toi, tu peux le comprendre ! Mais surtout, ne cherche plus à avoir un contact avec moi, tu m'entends ? Aucun. Oublie nos textes idiots. Oublie Fantastic Stories. *Car cela est vrai, David. Trop vrai. Putain, David ! Je suis piégé ! Comme l'a été Spencer !*

C'est que... Je t'ai menti ! Le jeu, Dave... Le jeu n'est pas terminé !

Au fond de l'enveloppe, accompagnant le mot, se trouvait un CD-ROM.

Sur l'une de ses faces, un seul mot était écrit, au marqueur : *Cthulhu.*

Le disque ressemblait à... un CD d'installation ?

Le soir même, la gorge sèche, j'attendis qu'Anne-Lise fût couchée... puis je me relevai, le plus discrètement possible. Pour me retrouver bientôt en pyjama dans mon bureau, à côté du salon, au rez-de-chaussée. Je plongeai fébrilement la main dans ma poche et glissai le CD dans mon ordinateur.

Il fit apparaître un seul dossier – parfaitement anonyme.

Puis une simple mention : *TÉLÉCHARGER.*

J'hésitai, le doigt sur la touche de l'ordinateur...

Enfin, j'appuyai.

La barre de téléchargement apparut. 38-58-397 Ko, 1 %, 2 %...

S'agissait-il... du logiciel permettant de jouer avec le *Cercle de Cthulhu* ? De toute évidence. Le Fichier, le Logiciel Sans Nom. J'attendis, les yeux rivés sur l'écran. Il y eut d'abord une sorte de grand blanc, puis, en haut à droite, une seule mention : *INTERDIT.* Un lien avec une adresse URL invraisemblable. *Connexion illicite.* Le logiciel et les informations contenues dans le dossier permettaient visiblement d'accéder à un serveur caché, et d'être reconnu par lui. Mais quel serveur ? Et où ? Dans une antichambre de l'enfer ?

Puis l'écran clignota, oscillant entre la première fenêtre et une autre, noire. Elles se succédaient, comme si chacune luttait pour évacuer sa congénère, la fenêtre *INTERDIT* cherchant en vain à repousser l'invasion d'un pop-up bien décidé à se faire sa place. Une querelle virtuelle, une bagarre informatique feutrée, *INTERDITINTERDITINTERDIT.* Puis, tout à coup, apparurent en lettres rouges sur fond noir les mots…

BIENVENUE. VOUS FAITES MAINTENANT PARTIE DU JEU.

Je sus alors que j'avais commis une grave, très grave erreur. Mais c'était comme si tous les événements, depuis la mort de Spencer, m'avaient conduit jusqu'à ce moment. Pas une seconde, bien sûr, je ne crus à ce salut de bienvenue. Elle semblait dire tout l'inverse – façon Dante : « Vous qui entrez ici, abandonnez toute espérance. » A la vérité, ce mot de bienvenue claqua comme une nouvelle décharge de panique. Mais où étais-je ? Quel était ce serveur fantôme ?

Alors, une idée insensée me traversa l'esprit.

Les pages maudites du *Necronomicon*, à l'image de celles d'un *Codex Sinaïticus* par le British Museum, avaient-elles été… *mises en ligne ?* Ou numérisées par le Cercle ? Etait-ce cela le lien, le fameux continuum ? Un *Necronomicon* numérique ? Virtuel ?

Aussitôt après, des images apparurent en cascade.

La bouche sèche, je posai mes mains moites sur les accoudoirs de mon fauteuil, avec un mouvement de recul.

Putain qu'est-ce que c'est encore que ÇA ?

Les images s'abattaient en torrent, jusqu'à composer un étrange kaléidoscope.

Si elles inspiraient la plus parfaite terreur, c'était sans doute parce qu'elles ne se présentaient pas de manière claire, en séquences successives ; on aurait dit au contraire une série de flashes hallucinatoires, semblables à ces bandes-annonces, ces *teasers* ou ces clips hystériques qu'a vu naître le tournant du millénaire. Mais ici, aucune esthétique, seulement de la violence, chaude ou froide, et de l'obscénité d'autant plus obscène qu'elle était comme… impalpable. Elle se présentait presque sous forme subliminale, des *flickers*, tremblements invisibles à l'œil nu, mais au puissant pouvoir de suggestion hypnotique. J'enregistrai à toute allure, plus ou moins consciemment, des membres mutilés, de la terre, des cadavres écorchés, une avalanche de puzzles charnels, des yeux agrandis par la terreur, des postures tordues, des images de guerre et de sacrifices sous toutes les latitudes, d'étranges substances chimiques de diverses couleurs, des séances de cannibalisme, des bouches hurlantes. J'assistai au déchaînement d'une bouffée délirante et impie, une implosion numérique où chaque seconde valait des milliards d'informations, résidu infect de tout ce que cette terre pouvait compter encore d'abominations, exsudant, transpirant, transsudant son venin. Oui, une image, peut-être, du Mal, et du véritable enfer, mais le temps d'un battement de cil – en l'occurrence : le mien.

Pourquoi ? Pourquoi regardes-tu cela ?

… Puis ce fut de nouveau le noir.

Seule une petite phrase, simple et limpide, apparut, suivie d'un curseur clignotant :

VOUS CHERCHEZ LE NECRONOMICON
Voulez-vous vous connecter ?

Mon doigt était suspendu au-dessus de la touche *Enter*, tremblant. Et en cet instant, je touchais bien le comble du paradoxe : comme le logiciel sans nom venait de me le signaler… N'était-ce pas déjà trop tard ? Ne faisais-je pas *déjà* partie du jeu, que je le veuille ou non ? Ma seule véritable issue était peut-être, alors, d'aller jusqu'au bout. Pour espérer avancer dans mon enquête… Trouver une solution, une échappatoire, des éléments de compréhension à ce puzzle. Etait-ce cela qu'avait voulu Thomas en me communiquant le CD – ou bien, me dis-je subitement, redoublant d'angoisse, était-ce justement *cela*, le piège ? Thomas avait-il servi d'appât ? Ne portait-il pas, lui aussi, le Signe – le Signe du Troupeau ? Aussi, et dans le même temps, bien sûr, tous mes sangs me criaient-ils d'arrêter, en lutte avec une autre volonté, comme les deux fenêtres virtuelles qui venaient de se disputer sous mes yeux. J'avais encore une chance ! Une chance de refuser, de reculer, de faire mentir la fatalité ! La dernière chose à faire était d'appuyer sur cette touche, qui risquait de me perdre pour toujours. Et sans doute, dans ce moment absurde et suspendu, ma liberté fut-elle mise à l'épreuve, comme jamais auparavant.

J'allais appuyer…

Puis enfin, je me ravisai.

Un instant plus tard, je brisai le CD en mille morceaux. Preuve ou pas, je choisis de m'en défaire à jamais. Ce fut peut-être la seule fois, d'ailleurs, où je pris une saine décision. Je broyai dans mon ordinateur les éléments téléchargés. Puis je sortis silencieusement dans la rue, et jetai les mille petits bouts du disque en pluie dans la poubelle ; dans ma paranoïa, j'allai jusqu'à les disperser dans trois poubelles différentes. Il n'en resterait rien. Et tant pis pour le serveur fantôme. Quant à Thomas, il pouvait être tranquille : je ne chercherais ni à le rejoindre, ni à le contacter en aucune manière. Et comme il l'avait dit lui-même, tant pis aussi pour mes *Fantastic Stories*.

Je rentrai un instant plus tard. Et ce fut alors qu'Anne-Lise, qui s'était réveillée, me vit arriver, en sueur, échevelé, à peine sorti des poubelles, sur le seuil de la porte cochère, dans mon pyjama. Dans un bâillement, elle me demanda, une main sur son ventre :

— Mais… David… Qu'est-ce que tu fais ? Tout va bien ?

Je rentrai, refermant la porte avec une grimace, et dis :

— Tout va très bien.

VOUS FAITES MAINTENANT PARTIE DU JEU.

12

Wade Jermyn

En apparence, n'était-ce ma pâleur, on eût pu croire – comble de l'ironie – que je nageais dans le bonheur.

Anne-Lise et moi étions dans l'attente de l'heureux événement. Il restait deux mois avant le terme. Anne-Lise mettait le retour de mes angoisses sur le dos de ma paternité à venir, ce en quoi je ne pouvais que l'encourager vivement, voyant là une justification pratique à mon comportement. Je l'aimais, oui, en conséquence de quoi je faisais tout pour la tenir loin de cet abîme que je craignais, à chaque instant, de voir s'ouvrir sous mes pieds. Autour de nous également, la comédie de ma vie se déployait sous les dehors d'une symphonie pastorale. Mon père rayonnait, M. et Mme Armitage se préparaient à marier leur deuxième fille. Sur ce versant du monde, la vie semblait devoir s'écouler tranquillement. Je la contemplais, en spectateur amorphe et incrédule, prisonnier immobile regardant passer devant lui le train du voyage. J'avais envoyé une centaine de pages de ma thèse à Verhaeren, qui me complimentait pour mon « étonnante acuité dans la perception des problématiques de l'horreur » – diagnostic qui m'arracha un rire amer. Mais pour un peu, une fois éloigné le spectre du *Necronomicon*, j'aurais presque pu espérer un vrai retour à la normale. Après tout, cette histoire de CD, de jeu invraisemblable, de Livres maudits – tout cela n'était peut-être qu'un vaste délire destiné à impressionner les âmes sensibles. Du moins tentais-je désespérément de m'accrocher à cette idée.

Ce matin-là, ma femme chantonnait en écoutant la radio tandis que je trempais mollement mon croissant dans une tasse de café. Je me sentais dans cet état d'hébétude qui, depuis quelque temps, m'habitait constamment. J'avais le sentiment d'être comme séparé de ma propre personne, plongé dans des limbes étranges. Entre deux mondes.

Ce fut alors que je tombai sur la manchette de journal qui allait décider de la suite de mon destin :

« *C'EST LE LIVRE QUI M'A DIT DE LE FAIRE.* »

Il y était question d'un tueur. Je lorgnai la manchette de travers, et à mesure que je parcourais l'article, mon attention redoublait, tandis que mon cœur s'emballait. Certains passages me sautèrent à la figure. Le tueur en question se nommait Wade Jermyn. Réputé bon père de famille, il avait, sous l'emprise de la démence, sauvagement assassiné au rasoir sa femme et sa petite fille, avant de les découper en morceaux et de glisser l'une, dans le grand congélateur de son garage, et l'autre, qu'il avait conservée un long moment dans la baignoire de sa salle de bains, dans un sac-poubelle. On avait retrouvé le sac en bordure du Saint-Laurent. Bien sûr, une fois de plus revenait cette question lancinante : comment pouvait-on commettre de tels actes ? Sa femme... Sa petite fille ! Quelle partie du cerveau pouvait bien *court-*

circuiter pour que, sciemment et consciemment, un homme pût en arriver là ? Il faut bien dire que, contrairement à ce que je pensais au départ, ma fréquentation des Livres maudits ne m'avait pas aidé dans cette douloureuse tentative d'explication. Devais-je m'en étonner ? Après tout, sans doute aurais-je dû chercher dans l'étude des psychoses, des schizophrénies, de la psychologie comportementale et de la psychiatrie des éléments de réponse, plutôt que dans les métaphores obscures de la littérature fantastique – imaginaire qui plus est ! J'avais vraiment été un imbécile.

Pourtant – et en dehors du titre – ce ne fut pas cela qui attira aussitôt mon attention sur ce fait divers, mais les propos du tueur lorsque la police l'avait arrêté. Au cours du premier interrogatoire, on lui avait demandé l'explication de son geste. Lorsque je lus ces quelques mots, je fus moi-même saisi de stupeur, à laquelle succéda un effarement inquiet. « *Ce n'est pas moi, répétait-il. Il nous abuse. Il se fait passer pour Yog-Sothoth, parce qu'Il est Celui derrière la Porte. Je n'ai pas le droit de dire Qui Il est… Mais c'est Lui qui me l'a demandé… C'est le Livre qui m'a dit de le faire.* » Et, plus loin : « Le tueur continuait à s'exprimer de manière incompréhensible, en prenant un air entendu, répétant encore, par exemple : "*Le Maître sait tout. Arandul Addelnae !*" et hurlant qu'il ne s'appelait pas Wade Jermyn, mais *Anthrax222*, sans doute un pseudonyme obscur dont il usait sur Internet, mais dont les enquêteurs n'ont pour le moment trouvé aucune trace. »

Il était totalement insensé que cette information parvînt précisément, en ce jour, jusqu'à moi. Ce ne pouvait être le fruit du hasard. Et pourtant, je l'avais là, sous les yeux. J'eus alors, en effet, l'abominable impression que le jeu n'était pas terminé. Pire encore : sans doute ne faisait-il, pour moi, que commencer. Oui, j'eus l'impression que le *Necronomicon* me traquait… et qu'il était inutile d'essayer de lui échapper.

Anne-Lise, qui revenait de la cuisine, me regarda avec une vague appréhension.

— Quelque chose ne va pas ? Tu es très pâle… Tu as de la fièvre ?

Je tentai faiblement de la rassurer.

J'attendis qu'elle ressorte… puis considérai le journal.

Je finis par le reprendre.

Mes pensées s'accélérèrent. Jermyn… Wade Jermyn. un autre joueur du Cercle de Cthulhu, un membre de cette fameuse et obscure Partie ? *Anthrax222.* C'était bien le pseudonyme dont Thomas m'avait parlé. Incroyable. Etait-ce lui, le fameux Maître du Jeu ? *C'est le Livre qui m'a dit de le faire.* Bon Dieu ! Jermyn, comme Spencer, comme Thomas peut-être, avait-il eu les pages de l'authentique *Necronomicon* entre les mains, les pages réelles, celles qui avaient justifié le Jeu ? Ou des fragments ? En était-il… le dernier possesseur ? Le propriétaire ?

Jermyn et sa famille avaient habité dans les environs de Québec. Lui était employé à la sécurité dans un musée consacré aux arts africains. A quarante-sept ans, il avait vécu jusque-là une vie sans histoire. Comme de coutume, ses voisins dépeignaient l'homme tout à fait affable, civilisé et ordinaire qu'il avait été. Puis son comportement avait changé du jour au lendemain, sans la moindre explication. Lorsque la police avait inspecté le pavillon familial, elle n'avait rien trouvé de particulier, en dehors du rasoir et de la tronçonneuse qui lui avaient servi à accomplir son sinistre forfait, et d'une série d'inscriptions griffonnées sur les carreaux de céramique, au-dessus de la baignoire, derrière les rideaux de douche. Inscriptions sans queue ni tête mais qui, sans nul doute, relevaient de ce langage abscons et inconnu, proche du cunéiforme, que j'avais moi-même rencontré. Dans tout cela, rien de neuf, si ce n'était la confirmation que Wade Jermyn était fou au dernier degré.

Depuis, le tueur était enfermé dans le quartier de haute sécurité du pénitencier du 666, Montée Saint-François, à Laval, en attendant de passer en jugement – dont l'issue ne faisait aucun doute. La nouvelle était toute fraîche, si je puis dire. Anne-Lise tendit la main vers le journal.

— Eh bien quoi ? On dirait que tu as vu un fantôme !

J'hésitai, commençai à nier, dédramatisant ma réaction avec maladresse. Elle insista, parcourut l'article. Puis elle laissa le journal retomber sur la table avec un air à la fois navré et consterné.

— Pfff… Quelle horreur. Mais, David… Et alors ? C'est cette histoire de livre qui te perturbe ? Tout cela n'a ni queue ni tête.

— Tu as raison. Oublie ça.

Elle me regarda en silence. Je ne pouvais détacher mes yeux du journal. Puis, de nouveau, je me tournai vers elle.

Elle semblait soudain me sonder.

Lui dire ? Ne pas lui dire ? J'étais condamné au langage crypté. A ce jeu-là, je devais être prudent. J'avais en face de moi une psychologue de métier… qui, particulièrement en ce moment, craignait que je ne tourne pas tout à fait rond. Alors, comment me défendre ? Et surtout… comment lui parler de l'horreur sans l'y entraîner ?

— Attends.

J'allai chercher un livre dans la bibliothèque voisine et revins rapidement, cherchant un passage que je ne tardai pas à lui glisser sous les yeux.

— Lis ça, s'il te plaît. Juste une minute.

> Il ne faut point croire que l'homme est le plus vieux ou le dernier des maîtres de la Terre, ou que la masse commune de vie ou de substance soit seule à y marcher. Les Anciens ont été, les Anciens sont, et les Anciens seront. Non dans les espaces que nous connaissons, mais entre eux. Ils vont, sereins et primordiaux, sans dimensions et invisibles à nos yeux. Yog-Sothoth connaît la porte. Yog-Sothoth est la porte. Yog-Sothoth est la clé et le gardien de la porte. Le passé, le présent, le futur, tous sont un en Yog-Sothoth. Il sait où les Anciens ont forcé le passage jadis, et où Ils le forceront de nouveau. Il sait où Ils ont foulé les champs et la terre, et où Ils les foulent encore, et pourquoi nul ne peut les voir quand Ils le font. A leur odeur, les hommes peuvent parfois connaître qu'Ils sont proches, mais de leur apparence aucun homme ne peut rien savoir, si ce n'est sous les traits de ceux qu'Ils ont engendrés chez les hommes; et ceux-ci sont de plusieurs espèces, différentes par leur figure, depuis la plus véridique eidolon de l'homme jusqu'à cette forme invisible et sans substance qui est Eux. Ils passent, nauséabonds et inaperçus dans les lieux solitaires où les Paroles ont été prononcées et les Rites ont été hurlés tout au long de leurs Temps. Leurs voix jargonnent dans le vent, et Leur conscience marmonne dans la terre. Ils courbent la forêt et écrasent la ville, pourtant ni forêt ni ville ne peuvent apercevoir la main qui frappe.

— C'est un texte de Lovecraft.

— Encore?

— Yog-Sothoth, dis-je avec difficulté, est… l'une de ces divinités qui peuplent son univers. Mais pourquoi le tueur, dans l'article, dit-il « Il se fait passer pour Yog-Sothoth » ? « Celui derrière la Porte, il nous abuse »… Annie… Ce sont… des paroles de Spencer. Spencer Willett.

Elle me regarda d'un air incrédule.

— Quoi ?

— Je t'assure.

L'évocation explicite de Spencer Willett et de l'épisode qui lui était lié était typiquement le genre d'erreur à ne pas commettre. Ma femme se tut une seconde, puis releva les yeux vers moi, silencieuse, vaguement inquiète.

— Quant au livre auquel l'article ferait référence, continuai-je, ce pourrait être…

Je n'osai subitement prononcer le Nom, tandis que mes sourcils se fronçaient. Anne-Lise me considéra de nouveau en secouant la tête. Elle cligna les yeux, regardant la nappe de la table, qu'elle lissa d'une main professionnelle.

— Je t'en prie, David.

— Ecoute, reconnais que… c'est incroyable, tout de même ! Ce ne peut pas être une coïncidence !

Elle repoussa le journal d'une main.

— Peut-être… peut-être faudrait-il que je le rencontre ?

Anne-Lise ne put retenir un sursaut.

— Je te demande pardon ?

— Cet homme. Jermyn. Pour savoir… ce qu'il voulait dire exactement.

— David ! Tu plaisantes, j'espère ! Il ne s'agit pas d'un délire universitaire, cette fois ! Te rends-tu compte de ce que ce monstre a fait ?

Elle hocha la tête, haussant les épaules d'une façon qui signifiait que nous n'allions pas tarder à clore cette discussion absurde.

— De toute façon, il est enfermé. Il ne manquerait plus que ça, tiens, un prof arrivant avec son Lovecraft sous le bras et ses théories sur les courants fantastiques alternatifs ! A moins que tu ne sois expert psychiatre ? C'est toi qu'on enfermerait, mon pauvre David. C'est ridicule.

Bon. Elle n'avait pas tort. Elle enfonça le clou.

— Ce malade a pu trouver ces références dans n'importe lequel de tes livres ! Et tu sais bien que c'est parfaitement courant chez ce genre d'illuminés. Ils disent avoir été possédés par le Démon, Lucifer, Belzébuth ou la Sorcière du Nord…

Elle n'avait pas tort non plus.

— Quand bien même il aurait été inspiré par l'un de tes monstres, continua-t-elle, cela ne prouverait qu'une chose : que ton fatras de livres est dangereux, exposé à des consciences fragiles. Tu le sais, et je l'ai toujours su. C'est d'ailleurs pour ça que tu devrais te méfier. Pour moi, la seule chose que cela montre, c'est qu'il est temps que tu t'arrêtes avec ce genre de bouquins. Termine ta thèse, David, et passe à autre chose une fois pour toutes !

Je répliquai, dissimulant ma peur derrière l'argutie :

— Anne-Lise… Juste une question. Tu ne crois tout de même pas… qu'un livre puisse rendre fou ? Qu'un livre puisse… *tuer*, par la seule force de son contenu ? Sa seule… puissance ? Comme un feu nucléaire ?

Elle me regarda, pas très sûre de comprendre.

— Je te le répète, je pense que certaines lectures sont dangereuses.

J'enchaînai aussitôt :

— Oui, et les films, et les jeux vidéo… Bientôt, tu vas me soutenir que la violence à la télévision peut être responsable de meurtres en série et de la hausse de la criminalité ! Les œuvres ont une *fonction*… Elles servent d'exutoire, d'exorcisme ! La violence n'est pas une *conséquence*, c'est une donnée de départ de notre nature – non ? On peut aussi bien dire que c'est un moyen de la contrôler, au contraire. Pour qu'elle reste du domaine des fantasmes !

La psychologue me répondit à son tour sur le même ton.

— Précisément, David, ces gens-là sont perpétuellement la proie des fantasmes ! Leur cerveau est peuplé de ce genre de chimères ! Hanté d'ombres et de forêts ! Alors ne me sers pas ton couplet sur la *catharsis*. Oui, certaines images, certains textes sont dangereux, *selon leur récepteur* ! C'est une évidence ! Et même sans aller jusque-là, s'il te plaît, ne me dis pas que la folie est nécessaire à la création, qu'il faut être un peu fou, « un peu schizophrène », pour « franchir le voile de l'art » ! Qu'il faut être un poète maudit et un sale con immoral pour entrevoir la Vérité du Grand Shaman !

— Pourquoi pas ? Regarde Byron, les ténébreux, les baroques ! Moi, j'aurais bien aimé écouter un Verlaine, un Rimbaud ou un Baudelaire sur le divan du psy. Anne Sexton, tu connais ? Grande poétesse américaine. *The Book of Folly*. C'est en décrivant sa propre folie dans ses poèmes qu'elle a trouvé la force de vivre.

— Oui. Et puis elle s'est suicidée ! David, où veux-tu en venir ? Au fait que ton psychopathe est un grand artiste ? Non mais ça va pas, la tête ?

— Evidemment non, tu es folle ! Mais tu as l'air de dire qu'un livre peut tuer à grande échelle, alors que…

— *Mein Kampf*, David, nom de Dieu ! *Mein Kampf !* Oui ! Un livre écrit par un artiste refoulé, qui a jeté les bases de la Shoah !

— Personne n'obligeait les Allemands à voter pour Hitler ! *Personne !* Les gens sont *responsables*, Annie. Libres et responsables.

— Sauf quand ils sont malades, haineux, ou trop fragiles au point de mélanger le réel et la fiction ! La folie collective, la folie de masse ça existe, aussi bien que la folie individuelle ! Et c'est la même emprise ! Tout ça va trop loin, David !

— C'est la faute du réel, pas de la fiction.

Nous nous tûmes un instant.

J'avais gardé et même froissé le journal, une main crispée dessus.

Anne-Lise releva les yeux vers moi :

— Il a *tué*, David. Sa femme et sa fille. Il les a découpées au rasoir.

Elle fit une pause, puis :

— *Ça*, c'est réel.

— Je pourrais peut-être lui écrire.

Cette fois, elle hurla.

— Les courriers sont épluchés ! Enfin, tu es parfois d'une naïveté sans bornes ! Ecrire à un fou dangereux ? Peux-tu m'expliquer pourquoi tu voudrais t'acharner dans un projet aussi absurde ?

Je ne le pouvais pas.

Il était temps d'arrêter les frais, et je me tus.

Le Livre… Jermyn l'avait-il encore ? S'agissait-il du *Necronomicon*, du vrai ? Ma rencontre avec cet article était aussi une invitation à venir le trouver, *lui*, bien sûr. Le *Necronomicon* ! Et *Anthrax222* ! Le CD avait raison : même malgré moi, j'étais connecté. J'étais *dedans*, bien dedans, au beau milieu. *VOUS FAITES MAINTENANT PARTIE DU JEU.* Dans cet univers où réel et virtuel en venaient à se confondre, ou du moins s'interpénétraient tellement, je commençais à douter d'être tout à fait moi-même. Et Thomas… Refuserais-je de l'aider ? Je n'avais, déjà, pas pu sauver Spencer. Et s'il était en danger, me dis-je alors, un frisson glacé me parcourant l'échine, alors que j'étais soudain saisi par cette affreuse interrogation : *l'étais-je moi aussi*, désormais, comme son courrier le suggérait ? Moi – oh, mon Dieu ! – et les miens ?

L'évidence m'apparut plus que jamais.

Je devais agir. Trouver un moyen d'en finir d'une façon ou d'une autre.

Contacter le pénitencier était dangereux. En même temps, si Jermyn, en gourou du Cercle de Cthulhu, représentait pour Thomas un danger potentiel, le fait qu'il fût *déjà* derrière les barreaux était en soi une bonne nouvelle… Jermyn passerait en jugement. Je n'osais, d'ailleurs, imaginer le discours de ce dément à la barre d'un tribunal ! Mais en tout état de cause, tentai-je de me rassurer, il n'y avait aucune raison objective, à présent, pour que je fusse inquiété. Il restait que le terrible état d'incertitude dans lequel je me trouvais, et l'avalanche de questions sans réponses qui me taraudaient, m'invitaient à jouer… une sorte de va-tout. Je devais me *libérer*. Impossible de passer le reste de ma vie à ruminer tous ces événements sans savoir. Savoir ce qui s'était réellement passé, ce qui m'était réellement arrivé.

En somme, j'avais le sentiment que ma résilience ne pouvait passer que par cette voie.

Bien entendu, je ne confiai pas un mot de ma démarche à Anne-Lise. Lorsque je contactai le pénitencier par téléphone, fort d'une soudaine et provisoire résolution, on m'opposa, comme je m'y attendais, une fin de non-recevoir. Je n'osai aller jusqu'à dire que je disposais d'informations susceptibles d'éclairer cette folie meurtrière. J'évoquai la possibilité d'écrire, et mon interlocuteur – c'était en fait une interlocutrice – me répondit, narquoise, que je pouvais faire ce que je voulais ; il était courant, dans ce genre d'affaires, que l'emprisonnement de tueurs de cette sorte engendre en effet d'abondants courriers, rédigés par tous les agités de la terre, et qui avaient pour particularité de finir rapidement dans les fichiers de la police ou dans la poubelle. Lorsqu'elle sut que j'étais professeur et thésard d'université, elle marqua un temps, mais cela ne l'encouragea pas davantage à me faire confiance. Je pouvais d'ailleurs tout aussi bien mentir. Dans le feu de la conversation, j'eus le malheur de hasarder que j'étais spécialiste de littérature fantastique; je me mordis la lèvre, sachant que je venais de régler définitivement mon cas. Je demandai qui était l'expert psychiatre en charge du dossier. On refusa de me donner son identité. Je raccrochai avec l'impression d'être un joyeux imbécile.

Je décidai pourtant d'écrire cette lettre comme je l'avais prévu; au point où j'en étais, je me sentais prêt à aller jusqu'au bout. Ma lettre fut brève, assortie d'une autre à destination du directeur du pénitencier. Signé M. Millow, ce courrier fut un modèle d'approche alambiquée. J'y arguais d'avoir étudié les livres qui avaient pu inspirer le geste du tueur et avançais ce que je savais au sujet de Yog-Sothoth, quitte à passer moi-même pour un illuminé, ce qui au passage pouvait en effet ne pas arranger mes affaires – mais en me gardant, bien sûr, d'y apporter un crédit quelconque. Et cette fois, je ne demandai pas à rencontrer Wade Jermyn, ou le psychiatre, je précisai seulement que je me tenais à la disposition de ce dernier, si cela pouvait être d'une quelconque utilité. Bien qu'un peu bizarrement rédigée, ma lettre se tenait, et avait le mérite d'être sibylline. J'hésitai à écrire à Wade Jermyn *directement.* Mais j'avais toujours trouvé insensées ces groupies qui se fendaient de missives d'amour à des tueurs en série cloîtrés dans leurs cellules. Et autant j'étais en quête de réponses, autant je ne voulais pas prendre le risque de… relancer le jeu d'une manière ou d'une autre. Contraint d'avancer masqué, je m'en tins donc à cette lettre singulière ; et de fait, le jour où je la postai, je me pris à douter fortement de son intérêt. En définitive, elle en avait au moins un : je pourrais me dire que j'avais tout tenté. En cas de non-réponse, je m'en tiendrais là, m'étais-je dit. Et je ne tenterais plus jamais rien qui puisse me rattacher de près ou de loin à toute cette histoire.

Dans les deux semaines qui suivirent, il ne se passa rien de plus. Je me bornai à dispenser quelques cours – sans être capable de poursuivre mes travaux de thèse – et à continuer de rassembler des coupures de presse au sujet du tueur. C'est pourquoi je fus extrêmement surpris de recevoir, au bout d'une vingtaine de jours, un courrier du pénitencier, signé de la main du fameux expert en charge du « cas » Jermyn. Je trouvai la lettre dans la boîte – heureusement, avant Anne-Lise ! Je me rendis aussitôt dans mon bureau et l'ouvris fébrilement. Le courrier était tapé à l'ordinateur et portait les mentions officielles du pénitencier ainsi que les références du thérapeute – un certain Dr Simon Orne.

Monsieur,

J'ai bien eu communication de votre lettre. Non que je sois moi-même passionné de littérature, mais le pénitencier a reçu, pour ainsi dire en même temps, un courrier d'un certain professeur Verhaeren, qui m'a autorisé à citer son nom dans le cadre de mes recherches complémentaires. Ce M. Verhaeren portait également notre attention sur certaines déclarations de Wade Jermyn au moment de son incarcération.

Il n'est ni possible ni souhaitable qu'un intervenant extérieur puisse rencontrer Wade Jermyn. Il est extrêmement dan-

gereux et susceptible d'entrer dans des crises aiguës de démence. Je me suis permis en revanche d'utiliser votre courrier, ainsi que celui de M. Verhaeren, à des fins thérapeutiques je le précise, pour en apprendre davantage à la suite des lectures que j'ai moi-même été incité à faire.

Il est clair que les divagations du patient sont en lien étroit avec les œuvres dont vous avez fait mention, et qu'il les invoque dans la justification de son geste est un procédé courant. Mais si je vous écris, c'est parce que sa réaction lorsque je lui ai montré votre courrier m'a déterminé à le faire.

Wade Jermyn fabule en effet sur les divinités d'un mystérieux panthéon dont ferait partie un « dieu » qu'il nomme Celui Derrière la Porte. Le livre auquel il fait allusion, et qui revient sans cesse dans sa bouche, a pour nom Necronomicon. *Mais il répète sans vouloir s'expliquer « qu'il ne s'agit pas de Cthulhu ni de Yog-Sothoth », que « Celui Derrière la Porte nous abuse en se faisant passer pour les mille visages de ce qu'il n'est pas », et autres fantaisies de cette sorte.*

Je sais comme vous de quelle légende il s'agit. Soyons clairs à ce sujet, le livre en question est introuvable, et Wade Jermyn a d'ailleurs été dans l'incapacité de nous fournir la preuve matérielle de son existence.

Ses propos quant à son contenu sont incompréhensibles, si ce n'est qu'il prétend en avoir eu des fragments entre les mains, et les avoir étudiés ; selon lui le livre serait un piège, bien différent d'ailleurs de celui que l'on attendrait, et ouvrirait sur une autre dimension nous donnant une explication définitive du monde réel. Ce « monde réel » – notre monde – n'étant fort logiquement, dans sa bouche, qu'une parfaite illusion.

Toujours selon ses dires, c'est cette « Révélation » qui l'aurait fait basculer dans la folie – mouvement qu'il analyse d'ailleurs avec une lucidité déconcertante – et lui aurait rendu la vie insupportable.

Il prétend aussi, mais cela est d'une rare confusion dans son esprit, qu'il existe peut-être un autre livre, dont le Necronomicon *serait une émanation, ou bien qu'il aurait engendré ; un livre qui se réclamerait du livre maudit pour mieux nous égarer, et qui selon ses termes serait la Source et l'Origine du pouvoir de Celui Qui est Derrière la Porte (les majuscules sont de lui, évidemment. Je lui ai aussi demandé d'objectiver ses divagations en les écrivant, ce qui n'a malheureusement fait que le conforter dans son délire). En définitive, le* Necronomicon *serait en quelque sorte « multiple ».*

Vous mesurez que j'ai du travail.

A la lecture de votre courrier, il a prétendu détenir une « liste » où figureraient les noms d'un très grand nombre de personnes, voire de personnalités qui auraient, soit eu le Necronomicon *ou je ne sais quel livre maudit entre les mains, soit participé à une sorte de jeux de rôles en ligne baptisé le « Cercle de Cthulhu » (dont je n'ai retrouvé aucune trace objective à l'heure où je vous écris). Jermyn affirme en avoir été membre sous le pseudonyme d' « Anthrax222 ».*

Il affirme également avoir été en contact par le passé avec un jeune homme du nom de Spencer Willett, membre de ce club qui, après enquête, s'avère être l'étudiant responsable du massacre de Laval il y a quelques années – et si j'en crois mes informations, un camarade de votre promotion d'alors. Avez-vous jamais eu, quant à vous, connaissance de l'existence de ce Cercle ? Il y a fort à parier qu'il ait pris naissance dans l'entourage de cette université, même si Jermyn, lui, ne l'avait jamais fréquentée. Lorsque je lui demande quelle était la nature du jeu auquel s'adonnait ledit Cercle, Jermyn se contente de répéter : « Nous L'avons fait revenir. »

Enfin, après lecture de votre lettre, il est parti dans une sorte de litanie absconse avant d'insister pour que je vous transmette ces mots :

Lorsqu'au giron de la lune morte
Dans l'ombre déchaînée aux replis de ténèbres
Le Souffle retentit au son d'un cor sans âge
Que les spectres glissant sur le lac de glèbe
Hululent dans des reflets d'eaux-fortes

Retentit la voix profonde des souvenirs anciens
Pour annoncer des limbes sa venue
Et s'épancher entre les arbres nus
Sors ! Sors !
— N'est pas mort qui à jamais dort.

Disant que vous en comprendriez la signification, et ajoutant que la « Réponse » se trouvait « au croisement des routes 170 et 454 menant au Lac Saint-Jean ». J'ai vérifié, cela ne rime à rien. Il ne s'agit sans doute que d'une élucubration supplémentaire mais, vous le comprendrez, je ne peux rien négliger. Si vous aviez une explication quelconque au sujet de ce texte, je vous prierais de me le faire savoir dès que possible.

Ces détails troublants me poussent à vous poser une question des plus franches, je vous prie par avance de m'en excuser : Avez-vous, vous-même, déjà été en relation avec Wade Jermyn – ou « Anthrax222 » ? Avez-vous été membre de ce prétendu Cercle de Cthulhu ?

Si vous bénéficiez de la moindre information utile, je vous prierais de venir me trouver dès que possible pour en discuter dans le cadre de mon travail d'expertise en vue du procès. Je vous en saurais gré.

Dans cette attente, et vous en remerciant par avance, je vous prie d'agréer, Monsieur, l'expression de mes salutations distinguées.

Dr Simon Orne, Expert psychiatre
détaché auprès de l'établissement pénitentiaire de Laval

J'eus une grimace. Je l'avais cherché, je l'avais eu. De nouveau, je balbutiai pour moi-même des jurons bien sentis.

Mes mains tremblaient sur le papier.

Je me demandai à mon tour s'il ne s'agissait pas d'une farce de mauvais goût, préparée par je ne sais quel dieu facétieux, penché sur moi depuis des astres sombres.

13

Les fantômes de La Nouvelle-France

Je contemplais la route semée de pluie à travers les essuie-glaces.

Le Necronomicon… Ou un autre livre maudit ? Son rejeton ? Sa source ? La fameuse racine commune à tous les livres ?

J'avais longuement hésité. Mais Jermyn était sous les verrous, et moi libre de mes mouvements. Mon enquête n'était pas terminée… je devais *savoir.* L'incertitude, l'ignorance étaient pires que tout. Bien que profondément ébranlé par le courrier que j'avais reçu, je n'avais pas encore décidé de la façon dont j'allais y répondre. Si tant est que j'avais le choix : quelque chose dans sa formulation tenait de la convocation officielle à peine déguisée. Allons : ce Dr Orne devait simplement préparer son rapport, et ma lettre figurer comme pièce anecdotique au dossier. J'avais dit me tenir à sa disposition le cas échéant : il avait saisi la balle au bond ! Le fait est que, convocation déguisée ou non, il me laissait tout de même la liberté de ne pas lui répondre. C'était un thérapeute, n'est-ce pas ? Pas un enquêteur de la police. Son message ressemblait presque à une sorte d'« appel à témoin », de bouteille jetée à la mer. Tout portait à croire que lui-même tâtonnait, égaré par le cas Jermyn. Sans doute tenait-il à ne négliger aucune piste…

Ainsi, le lendemain, après une nuit particulièrement agitée, je pris la voiture et, muni de plusieurs cartes de la région, partis en direction du Saguenay-Lac-Saint-Jean. Le souvenir de Spencer, des paroles de Thomas et des délires de Jermyn ne cessaient de tourbillonner dans ma tête. A regarder les cartes, je compris vite pourquoi le Dr Orne avait conclu que le « croisement des routes 170 et 454 menant au lac Saint-Jean » ne « rimait à rien ». Une route 175 conduisait bien de Québec au lac; la 170 permettait de se rendre au village de L'Anse-Saint-Jean. Mais à aucun moment il n'existait d'embranchement avec une éventuelle route 454. Dans ces conditions, j'aurais pu me demander moi-même ce que je faisais en voiture, dans cette direction, à neuf heures du matin. Mais, retournant inlassablement le contenu du courrier dans mon esprit, j'avais trouvé dans cette évocation de Saint-Jean quelque chose de familier. Comme si je cherchais à me souvenir d'un détail qui m'aurait échappé. Et le matin même, en regardant de nouveau les diverses photos et coupures de presse liées au meurtre commis par Jermyn, l'illumination m'était venue.

L'une des photos publiées dans la presse à sensation avait été prise dans le garage des Jermyn, à l'endroit où se trouvait le fameux congélateur qui avait accueilli le corps de la fillette. Or, dans l'angle de ce cliché en noir et blanc, on devinait, suspendue au mur du garage, ce qui ressemblait à une bouée de sauvetage, sur le pourtour de laquelle on pouvait lire : *L'Anse-Saint-Jean Yachting-Club*. Il m'avait été aisé de retrouver les coordonnées exactes du club en question. Jermyn avait dû s'y rendre. Peut-être y était-il même abonné, mais nulle part dans les autres articles il n'était fait mention d'un quelconque hobby de ce genre. *Non, son hobby était de découper ses proches*, me susurra une voix maligne qui me fit frissonner tandis que je continuais ma route. J'avais enfin déniché autre chose, sur l'un des rares clichés de Jermyn pris, cette fois, *après* son incarcération. Au-dessous de son regard de tueur, vide et inquiétant, qui semblait viser l'objectif d'un air absent, au-dessous de son torse musculeux enserré dans un débardeur uni, son bras, qui reposait sur une table, était lui aussi marqué du Signe. Le même Signe que j'avais vu distinctement le jour du massacre de Laval sur le bras de Spencer : le Ω traversé de deux traits irréguliers.

Jermyn avait-il réellement rencontré Spencer par le passé, autrement que par l'intermédiaire d'un jeu virtuel ? Etait-ce ainsi qu'il avait conservé la mémoire des vers de *Melancholia ex Tenebris ?* Avait-il été l'un des inspirateurs du Cercle de Cthulhu, voire son créateur ? Etait-ce vraiment lui, le Maître du Jeu ? Ou quelqu'un d'autre ? Et enfin, Bon Dieu… qu'avait-il voulu dire par : *Nous L'avons fait revenir ?* Ces questions ne cessaient de se bousculer en moi.

Le Saguenay-Lac-Saint-Jean possède deux plans d'eau tout à fait remarquables : la rivière Saguenay, qui coule dans le lit du seul fjord navigable en Amérique du Nord, et le lac Saint-Jean, véritable mer intérieure cerclée de multiples parcs et pourvoiries. Ce matin-là, je roulais donc sur la 175 parmi les plaines dominées de montagnes verdoyantes et de hauts plateaux ; le paysage était à couper le souffle. Je passai de village en village et fis une halte à Tadoushak, ancien bastion officiel du commerce de fourrures, pour y acheter des cigarettes. Puis je repartis, le cœur oppressé par une émotion inexplicable. La noblesse des escarpements rocheux qui émaillaient la route paraissait une ode à la beauté de la nature : mais, sous ce ciel plombé et la pluie qui battait de plus belle, ces merveilles sidérantes étaient de nouveau pour moi synonymes de grandeur muette, sauvage et inquiétante. Elle transformait ces sites grandioses en sombres témoignages d'une splendeur menaçante.

Le club nautique se trouvait à L'Anse-Saint-Jean ; lové au creux des montagnes, le village offrait une magnifique fenêtre sur le fjord du Saguenay. On y arrivait, non par la route 175, mais par la 170, que je suivis jusqu'au cœur de cette architecture de maisons ancestrales en franchissant le pont couvert. Du kayak de mer à l'équitation, en passant par la randonnée, le vélo ou la pêche au saumon, les activités autour du fjord étaient nombreuses. Dès les premières neiges, viendrait le temps de la pêche blanche, de la motoneige, du ski de randonnée et des traîneaux à chiens.

Lorsque je parvins au club nautique, je hélai rapidement l'un des responsables qui se trouvait à l'entrée, en compagnie d'un pêcheur du coin, vêtu d'un col roulé et d'une casquette.

— Pas de bateau aujourd'hui, dit le responsable du club. Fait trop moche.

— Bonjour. Je ne viens pas pour cela. Je voudrais savoir si… si vous auriez vu cet homme récemment.

J'exhibai une photo de Wade Jermyn découpée dans le journal – sans l'article qui l'accompagnait, évidemment. Mais sitôt que je l'eus montrée, je perçus une réaction singulièrement hostile, du pêcheur en particulier.

— Z'êtes de la police ?
— Non. Pas exactement.
— Qu'est-ce qui vous amène ici ? On n'a rien à voir avec ce gars, nous.
— Je… je suis psychiatre. Je m'appelle Simon Orne, mentis-je.
— Z'avez une carte, ou… ?
— Non…, dis-je, embarrassé.
Par bonheur, j'avais emmené le courrier du pénitencier avec moi, et je me bornai à leur glisser rapidement l'en-tête et la signature sous les yeux.
— Non, je n'ai que… le genre de courrier que j'utilise. Voyez, Simon Orne, expert psychiatre. Je suis chargé du dossier de cet homme. Vous savez ce qui s'est produit ?
Ils ne réfléchirent pas au-delà. J'allais un peu loin, mais il me semblait que c'était la seule manière de me faire entendre. En tout cas, leur réaction me montrait bien que j'avais fait mouche.
— Ouais, dit le pêcheur. Ouais, on sait. Quelle tragédie. La gamine n'avait pas huit ans.
— Nous avons retrouvé chez Wade Jermyn une… une bouée qui venait probablement d'ici. Il venait souvent du côté du fjord ? Etait-il inscrit ici ?
— Il prenait un bateau de temps en temps, intervint le responsable du club.
— Seul ?
— Toujours. On le voyait une fois par mois, peut-être deux.
— L'avait une bicoque pas loin.
Il se mordit la lèvre, comme s'il avait dit une bêtise.
— Ta gueule, Ernie, dit l'autre.
— Une maison ? Il avait une *maison* par ici ?

Le pêcheur regarda son ami, puis, soupirant, passa les mains sur son pull et ajusta sa casquette.

— J'crois bien. Une baraque près du lac.

Je me tus quelques secondes, tandis que le pêcheur me regardait de nouveau d'un air méfiant.

— Ecoutez, je sais pas ce que vous cherchez, mais y a rien pour vous ici. Ce type… le moins qu'on puisse dire, c'est qu'il était pas net.

— Vous savez où se trouvait la maison ?

Je ne tardai pas à repartir. Selon les deux hommes, la maison en question se trouvait à deux pas, près de Saint-Félix-d'Otis. C'était Jermyn qui en avait parlé, mais ni l'un ni l'autre ne savaient exactement où elle était située, et sur les registres ou la carte du club, il s'était borné à donner l'adresse de sa résidence principale. J'avais continué à leur poser quelques questions, sans résultat. On murmurait dans les environs que Jermyn avait acheté cette résidence secondaire dans un ancien décor de cinéma, ce qui me paraissait assez saugrenu, et qu'il menait là des activités étranges. On avait su, par exemple, qu'il avait passé commande d'importantes quantités de matériel de laboratoire et de substances chimiques, mais aussi de nombreux litres de sang auprès du boucher de L'Anse-Saint-Jean. Et, bien que personne n'eût réellement approché sa maison, on disait aussi qu'il avait acheminé là des livres à profusion. Il était allé chaque fois chercher ses « fournitures » lui-même, donnant pour référence son adresse proche de Québec, et non celle du village où il venait une à deux fois par mois. Tout cela, à mesure que je glanais ces informations auprès d'un vendeur d'articles de pêche, du boulanger ou du boucher lui-même, me laissait entrevoir quelque chose de terrible.

On s'étonnait aussi que Jermyn vînt dans les parages systématiquement seul, alors que, selon ses propres dires, il avait une famille. Quant à moi, j'étais surtout surpris de constater qu'apparemment, l'enquête de police avait été menée par un inspecteur Derrick sous Prozac. Ils n'avaient pas cherché plus loin et n'étaient pas parvenus jusqu'ici – où personne, d'ailleurs, ne s'était manifesté. Quant aux autorités locales, elles étaient paraît-il perturbées, car chose tout à fait invraisemblable, elles ne savaient pas non plus *où se trouvait* la maison. Pas une agence immobilière n'aurait su dire de quelle « affaire » il avait pu s'agir, ni à quel moment Wade Jermyn avait pu venir pour la première fois. On disait aussi, qu'on avait vu à plusieurs reprises une étrange lumière verte apparaître quelque part, loin du côté du lac, de façon intermittente, sans pouvoir en identifier la provenance une fois rendu sur les lieux.

On m'indiqua en définitive la direction de Saint-Félix-d'Otis et du Vieux-Chemin. Je m'y rendis comme à reculons, intimement persuadé que je faisais une bêtise, mais sachant tout autant qu'il m'était désormais impossible de faire marche arrière. Le matériel de laboratoire, les livres, le sang de bœuf, tout cela me rappelait d'autres images. Celles de la grange de Spencer, et *sous la trappe*, bien sûr. Elles me revenaient avec une précision déconcertante. Je parvins au bout du Vieux-Chemin avec une appréhension qui se muait peu à peu en angoisse irrépressible. Je ne puis assurer que j'étais alors guidé par quelque force ou quelque monstruosité supérieure ; pourtant, il *fallait* que j'aille voir, que j'essaie de retrouver l'endroit où pouvait se trouver la demeure en question. Les gens m'avaient prévenu que Saint-Félix-d'Otis attirait les cinéastes à la recherche de plans singuliers, dans un endroit où toute trace de modernité était inexistante. La route du Vieux-Chemin menait à un ancien site de tournage, une reconstitution de l'époque de la Nouvelle-France. En été s'y déroulaient des spectacles en costume, où les ancêtres semblaient revivre pour faire découvrir au public leur mode de vie.

Tout cela, en temps normal, aurait suffi à me dissuader de faire un pas de plus. De fait, j'hésitai longtemps avant de m'aventurer plus loin, après avoir garé la voiture à l'entrée du site. A aucun moment je n'avais croisé de panneau signalant une « route 454 », mais j'avais en effet emprunté un embranchement de la 170 qui allait se perdre dans le paysage. Je me retrouvai devant l'avenue boueuse qui s'ouvrait sur le village reconstitué. Il avait cessé de pleuvoir ; il devait être midi et pourtant, le ciel bas, les nuages noirs et l'air épais donnaient aux environs des allures crépusculaires. J'aurais pu décider d'emmener quelqu'un avec moi – mais qui aurait accepté de me suivre, et pourquoi ? Nombreux étaient ceux qui m'avaient vu à L'Anse-Saint-Jean ; on saurait de quel côté j'avais dirigé mes pas ; cela n'était toutefois qu'une maigre consolation. J'hésitais donc – mais comment accepter de rebrousser chemin si près du but ? Je finis par m'engager timidement dans ce décor des plus insolites.

J'avançais dans ce village rendu plus fantomatique encore par la présence insidieuse d'une brume montante. Ce spectacle était des plus singuliers. Les quelques rues aménagées, les bâtiments irréels étaient déserts et battus par un vent froid. Je cheminais au milieu de ces maisons à colonnades semées de lueurs grises, contemplant les façades muettes dont les fenêtres semblaient des yeux mornes, ouverts sur un paysage d'un autre âge ; les portes pourvues de heurtoirs ternis, les balcons abandonnés, les grilles noires à demi ouvertes, comme si quelque fantôme venait de les franchir, les toitures tantôt plates, tantôt pointues déchiquetées sous le ciel composaient un tableau saisissant et glacé ; le silence, uniquement troublé par les courants d'air irréguliers, achevait de me donner le sentiment, en pénétrant dans cette Nouvelle-France échappée de l'abîme du temps, que j'avançais en un lieu qui n'était plus que le miroir, le vestige d'un monde oublié.

Je marchais dans l'avenue, levant les yeux vers les édifices de part et d'autre, et croyais voir soudain ces spectres d'antan vaquer à leurs occupations, au milieu de chariots branlants, sous de vieilles enseignes alambiquées, des femmes pâles, à la chevelure tressée, glissées dans le fourreau de robes farouchement corsetées, une ombrelle triste dansant au bout de leurs mains gantées ; des hommes en jaquette ôtant mécaniquement leur chapeau pour saluer les alentours. Puis tous disparaissaient, et je retrouvais la solitude désolée de l'endroit. Certaines de ces maisons, pourtant, n'étaient constituées que de façades en trompe-l'œil soutenues par des étais, et dont on ne savait plus si elles étaient des ruines attendant une prochaine résurrection, ou le simple jeu des décorateurs fous qui les avaient dressées pour l'illusion du spectacle.

Parvenu au bout de l'avenue, je m'aperçus qu'elle rétrécissait pour donner naissance à un autre chemin, celui-là seulement bordé de végétation crispée ; les maisons avaient disparu et le terrain s'élevait peu à peu, liséré de murs de pierre et de broussailles se pressant vers les ornières. Les arbres de la forêt reprenaient leurs droits et me semblaient plus grands qu'à l'ordinaire. Une profusion de ronces paraissait signaler que l'on quittait le pays défriché soumis à la volonté des hommes. Alors que, prenant mon courage à deux mains, je m'engageais sur le chemin, je regardai ma montre et constatai avec agacement qu'elle s'était arrêtée. Je tapotai quelques secondes sur le verre, puis tentai de la remonter. Animées d'une oscillation imperceptible, les aiguilles butaient obstinément au même endroit.

Je croisais des arbres aux figures noueuses et solitaires, parfois les restes délabrés d'une maison – mais aucune ne me semblait avoir pu abriter le repaire de Jermyn. Le voile hiératique et morne des conifères s'ouvrait parfois à l'est sur une prairie déclive et jonchée de rocs, tel le rideau d'une scène de théâtre offrant au spectateur sur le qui-vive une trouée sur un gouffre désolé. Puis je parvins au faîte d'une côte et découvris un chapelet de collines comme érigées au-dessus des bois profonds. Mon malaise s'accroissait : de loin en loin, à contempler ce paysage silencieux, je ne voyais pas âme qui vive. Les sommets des collines paraissaient trop arrondis et trop symétriques pour être naturels, et ils étaient pourvus d'étranges colonnes de pierre fouettées par le vent, assaillies d'herbes rampantes, découpées dans les trouées de brume. Sous ce ciel de plus en plus orageux, il me semblait deviner des ravins insondables coupant la chaussée et surplombés de ponts de bois au bord de l'effondrement.

Où suis-je? me demandai-je, regardant autour de moi.

De nouveau je jetai un regard en arrière, comme pour m'assurer que le chemin qui m'avait conduit jusqu'ici n'avait pas disparu – et il était bien là, en effet.

La gorge sèche, je continuai d'avancer.

Maintenant le chemin boueux redescendait. Les espaces se faisaient marécageux. Et soudain, je sursautai.

Je venais d'entendre de rauques coassements.

Je restai sans bouger, guettant ces sons répugnants, dont je n'aurais su dire s'ils étaient proches ou lointains ; mais c'était là, me dis-je, la première manifestation de vie au cœur de ce paysage insolite, et cela ne fit que souligner davantage un fait que je n'avais pas encore formulé consciemment. Non seulement il n'y avait pas un être humain dans les parages, mais je n'avais ni croisé ni même aperçu le *vol d'aucun oiseau.* Cette absence me fit frissonner. A l'inverse, les coassements bien distincts que j'entendais à présent semblaient ceux de crapauds-buffles tapis dans les environs et qui, tels les gardiens de ces mornes étendues au pied des collines, semblaient *prévenir* de mon arrivée. Du moins est-ce l'impression que j'en eus à ce moment. Lorsque je vis, toujours à l'est, le cours lointain et indistinct d'un fleuve dont les méandres évoquaient les anneaux d'un serpent, je luttai pour conserver mon calme. Une simple rivière était-elle devenue fleuve sous l'effet de mon imagination ? Je savais qu'aucun fleuve ne devait, ne *pouvait* se trouver à cet endroit. Puis mes yeux hallucinés découvrirent… un panneau, solitaire et branlant, qui désignait la direction du supposé fleuve. Je m'avançai vers lui… Et l'inscription me glaça, qui pour le non-averti eût pourtant pu passer pour anodine :

MISKATONIC RIVER, R. 454.

14

Le Signe de Cthulhu

A un moment, j'entr'aperçus au loin un village blotti entre le fleuve et la rondeur d'une colline décharnée, tandis que je longeais le sentier. De ma position sur le chemin, je n'en distinguais que les sombres contours, mais ces profils noircis me paraissaient en ruine, ce que confirmait la présence d'un clocher délabré. Un pont couvert semblait y conduire. Je pensais que le chemin devait le rejoindre après quelques détours. Je me trompais. C'était comme si je passais à proximité et le longeais, mais sans pouvoir jamais l'atteindre. Au contraire, le sentier replongeait dans la forêt. Les coassements avaient disparu. Un océan de feuilles mortes et balayées par le vent se déroulait sous mes pieds. Les conifères montaient vers le ciel, leurs troncs oppressants se faisaient plus impénétrables encore, le vent chuchotait dans ces profondeurs, et l'odeur pernicieuse qui commençait de me parvenir me suggéra que je touchais au but. Cette odeur qui réveillait en moi un effroi ancien. C'était la même, *exactement la même* que j'avais sentie chez Spencer, lorsque j'avais ouvert la trappe menant aux souterrains. Dès lors, je me sentis revenu définitivement en plein maléfice ; et je m'arrêtai, la gorge agressée par ces exhalaisons putrides, essoufflé comme si j'avais longtemps couru.

Un instant, déboussolé, sans plus savoir où j'étais, je m'arrêtai et portai la main à ma tête. Etais-je victime d'hallucinations ? L'avais-je déjà été ? Mon imagination m'avait-elle entraîné « ailleurs », sitôt que j'avais croisé le destin de Spencer ? Le traumatisme qui avait résulté du drame de Laval avait-il réveillé en moi des prédispositions… à une forme de folie ? Et mes recherches d'alimenter mon obsession, sans parler des traitements médicamenteux. Le disque interdit et la lettre alarmante de Thomas auraient alors achevé le travail… Oui, une explication rationnelle était encore possible. De même que Jermyn avait pu exercer sur Spencer et d'autres consciences fragiles, membres du Cercle, une forme d'ascendant… en gourou de l'ombre… poussant ce pauvre Spencer au suicide à force de balivernes, avant de succomber lui-même à ses propres délires fantasmatiques ! Nom de Dieu – où étais-je, en ce moment même ? Dans un rêve, un cauchemar, peut-être.

Je regardai encore autour de moi. Allais-je me réveiller dans mon lit ? Je pensai de nouveau à Verhaeren, à son discours sur l'imagination plus réelle que le réel, aux représentations qui nous gouvernent. Tout, disait-il, est affaire de point de vue – et ce *point de vue*, ce nombre d'or n'était plus pour moi qu'un nœud fuyant, le point de fuite, oui, d'un tableau impossible, expressionniste et biscornu, qui paraissait violer toutes les lois de la perspective. J'étais en face d'une figure hallucinatoire et d'un motif géométrique impossible et abstrait ruinant les vieux édifices euclidiens, en face d'un vortex entortillé qui…

Je m'apprêtais à tourner les talons lorsque, au détour du sentier, je la vis.

La maison délabrée, face au lac, au creux des bois profonds – la maison du psychopathe Wade Jermyn.

Je fus obscurément sûr, sans doute aucun, que c'était elle. Ce ne *pouvait* être qu'elle. Un chalet… Un chalet de bois au toit pointu.

Mais, comme si je devais différer le moment de m'aventurer dans cette demeure, je me bornai d'abord à contempler le lac, hésitant de nouveau. Et, seul dans cet univers de silence, je me remémorai soudain l'une des plus belles nouvelles de Lovecraft, *Night Ocean.* Il y avait, à la surface lisse de cette étendue, comme dans la mer qui lui faisait tellement peur, le sentiment d'une obscurité menaçante. Par quelles mystérieuses entités ces profondeurs étaient-elles habitées ? C'était sous l'eau que Lovecraft situait R'Lyeh, la cité de Cthulhu, et toutes ces villes des Anciens abîmées dans les profondeurs. Le lac immense était irisé de vaguelettes indécises. Seul motif rassurant, je repérai, là-bas au loin, les lumières de L'Anse-Saint-Jean. Du moins le croyais-je. Comme si les deux univers coexistaient, celui familier et normal où mes pas m'avaient conduit le matin même, et celui où je me trouvais à présent ; comme s'ils pouvaient communiquer, dimensions juxtaposées reliées par un passage inconnu, miroir à deux faces d'une même réalité. L'Anse-Saint-Jean était bien là, mais lorsque je levai les yeux vers le ciel, je fus à peine surpris d'y découvrir, entre deux traînées vagabondes de nuages roulants, la présence d'une lune blafarde. C'était impossible, ma montre s'était arrêtée un peu après 12 heures – la lune en plein midi ?

Puis, des nuages amoncelés jaillirent au loin, et des éclairs, qui paraissaient se disputer et croiser le fer sur la surface du lac de plus en plus agitée. Les forces déchaînées, incommensurables, livraient combat entre ciel et mer, au point que, n'étaient-ce ces zébrures crépitantes et instantanées, l'on n'aurait su où était la mer et où était le ciel. Le monde semblait s'inverser. Je me tenais campé face au lac, l'odeur terrible et suintante enflant mes narines entre deux bourrasques. J'avais fiché mes mains dans mes poches, je ne bougeais plus et, là-haut, derrière l'orage, il y avait cette lune de midi.

> Kadath Les a connus dans le désert glacé, et quel homme connaît Kadath ? Le désert de glace du Sud et les îles englouties de l'Océan renferment des pierres où Leur sceau est gravé, mais qui a jamais vu la ville au fond des glaces et la tour scellée festonnée d'algues et de bernacles ? Le Grand Cthulhu est Leur cousin, encore ne les discerne-t-il qu'obscurément. *Iä ! Shub-Niggurath !* Vous Les connaîtrez comme une abomination. Leur main est sur votre gorge, bien que vous ne Les voyiez pas ; et Leur demeure ne fait qu'un avec votre seuil bien gardé. Yog-Sothoth est la clé de la Porte, par où les sphères communiquent. L'homme règne à présent où ils régnaient jadis ; Ils régneront bientôt où l'homme règne à présent. Après l'été l'hiver, et après l'hiver l'été. Ils attendent, patients et terribles, car Ils régneront de nouveau ici-bas. Et bien qu'il existe des gens ayant osé jeter un regard par-delà le Voile et accepter l'Entité comme guide, ils eussent été plus prudents en évitant tout commerce avec elle. Il est écrit dans le Livre de Thoth de quel terrible prix se paie le moindre regard. Ceux qui vont de l'autre côté du Voile ne peuvent jamais revenir car, dans ces espaces infinis qui dépassent notre monde, il y a des ténèbres qui saisissent et qui lient. L'être qui, pas à pas, avance au hasard dans la nuit, le Mal qui défie les Anciens Signes, le Troupeau qui monte la garde dont on connaît l'existence dans chaque tombeau et vit de ce qui pousse des morts – tous ces êtres du monde des ténèbres sont de loin inférieurs à Celui qui garde la Porte ; à Celui qui guidera

l'imprudent par-delà l'univers dans l'abîme où gîtent des formes innommables toujours prêtes à dévorer. Celui-là, le Très Ancien, c'est UMR-AT-TAWILL, nom que le scribe a traduit par « Celui dont la vie a été prolongée ».

Oui, je pensais à Cthulhu, le dieu-pieuvre, devant le lac vaste et solitaire, *Iä! Shub-Niggurath!*

Je ne pouvais que m'humilier devant ces forces indicibles, je pensais aux temps d'avant les temps, aux dieux anciens qui avaient gouverné l'univers, et à ce temps futur où plus personne ne régnerait sur la Terre, sauf dans les eaux éternelles qui continueraient de battre les rivages sombres de leur écume assourdissante, des vagues colossales sous les lueurs finissantes d'un soleil affaibli, amenant avec elles les vestiges osseux des créatures enfuies – nous, les humains, et nos squelettes paresseux et démembrés, et jusqu'à la fin du monde, « au-delà de la mort de tous les êtres, la mer continuera de battre à travers la sinistre nuit. »

J'avançai enfin vers la maison.

Elle n'était pas fermée, comme je m'y attendais, et je n'eus aucun mal à y pénétrer.

Je ne dirai pas ce que j'y trouvai car, en vérité, ce passage est l'un des plus obscurs à ma mémoire. Je me souviens qu'il y avait une cheminée et des cartons poussiéreux, des sacs et des pochettes éventrés qui peut-être avaient contenu le sang de bœuf dont on m'avait parlé, des instruments et des substances dont j'ignorais tout; le trophée d'une tête de cerf qui jetait sur les ombres un regard vide et improbable; ni dessins ni carnets cette fois, mais des inscriptions portées au mur sur une grande peau tendue de signes, où je distinguai les noms de

Yog-Sothoth, d'Azatoth, de Cthulhu et de Nyarlathotep ; et cette mention griffonnée, comme un message : *Ce n'est pas Lui, ce n'est pas Yog-Sothoth ! C'est un Autre Gardien, c'est Celui Derrière la Porte. Il joue avec nous. Il me tuera si je dis Son Nom !* Du moins est-ce ainsi que me revient cette formule blasphématoire. Quelques photos instantanées, recouvertes d'une pellicule grisâtre, m'arrachèrent un cri de dégoût. On y voyait ici un membre découpé, un bras ou une jambe, étrangement cerné de fils et de pinces. Là, l'amorce d'une tête baignant dans un fluide grisâtre. Puis les membres épars d'une sorte d'ouvrage d'anatomie humaine, comme les écorchés des écoles de médecine, reproduits sur des cartons jaunes, semés de symboles, de traits et de chiffres abscons… Surtout, ce dont je me souviens précisément, ce fut cet instant où je m'approchai de la cheminée et où je crus y discerner, au-dessus de braises froides, une broche dont on devait user normalement pour faire cuire des cuissots de gibier. Je poussai un hurlement en faisant un bond en arrière.

Un… Un fœtus.

Puis mon regard se fit plus net, plus précis. Je n'osai bien sûr toucher la chose, mais elle m'apparut plus clairement et, dans la seconde suivante, un soulagement immense m'envahit. Ce n'était pas un bébé, pas un fœtus, non – par quel abominable détour ma pensée tortueuse m'avait-elle emporté ? – mais une sorte de… figurine de même taille, comparable à celles que j'avais déjà vues dans les souterrains des catacombes, sous la grange. Une figurine d'argile, ou de cire, que sais-je – embrochée là sans explication, rôtissant dans des flammes d'outre-monde.

J'avais la gorge sèche ; une onde de chaleur inouïe m'envahit.

Je ne sais combien de temps je demeurai à l'intérieur du chalet, mais après cette découverte, je ne m'y attardai plus. Je n'emportai rien de cet endroit, sinon des images confuses. Je refermai la porte derrière moi et avançai en titubant sur le tapis de feuilles, marchant quelques instants au hasard. De l'autre côté de la maison, le sentier s'évasait et remontait en direction du sommet de la colline la plus proche, cernée d'arbres. J'étais comme poussé dans cette direction, les pieds dans les épines et les feuilles d'automne. Je remarquai d'abord ce qui m'avait semblé des colonnes assaillies de ronces, que j'avais devinées de loin. Mais lorsque, après mon ascension au milieu du bois, je parvins au sommet de la colline, je compris que je m'étais trompé.

Il me fallut quelques secondes pour prendre la mesure de cette nouvelle découverte. Au faîte de la colline, les arbres tendus comme des flèches enfermaient une clairière ; et dans cette clairière, des pierres étaient disposées en cercle. Certaines ressemblaient à des menhirs immémoriaux, taillés dans le roc ; d'autres avaient l'aspect de curieux mégalithes noirs à la surface polie, qui n'évoquaient rien de naturel. Je m'approchai de l'un d'eux. Mes doigts caressèrent cette surface lisse et luisante, pour constater en tremblant que leur matière m'était inconnue. Les pierres, disposées à intervalles réguliers, dessinaient une sorte de cercle. Elles étaient environnées de ronces, et il me fallut en arracher quelques-unes pour reconstituer un tableau complet de cet étrange lieu aux apparences druidiques, qui évoquait Stonehenge et les plus sombres mythologies du passé. Au centre du cercle se trouvait une pierre plate, elle aussi de cette même matière inconnue.

Je sursautai soudain en entendant un bruit strident.

Je m'aperçus que, sur la branche sèche et épineuse de l'un des arbres qui entouraient la colline, un engoulevent s'était posé, et s'époumonait en trilles insolents, longs et lugubres, sans bouger de sa branche. Et il me regardait.

Mon attention se porta de nouveau au centre du cercle. La pierre plate n'avait pas été disposée au hasard. Elle figurait, me dis-je en frémissant, une sorte d'autel, dont le socle était lui aussi harcelé de ronces. Elles l'étreignaient comme des mains aux doigts crispés, jaillies des entrailles de la terre. A mesure que je m'approchais, je constatais qu'au centre de la pierre, une plaque rectangulaire était fixée, ornée d'un bas-relief dont je peinais à distinguer les contours. Mon frisson redoubla lorsqu'une pensée explosa dans ma tête. Peut-être Wade Jermyn ne montait-il pas *seul* ici.

Peut-être venaient-ils nombreux, beaucoup plus nombreux.

On eût dit…

Un lieu de culte.

Seigneur, quels rituels innommables avaient pu être perpétrés ici ?

Pour quel dieu, pour quel Maître ?

Du sang entourait le bas-relief. Me saisissant d'une poignée de feuilles, comme si je craignais de laisser mes doigts entrer en contact avec l'autel, je m'en servis pour ôter de nouvelles ronces ainsi que la poussière noire du bas-relief. Deux faits incontestables s'imposèrent à moi. Le site circulaire était comme dévasté, brûlé, mort ; recouvert de poussière et de moisissures en décomposition. Et l'odeur nauséabonde, cette puanteur insigne qui ne m'était devenue que trop familière, hantait ces lieux.

Je levai les yeux. L'engoulevent sur sa branche avait été rejoint par deux de ses semblables. La petite famille de hurleurs était installée comme à la parade, et chuintait maintenant de concert. La gorge sèche, je regardai plus attentivement le bas-relief. Curieusement, il n'était pas solidaire de la pierre elle-même, mais encastré en son centre. Rien ne le retenait ; il avait été déposé là, et je notai qu'il était gravé de ces inscriptions cunéiformes parfaitement minuscules, par centaines, par milliers sans doute, séparées de traits de pierre en des sortes de cartouches rappelant les antiques Livres des Morts des traditions tibétaine et égyptienne.

Il me fallait une preuve. Mais, ce bas-relief… abritait-il quelque chose ? Cette fois, je ne reculai pas. Mes doigts aux ongles déjà cassés et encrassés en grattèrent fébrilement le contour. Il devait faire quelque cinquante centimètres sur trente, peut-être dix d'épaisseur – mais n'était pas fixé à l'autel ; aussi, m'aidant de petites branches, j'ôtai toujours plus de poussière noire et, enfin… je parvins à déloger la plaque de son habitacle !

Au-dessous, dans une cavité d'une soixantaine de centimètres sur cinquante, se trouvait… Une urne. *Une urne funéraire.*

Un vague nuage de cendres ou de poussière en tapissait encore le fond. Elle était sans couvercle, de forme ovale, pourvue de deux anses de part et d'autre. Lentement, le cœur emballé, je plongeai les mains dans le caveau miniature. Une grosse boule roula dans ma gorge lorsque je me décidai à soulever l'urne de son habitacle. Elle était lourde. Son contact, froid. Elle avait quelque chose qui vous révulsait l'âme. Impossible de déterminer de quelle matière elle était composée – pas d'argile, de terre cuite, d'argent, de bronze, de fer ou d'un quelconque métal – peut-être, tout simplement, de… pierre ? Proche de l'obsidienne ? Je me mis à trembler, tout en remarquant à nouveau le regard fixe des engoulevents dans ma direction. L'urne évoquait là encore quelque civilisation antique, à ceci près que je n'avais jamais vu d'ornements semblables.

Je retins un cri en comprenant soudain ce que figuraient ces motifs ouvragés qui en décoraient le pourtour.

Qu'on me pardonne la difficulté de langage à laquelle je me heurte pour traduire en termes compréhensibles l'horreur que m'inspirèrent ces visions. Ce que j'avais sous les yeux était une sorte de bandeau dessiné décrivant des images de culte effroyable. A première vue, l'on pouvait croire d'abord à la gravure d'une sorte de montagne hallucinée, mais dont les contours semblaient échapper à toute géométrie acceptable pour l'esprit humain, car la disposition des volumes et des masses ne correspondait à aucune forme, aucune loi de perspective connues, de même qu'à aucune matière identifiable ; puis l'on s'apercevait que cette montagne n'en était pas une, mais bel et bien un Etre, une créature comme celles que j'avais vues sous la grange de Spencer, étirée sur tout le pourtour de l'objet ; sauf que son corps paraissait agité d'un tel chaos, d'un tel sentiment de puissance déchaînée, qu'il procurait une impression capable de pétrifier l'âme mieux que toutes les antiques Gorgones ; une épouvantable progéniture jaillie des astres ou de je ne sais quel abîme, quelle faille de l'espace et du temps.

L'urne était couleur pierre émaillée de noir, mais cette masse dessinée aux apparences de gélatine grise, environnée d'une mousse impure et verte, était indescriptible : une tête de pieuvre ou de céphalopode d'où ondulaient mille tentacules, un corps allongé et hurlant qui semblait squameux ou caoutchouteux, apparemment deux ailes sur le dos, des griffes aux quatre membres, les deux pattes inférieures crispées au sommet d'un piédestal iridescent, piédestal étiré lui aussi, parcouru de teintes passées, comme celles des vieilles mosaïques, et moucheté d'un or terne, qui avalait la lumière ; la créature était accroupie, la tête baissée, de sorte que ses tentacules reposaient sur ce qui devait être ses genoux. Elle n'était comparable à rien de ce que l'imagination la plus fertile eût pu imaginer et pourtant, ce monstre, ce titan étiré et déformé, je le reconnus aussitôt : c'était Cthulhu, Cthulhu de R'lyeh, Cthulhu de la Mer et de la Cité maudite, Cthulhu le Gardien, revenu par une porte tordue de son empire vénéneux et dément, pour jaillir dans notre monde. Le Dormeur s'était réveillé et l'entité des idoles, le sectateur suprême du culte le plus innommable, jaillissait d'outre-espace après des millions et des millions d'années, pour réclamer son dû.

Sous lui, la mer figurée par une houle grossière et grise ; au-dessus, les astres ; et, courant à la fois en liséré à l'entour de la pierre, et ici ou là, en des endroits désordonnés, des hiéroglyphes incompréhensibles, des formules glaçantes, *Ph'nglui mglw'nafh Cthulhu R'lyeh wgah'nagl fhtagn, Cthulhu fhtagn, Cthulhu fhtagn*, ainsi que l'Oméga barré de ses deux traits, le signe impie, le Signe du Troupeau, que j'avais déjà vu par deux fois, sur le bras de Spencer et la photo de Jermyn.

A l'instant même où j'étais sur le point d'extraire totalement l'urne de l'excavation, je m'arrêtai, parcouru de sueurs froides. Autour de moi, les hurlements avaient redoublé ; ils n'étaient plus trois, ni même dix, ni même cent. Une nuée d'engoulevents était arrivée, je ne sais comment, sur les branches des arbres qui environnaient la clairière. *Ils étaient des milliers*, tonnant et piaillant sous mes yeux comme des ombres, leurs silhouettes noires se découpant sur les branchages.

Mais je ne serais pas venu ici pour rien !

Je hurlai à mon tour.

Je me souviens que j'arrachai définitivement l'urne à son réduit et me redressai.

Je tombai brutalement en arrière, à la renverse. Alors se produisit un éclair d'une telle puissance que je craignis d'en rester aveugle. Cela ne dura que quelques secondes, mais de l'endroit d'où je venais de retirer le bas-relief, puis l'urne, jaillit une lumière qui vola d'un trait jusqu'au ciel. Ce n'était pas une *lumière* au sens habituel du terme, sa couleur n'était ni blanche, ni jaune, ni rouge, ni orange, ni d'aucune teinte composant le spectre habituel des rassurants arcs-en-ciel ; non, elle était d'une couleur indéfinissable et inconnue, donnant tantôt l'illusion de tirer sur le vert, tantôt sur le mauve, ou bien les deux ensemble, ou toutes les couleurs en même temps. Mes yeux, après cette déflagration subite, s'agrandirent devant ce spectacle inouï. La pensée de ce que m'avaient dit les habitants de L'Anse-Saint-Jean fulgura dans mon esprit : *On disait aussi qu'on avait vu à plusieurs reprises une étrange lumière verte apparaître quelque part loin du côté du lac, de façon intermittente, sans pouvoir en déterminer exactement la provenance une fois rendu sur les lieux...* Et cette lumière, à présent droite et raide, transperçait le ciel, les nuages semblant s'écarter d'eux-mêmes devant l'assaut de cette percée.

Puis, d'un coup, elle disparut.

Les engoulevents, eux, redoublèrent de cris. Je le savais, j'en étais convaincu maintenant. C'était moi qu'ils voulaient.

Je ramassai l'urne. Oui, elle était assez lourde, mais tant pis ! J'étais résolu ; je la serrai obstinément contre mon torse et me précipitai à travers la colline. Les milliers d'engoulevents s'élevèrent en hurlant dans les bourrasques. Je me revois en images confuses et chaotiques courant au milieu des ronces, des feuilles et des buissons d'épines, cette nuée mouvante plongeant à ma suite, en hululant jusqu'à me perforer les tympans ; je me souviens de ces mille piaillements d'où semblait émerger un sifflement plus terrible que les autres, un bourdonnement vibrant, l'un de ces sons impossibles qui, mêlé à ceux des engoulevents, formait soudain une voix unique, comme les instruments d'un ténébreux concert, accordé aux flûtes du diable. *Iä ! Shub-Niggurath ! Le Bouc Noir des Forêts aux Mille Chevreaux !* Des ballets de lucioles froides jaillissaient de tous côtés pour se mêler à la danse. Tous me suivaient, se répandaient en vagues mauvaises entre les arbres, ils étaient sur moi, des becs acérés attaquèrent mes vêtements, mes cheveux, mes joues et mon crâne. Je traversai en trébuchant cent fois le pied de la colline, puis la maison défoncée au bord du lac illuminé d'éclairs, sous cette lune d'un autre âge ; je fis tomber l'urne deux fois, qui roula au sol, mais sans jamais se briser ou même s'ébrécher ; elle me paraissait sans cesse plus lourde ; je courais sur le sentier, sur le pont branlant, à ma gauche dans la vallée noire ce village fantôme au clocher délabré et improbable, puis le panneau que j'avais vu en arrivant. Et alors que je passais devant à toute vitesse, je vis la face de ce panneau, qu'à mon arrivée je n'avais lu que dans l'autre sens.

Et de nouveau, mon cerveau enregistra l'impossible : il y était écrit *Arkham*, la Ville qui N'existe Pas, et je courus encore, je me précipitai dans l'avenue boueuse de la Nouvelle-France endormie, retrouvai ma voiture, rabattis la portière derrière moi en jetant l'urne odieuse et dégoulinante de crasse sur la banquette arrière. Une pluie torrentielle battait les vitres tandis que je laissais aller mon front contre le volant, essayant désespérément de recouvrer mon souffle et mes esprits. Les engoulevents, cette nuée de hurleurs, et les lucioles avaient disparu. Tous.

Dans ce tourbillon, un puzzle atroce commença de se mettre en place ; dans cet océan de déraison, un semblant de sens commença de s'imposer ; mais ce sens lui-même était si délirant qu'il semblait une preuve supplémentaire de ma folie ; il était là, pourtant, en gage de ma recherche ; c'était comme si je trouvais enfin quelque chose, un nœud qui n'avait cessé de m'échapper, et qui, après s'être glissé en moi de la façon la plus insidieuse, se transformait en une insupportable révélation.

Willett était le nom d'un médecin qui apparaissait dans *L'affaire Charles Dexter Ward* ; Verhaeren apparaissait dans une autre nouvelle dont le titre m'échappait ; Wade Jermyn, explorateur, était un ancêtre d'Arthur Jermyn, qui lui aussi avait donné son nom à une nouvelle de Lovecraft ; c'était jusqu'à ma femme, dont le nom de famille, Armitage, était cité dans *L'abomination de Dunwich* ; le miroir de la grange, la voix et la puanteur maudites, la peinture de l'artiste fou inspirée du *Modèle de Pickman*, les lieux de culte, Cthulhu et R'lyeh, les langues inconnues, la rivière Miskatonic et la ville impossible d'Arkham – tout cela, tout ce qui composait maintenant mon ténébreux univers semblait jailli tout droit de l'imagination de Lovecraft lui-même.

C'était comme si j'étais entré dans son œuvre.

Quelques heures plus tard, à la nuit tombée, je me précipitai dans les bureaux de *Fantastic Stories*. Je savais que Thomas avait l'habitude de travailler tard, et souvent seul. Je m'étais promis de ne pas reprendre contact avec lui, mais je n'avais plus le choix. Lui – lui me comprendrait, et pourrait m'expliquer. Aussi m'élançai-je dans les escaliers. Je me jurai également qu'après lui avoir parlé, je me précipiterais à la police – et tant pis, tant pis je dirais tout ! C'était trop pour lui, pour moi, pour nous !

La police. La police.

— Thomas ! Thom...

Dans les bureaux, des lumières grésillantes étaient allumées.

J'ouvris la porte à la volée.

La pièce était emplie d'une odeur âcre et écœurante. Je fermai les yeux, une fois surmontée la terreur que m'inspirait cette découverte.

Il était là, allongé auprès du mur du fond, la tête vers le ciel, les yeux vitreux : Thomas. Eventré, les cheveux dans le visage, son T-shirt *Heavy Metal* remonté, un bras retourné, sa casquette échouée non loin de lui. Ses tripes à l'air, une partie répandue sur le sol. Le cœur me monta au bord des lèvres. Il se tenait recroquevillé près de son fauteuil pivotant, au milieu des poubelles pleines, des piles de livres, des feuillets et des récents numéros du magazine, bariolés et criards. Je me retins de vomir. Deux mouches tournaient autour de lui dans des bourdonnements agressifs. Une vieille bouteille de Jack Daniel's traînait sur le sol, vide. Sur la table poussiéreuse, le cendrier, et un pot de Nutella servant à ranger divers crayons et petites fournitures éparpillées. Au bout de son doigt sanglant maculant le bas du mur : le moniteur d'un PC, qui crépitait encore. Mais l'écran ainsi qu'une partie du clavier étaient balafrés de sang. La platine CD-DVD, sortie, clignotait. Sur l'écran, un curseur solitaire palpitait sur un fond noir – ou presque, car depuis l'outre-monde, Cthulhu, ou je ne sais Lequel de Ses Emissaires, ironisait :

GAME OVER.

Et au-dessous, cet autre message – m'était-il adressé ?

NE DIS RIEN A PERSONNE...
OU TU LE REJOINDRAS.

C'est alors que je repérai, sur le sol, d'autres traces familières – et je fus comme parcouru d'une décharge électrique. Ces empreintes... *C'étaient les mêmes que celles que j'avais vues dans la grange des Laurentides.* Une série causée d'un côté par quelque chaussure de marche, de l'autre par une patte ni proprement humaine ni véritablement animale... Ces dix orteils, répartis autour d'une sorte de ventouse en étoile, mêlée de sang et de boue encore fraîche !

Etait-ce un livre, un jeu ? Un livre-jeu ? Quelle était la part du réel et celle du virtuel ? Etait-ce cela, le piège ? Etais-je vraiment dans un roman de Lovecraft ?

Alors, épouvanté, je ne restai pas une seconde de plus. Je m'enfuis, le plus loin possible de cet endroit, en hurlant.

… Il sait où les Anciens ont forcé le passage jadis, et où Ils le forceront de nouveau. Il sait où Ils ont foulé les champs et la terre, et où Ils les foulent encore, et pourquoi nul ne peut les voir quand Ils le font. A leur odeur, les hommes peuvent parfois connaître qu'Ils sont proches, mais de leur apparence aucun homme ne peut rien savoir, si ce n'est sous les traits de ceux qu'Ils ont engendrés chez les hommes ; et de ceux-ci sont plusieurs espèces, différentes par leur figure, depuis la plus véridique eidolon de l'homme à cette forme invisible et sans substance qui est Eux. Ils passent, nauséabonds et inaperçus dans les lieux solitaires où les Paroles ont été prononcées et les Rites ont été hurlés tout au long en leurs Temps.

Leurs voix jargonnent dans le vent, et Leur conscience marmonne dans la terre. Ils courbent la forêt et écrasent la ville, pourtant ni forêt ni ville ne peuvent apercevoir

la main qui frappe.

15

Pénitencier 666

Je franchis les grilles de haute sécurité du pénitencier sis au 666, Montée Saint-François à Laval.

Ma récente échappée au milieu des spectres de la Nouvelle-France, et la découverte du cadavre de Thomas, m'y avaient contraint. Impossible, désormais, de reculer ou de différer davantage ma confrontation avec Jermyn – et sans doute avec moi-même. Heureusement, personne ne m'avait vu dans les bureaux de *Fantastic Stories*. Mais, dès le lendemain, j'appris qu'on avait, naturellement, retrouvé le cadavre de Thomas. Une enquête était ouverte. Je savais par avance qu'elle piétinerait. Jermyn, cette fois, était déjà sous les verrous. Impossible de lui coller ce meurtre sur le dos… ou bien ? Mais moi, *moi seul* – j'avais une piste. Une piste insensée, mais une piste.

Autre chose me terrifiait : après Spencer, Thomas… *Moi ?*

Suite logique. La menace invisible ne cessait de se préciser.

D'autant que maintenant, si je me trahissais ou attirais l'attention de quelque manière, et si la police venait à faire le lien entre moi et le meurtre de Thomas… Je ferais aussitôt un suspect idéal ! Laval, mes « antécédents », ma collaboration à *Fantastic Stories*, tout cela ne jouerait certes pas en ma faveur… Le fait même de venir dans cette prison pouvait aussi, à terme, représenter un argument de poids ! Mais aux yeux des autorités, ces différentes affaires – Laval, Jermyn et Thomas – n'étaient pas liées, du moins pas encore. Moi seul pouvais comprendre. Et à part moi, seul Jermyn *savait tout.* J'en étais sûr.

Masse grise découpée sous les nuages, semée de tours, de blocs de béton et de barbelés, le pénitencier me renvoyait une image assez fidèle de ma propre claustration. J'avais le sentiment confus que l'étau se refermait sur moi. Impossible, pourtant, de faire machine arrière ! Mon entrevue matinale avec le Dr Orne fut l'une des plus bizarres de mon existence. Et pour cause : j'avais moi-même le sentiment d'être devenu fou. Se rendit-il compte à quel point je le considérais « de travers » ? Oh, je n'oubliais pas que ce Simon Orne était lui aussi cité de manière explicite dans l'œuvre de Lovecraft ! Voilà donc que j'étais entouré de tous les fantômes de l'écrivain ! Aussi observais-je le praticien avec une impression d'étrangeté et de méfiance radicales qui me troublait au plus haut point. Etais-je moi-même dans le *Necronomicon* – réel ou virtuel ? En étais-je… partie prenante ?

La quarantaine, les cheveux châtains, Simon Orne était plutôt bel homme. Il m'expliqua longuement les mesures de sécurité qui devaient entourer ma venue – car cette fois, j'avais expressément subordonné mon accord au fait d'être admis à voir Jermyn directement. Je m'étais résolu à venir rencontrer le psychiatre, mais je verrais son « patient ». Je ne devais pas m'approcher du fauve, ne rien lui tendre, ne rien accepter de sa part. Jermyn, tel Hannibal Lecter, était cantonné dans une cellule derrière une vitre de plexiglas. Sitôt la conversation engagée avec le Dr Orne, obsédé par l'idée de ne pas révéler d'informations susceptibles d'être utilisées contre moi, je décidai d'en dire le moins possible. Aux questions du praticien relativement à ma « proximité » du Cercle de Cthulhu, je ne lui avouai qu'une demi-vérité : j'en avais entendu parler à l'université comme d'un club plus ou moins occulte, et j'avais découvert en effet que certains de mes camarades, dont Spencer, en avaient fait partie – rien de plus. Je ne parlai surtout pas de Thomas, bien sûr ; d'ailleurs, le simple souvenir de son corps éviscéré me retournait l'âme et m'aurait empêché de proférer à ce sujet le moindre mot. Orne ne semblait pas encore au courant de ce dernier événement. Il le saurait bien assez tôt. Pour le moment, mes travaux sur le fantastique suffisaient à justifier le lien que j'avais pu faire entre Spencer, Lovecraft et le *Necronomicon.* Mais tout ce jeu était risqué. J'avais le sentiment d'être assis sur une bombe à retardement – alors que tout de même, Bon Dieu, j'étais innocent, moi, *innocent de tout!*

Tandis que nous échangions, j'avais également la désagréable impression d'être moi-même le « cobaye » du Dr Orne. Je tentais de cerner ses motivations, autant que lui les miennes. M'avait-il vraiment fait venir pour alimenter son dossier d'expertise, ou était-il déjà commandité pour me recevoir… en tant que suspect, potentiellement mêlé à ces ténébreuses affaires ? Essayait-il de me *sonder ?* Qui sondait qui, alors ? Ce moment un peu nauséeux se conclut par la charmante invitation que me fit le psychiatre à découvrir enfin le tueur fou qu'abritait le pénitencier. Il me réitéra ses recommandations, m'avertissant également que la cellule était sonorisée et équipée d'une caméra. Notre entretien serait filmé. Il y assisterait derrière un moniteur. J'aurais dû m'y attendre, mais imaginer ce regard posé sur moi redoubla aussitôt mon malaise. En fait, ce jeu étrange était tel que le psychiatre lui-même pouvait l'avoir également prémédité. Notre confrontation serait fatalement instructive pour son… dossier, comme il le disait. Oui, Jermyn était enfermé, mais lorsque les grilles qui menaient à sa cellule s'ouvrirent devant moi en grinçant, j'eus de nouveau l'impression que le véritable prisonnier, le hamster traqué, c'était moi. Puis Simon Orne me serra la main d'un air de dire : *Bonne chance*… Et il me laissa avancer dans le couloir.

Je n'avais plus d'autre solution que de faire face.

Alors j'avançai.

Un maton armé m'accompagna. Nous passâmes devant une série de cellules capitonnées, puis il s'arrêta tout à coup, se planta sans plus bouger, seulement pour me faire un petit signe désignant la cellule suivante – la dernière, quelques mètres plus loin. Je marchais, les yeux rivés sur cette vitre de plexiglas – la seule de toutes ces cellules – et le moment où j'allais le découvrir.

On l'avait prévenu de ma visite. Il se tenait là.

Je retrouvai immédiatement ce regard que j'avais vu sur les photographies. Un regard glaçant, un regard de tueur, vide et inquiétant, tel celui d'un requin, parfaitement inexpressif. Pas de doute, Wade Jermyn était ailleurs.

Aux abonnés absents.

En même temps, il se dégageait de lui une impression d'immédiate sauvagerie et de démence achevée. Lorsqu'il me vit arriver, ses yeux se mirent à briller d'une lueur intense. Il baissa le nez, me dévisageant sous des sourcils inquisiteurs. Un sourire ourla ses lèvres. Il était assis à une petite table, et paraissait se délecter à m'attendre sagement. Vêtu d'une blouse de prisonnier orange à manches courtes, frappée d'un matricule, il portait toujours au bras la Marque, la marque du Troupeau, l'Ω traversé de ses deux traits. Quelque chose d'autre m'apparut, ou plutôt m'éclaboussa aussitôt. Orne m'avait glissé qu'à la demande répétée de Jermyn, il avait accepté de lui laisser un morceau de craie. Les murs de la cellule étaient tout entiers semés d'inscriptions incompréhensibles – pas un seul pouce n'avait été épargné. Aux signes cunéiformes récurrents se mêlaient des chiffres, à l'infini, et plus curieusement, des mentions de lieux.

Ottawa120312Paris150711230410Copenhague
Buffalo060608Toronto070311061111061111061110
611110611110611110611110611110611110611106
111106111106111106111106111106111106111061
1110611110611110611110611111TokyoLaval

Simon Orne avait visiblement négligé d'évoquer ce « détail »…

Une chaise avait été installée devant la vitre à mon intention. Je pris place.

Au-dessus de nous, la lueur rouge de la caméra s'alluma aussitôt.

— Je t'attendais, David.

Ainsi, j'étais en face de lui. Jermyn. Le gourou. *Anthrax222*. Etait-ce à cause de lui que tous les autres étaient morts ? Les avait-il poussés au suicide ?

— Vous m'attendiez ? Comment saviez-vous que j'allais venir ?

— Je le savais parce qu'Il le sait, et qu'Il me parle.

Son rictus s'était accentué.

— Qui ça ? Qui vous parle ?

Il se contenta de hausser les sourcils, et de lever un doigt vers le ciel.

— Mais voyons… L'Auteur, David. Notre Maître à tous.

Il semblait d'un calme olympien. Un lac de montagne.

— Allons… Tu sais *où tu es*, n'est-ce pas, David ?

J'avais la bouche sèche. Mes premiers mots résonnèrent dans ma tête comme si ce n'était pas moi qui les prononçais.

— Que voulez-vous dire ?

Il se contenta de me sonder lui aussi, sans répondre. Ce silence était pire encore. Il accentua ma nervosité. Je m'agitai un peu sur ma chaise, puis me raclai la gorge. Lentement, je repris la parole.

— Vous avez tué votre famille. Pourquoi ?

Il marqua un temps, puis me répondit d'un air presque détaché, les yeux fixés sur un point du plafond.

— Tu l'as très bien compris, Dave. C'est le Livre qui m'a dit de le faire.

— Le Livre ? Lequel… le *Necronomicon* ? Vous l'avez eu entre les mains ? L'authentique *Necronomicon* ?

Je fis une pause, puis :

— En avez-vous… numérisé les pages ? Sont-elles… en ligne, quelque part ?

Jermyn tourna de nouveau vers moi sa tête de vautour.

— C'est un peu plus compliqué que cela, Dave… Mais tu brûles…

— Connaissiez-vous Spencer Willett ?

— Spencer… Oh oui… Bon petit… Un agneau égaré, comme les autres… Il est venu à moi… Je l'ai accueilli…

— Et Thomas Edwood… Connaissez-vous Tho… ?

Je me mordis les lèvres. Aïe. Bon Dieu, je l'avais faite ! Emporté par mon désir de savoir, je venais de me trahir ! A présent, Orne ne pourrait manquer de faire le lien entre Jermyn, Thomas, le meurtre de ce dernier… et moi. Quel imbécile ! Ça m'avait échappé ! Il ne pourrait ignorer que j'étais au courant.

Je fis un gigantesque effort sur moi-même pour ne pas grimacer davantage.

Devant moi, je vis s'étirer le sourire de Wade Jermyn.

— Oui, je connais *Thomas Edwood.* Mais je n'ai pas encore trouvé le moyen de franchir les murs autrement que par la pensée, si tu vois ce que je veux dire…

Serrant les maxillaires, je contre-attaquai.

— … Qui a tué Spencer, monsieur… Jermyn ?

Il se passa la langue sur les lèvres, joignit lentement les deux mains et ouvrit la bouche, comme s'il allait me dire quelque chose, puis…

— A toi de le trouver, Dave.

Il jouait. Encore… Lui le matou, et moi la pelote de laine.

— *Qui est vraiment le Maître ?* Est-ce vous, monsieur Jermyn ?

— Je t'en prie. Appelle-moi Wade.

Il plissa les yeux, reptile immobile, dardant sur moi ce regard pénétrant sous lequel je me sentais nu, écorché. Il me vint à l'esprit que cet homme avait sans doute un réel pouvoir de suggestion. Mais il n'en fallait pas moins au gourou du Cercle de Cthulhu… N'est-ce pas ?

— *Qui est vraiment le Maître ?* insistai-je.

Ces yeux…

— Regarde en toi, me répondit-il simplement. Regarde en toi et c'est tout.

Je fis une pause. De toute évidence, je n'arriverais à rien de plus de cette façon. La caméra continuait de nous observer.

Embrassant du regard sa cellule et les murs couverts de graffitis, j'avalai ma salive.

— Tu fais des petits dessins, Wade ? Tu prépares un nouveau roman ?

Mon changement de tactique ne lui échappa pas. Il s'en amusa.

— Ah ! ah ! Dave…

— Ces lieux… ces signes… que signifient-ils ?

A son tour, il promena son regard d'un autre monde sur le fruit de sa démence, qui l'environnait, le calfeutrait, le gardait peut-être, comme ces runes antiques qui autrefois protégeaient les sanctuaires.

— Notre ami Simon Orne, ce cher docteur… Il a pris toutes les photos de mes œuvres. Demande-les-lui.

— Les photos de cela ? De ce que tu as écrit autour de toi ? Mais pourquoi ? Qu'y trouverai-je ? A qui les montrerai-je ?

D'un coup, sa tête revint vers moi et il me décocha un sourire lumineux.

— Je ne sais pas… A Verhaeren, par exemple ? Si Orne ne te dit rien…

— Verhaeren ? Le Pr Verhaeren ? Mais… *Tu le connais ?* Wade, tu le connais ?

— Voyons, Dave, bien sûr…

Il se pencha vers moi en me faisant signe de l'index de m'approcher aussi.

J'hésitai… puis me penchai à mon tour.

Et tout à coup, il jeta sa face hurlante contre la vitre, tirant une langue râpeuse, dans une éructation bestiale ! Je sursautai de stupeur. Alors, il partit d'un rire dément et me souffla :

— *Il faisait partie du Cercle, lui aussi. Ahahaha-AHAHA !*

Son visage de fou dangereux était tout près du mien, de l'autre côté de la vitre ; je pouvais voir ses dents jaunâtres, les rides à ses yeux, à son front, aux commissures de ses lèvres, sa peau tannée. Je reculai vivement.

— Et Simon Orne aussi !… Mais tu le sais, Dave, n'est-ce pas ? Tu le sais !

C'en était trop pour moi. Je me levai d'un bond et partis presque en courant – tandis que derrière moi, Jermyn, le visage contre la vitre, me hurlait :

— Regarde les photos, David ! Te souviens-tu ? Tu es piégé, tu es dans la Partie, et le jeu n'est pas terminé ! Ils font tous partie du Cercle ! Et n'oublie pas : NOUS L'AVONS FAIT REVENIR ! *AHAHAHA !*

Il hurlait encore lorsque le maton referma les grilles derrière moi.

16

Tu meurs

Simon Orne ne me communiqua aucune des conclusions qu'il avait pu tirer de mon entretien avec le psychopathe. Pour tout dire, je n'en avais cure. Je ne voulais plus le voir. Il me montra les fameuses photos de la cellule et de ses graffitis. J'en demandai un tirage, qu'il promit de m'envoyer… Il promit également que nous nous reverrions bientôt. Son sourire ambigu acheva de me plonger dans la perplexité. Avait-il noté, pour Thomas Edwood ? Avait-il compris ? Je tentai moi aussi de le sonder. Je ne savais toujours pas qui il était vraiment… Et si Jermyn avait dit la vérité !

— Surtout, ne prenez pas pour argent comptant tout ce qu'il a dit…, se contenta-t-il de me confier dans un sourire mielleux, tout en me serrant la main.

— Vous non plus, n'est-ce pas…, lui suggérai-je, repensant à ma bourde au sujet de Thomas.

Puis je pris congé. Orne me regarda partir d'un air méditatif.

De retour chez moi, je fus saisi d'un violent mal de crâne. J'étais toujours obsédé par l'idée que la police puisse venir frapper à ma porte à tout moment. Elle questionnerait fatalement l'ensemble des collaborateurs de *Fantastic Stories*. Ce n'était qu'une question de temps. *NE DIS RIEN A PERSONNE... OU TU LE REJOINDRAS.* Cette terrible menace achevait de me jeter dans un abîme d'angoisse. Parler ou me taire, je me sentais cerné de tous côtés. A ma décharge, côté police, je n'avais pas vu Thomas depuis un moment et nous étions assez nombreux à travailler pour la revue. En outre, d'autres pistes seraient sans doute évoquées. Mais je devais vite trouver une issue – car mon entretien avec Jermyn, loin de me donner l'explication tant espérée, n'avait fait qu'ajouter à ma confusion. C'en était au point que je me sentais de nouveau *coupable* d'actes que je n'avais pas commis !

Aussi manifestai-je une telle agitation que cette fois, mon entourage réagit avec effroi. Je me rendis chez mon père, sans parvenir à exprimer, une fois de plus, ce que j'avais vécu. Dès qu'il mesura l'étendue de mon excitation, il voulut me forcer à me mettre au lit. Je fus alors, selon ses propres dires, « saisi d'hystérie », et au bord de le tuer. Malgré tous mes efforts, je ne me souviens plus de ces moments. Ils sont comme happés par un brouillard diffus. Ce que je sais, en revanche, c'est que je finis par m'effondrer. Anne-Lise, qui m'avait vu seulement passer en coup de vent et pérorer dans le vide, était dévorée d'inquiétude ; elle nous rejoignit aussitôt. Outre son amour pour moi, elle redoutait sans doute de voir une autre sorte d'abîme s'ouvrir sous ses pieds. Six semaines nous séparaient de la naissance. Notre enfant aurait-il pour père... un dément ? Et elle, pour compagnon, ce même dément ?

Seigneur, Dieu du ciel et de la terre, je Vous en supplie, aidez-moi !

Commença alors une période affreuse. J'atteignis le degré ultime de la paranoïa. Anne-Lise elle-même me semblait suspecte, telle une créature issue de ces Livres maudits, et – comble de l'horreur ! – je redoutais moi aussi soudainement de la regarder comme la mère de mon enfant ! C'est que tous… *Tous* étaient de mèche, tous conspiraient contre moi ! Cet univers entier paraissait conçu pour me faire souffrir. On fit venir à mon chevet deux médecins, puis, très vite, doctes psychiatres et savants neurologues vinrent étudier mon cas. Tous m'écoutèrent en dissimulant avec peine leur inquiétude et leur air navré ; je ne pus leur parler davantage – il m'était impossible de leur raconter de manière intelligible quoi que ce fût au-delà de la mort de Spencer. Les mots mouraient au bord de mes lèvres. Je craignais seulement de m'enfoncer davantage. On envisagea pour moi un internement, un séjour en hôpital psychiatrique – même provisoire ; il fallut tout le talent et la force de persuasion de mon père pour empêcher ces corbeaux d'arriver à leurs fins. De même que l'intercession d'Anne-Lise, en mère courage, déjà très éprouvée. Précisément : cette situation ne pouvait que poser question. Ne valait-il pas mieux m'éloigner des miens, au moins quelque temps, pour le bien de tous ? Le débat fit rage.

Comme je l'avais subodoré, ce fut le moment que choisit la police pour frapper à notre porte. J'étais dans un tel état, de toute façon, que je franchis le cap de l'interrogatoire tant redouté dans ce même brouillard étrange qui semblait anesthésier mes facultés. J'attirais évidemment la suspicion – et lorsque mon père, ainsi que Anne-Lise, apprirent la nouvelle de la mort de Thomas, je sus qu'eux-mêmes se demandèrent soudain si… si je n'avais pas, de fait, une quelconque responsabilité dans cette affaire. C'était le comble. Mais bien sûr, *NE DIS RIEN A PERSONNE… OU TU LE REJOINDRAS.* Et quand je crus reconnaître, dans le nom de l'un des inspecteurs, George Campbell, celui d'un autre personnage de Lovecraft – me trompais-je ? Etait-ce dans *Le Défi d'Outre-Espace*, écrit à plusieurs mains avec ses petits copains, dont Robert E. Howard et Frank Belknap Long ? – j'achevai de me murer dans le silence. Le coup de massue était parfait, bien sûr. *Les flics en étaient-ils aussi ?* Mais quelle était cette comédie ?

Je répondis aux questions mécaniquement, en niant tout avec une déconcertante facilité. De fait, aucun indice, aucun élément matériel ne me reliait au meurtre. Le lien avec l'affaire de Spencer leur était invisible. Ils avaient retrouvé sur place des empreintes inconnues, quasi illisibles, mais qui de toute évidence ne correspondaient pas aux miennes. Sans parler de la *patte* traînante et bestiale, qu'ils ne pouvaient expliquer ! Ils pataugeaient. Si bien que, s'ils promirent de me tenir à l'œil – ce qui, pour le coup, n'arrangeait pas ma paranoïa galopante – ils m'abandonnèrent, au moins provisoirement, à mes sédatifs. Car tout cela se solda par un bombardement en règle d'antidépresseurs, tranquillisants et drogues diverses. On décida que je resterais alité chez mon père, le temps de procéder à des examens plus approfondis. Tel fut le réjouissant compromis auquel parvint l'angoissant cénacle chargé de surveiller mon état psychique. Pourtant, j'avais toujours envie de hurler, encore et encore. Car, comment pouvait-on douter de ma sincérité ? D'autant que… j'avais bien une *preuve*, vous savez. Ou à tout le moins, un sérieux argument en faveur de la véracité de ce que j'avais vécu. On pouvait certes espérer retrouver la maison au bord du lac, pour peu qu'elle fût vraiment *réelle* – et qu'entre-temps elle n'ait pas disparu, comme la grange et le mystérieux laboratoire des Laurentides, effondrés depuis. La maison elle-même accréditerait une partie de mon discours, mais ne prouverait rien en soi, pas plus que le lieu étrange que j'avais assimilé à un lieu de culte. Mais j'avais mieux. Et à portée de main.

L'urne. Je l'avais gardée, et rapportée dans la voiture.

J'aurais pu, bien sûr, la leur montrer... Mais sitôt revenu de ma randonnée dans la folie, et avant de me rendre au pénitencier, je l'avais cachée derrière la remise, dans le jardin de mon père. Je savais qu'*on* me l'enlèverait, qu'*on* tenterait de l'étudier dans mon dos – ou qu'*on* la détruirait – pour me faire croire que j'avais rêvé, que rien de tout cela n'avait jamais existé ! Je ne pouvais courir le risque de me voir voler mon unique preuve, et ce qui me restait d'esprit ! Pas encore. Je devais essayer de comprendre, en apprendre davantage sur elle. Le moment n'était pas venu, et la possession de cette urne pouvait encore se retourner contre moi. Aussi avais-je décidé de me taire. Parfois, dans mon sommeil, sous l'effet du délire, ils m'entendaient prononcer ces mots, dans une langue qu'ils ne comprenaient pas – *Ph'nglui mglw'nafh Cthulhu R'lyeh wgah'nagl fhtagn, Cthulhu fhtagn, Cthulhu fhtagn* ! Bien sûr qu'ils ne comprenaient pas ! Comment l'auraient-ils pu ? Je ne le pouvais moi-même !

Et lorsque le Pr Verhaeren, interrompant une conférence toutes affaires cessantes, se précipita à son tour à mon chevet, ce fut la goutte d'eau : je surpris tout le monde en essayant de jaillir de mon lit. Je me jetai sur lui avec un cri de dément, les mains en avant pour l'étrangler :

— IMPOSTEUR! Je sais qui vous êtes! Vous jouez, vous aussi! Vous avez écrit au pénitencier... Vous êtes avec lui, avec *eux* – Orne, et tous les autres! Traître, menteur! Pensiez-vous vraiment me faire croire à une coïncidence?

Mon visage – paraît-il – se déformait sous l'effet de la colère.

— Vous aviez raison, cher professeur! Suppôt des Anciens – car c'est bien ce que vous êtes, n'est-ce pas? Vous préparez Leur venue! Et vous savez où nous sommes, non? *Vous savez où nous sommes!*

Je postillonnais. Mon père me ceintura en criant à Verhaeren de sortir. Le professeur me regarda un instant, blême, puis tourna les talons, refluant dans l'ombre en se parlant à lui-même. Et moi, je continuais de hurler :

— Vous aviez raison, salopard! *La réalité n'existe pas!*

Etait-ce vrai? N'étais-je qu'un pantin? Qu'un... Qu'un...

On me fit passer rapidement – et sous bonne garde, pour parer à mes éventuelles « sautes d'humeur » – les fameux examens approfondis. J'eus droit à une première IRM; je fus introduit dans le tunnel et, dans ce tube de soixante centimètres de diamètre, me trouvai aussitôt frappé de claustrophobie; la voix grésillante du personnel soignant, qui déchirait le microphone et les haut-parleurs, peina à me rassurer. Enfin, je ne bougeai plus... Mais, pour comble, le scanner dérailla! Il faut croire que mon cerveau devait affoler la machine; un Verhaeren eut sans doute incriminé les fluctuations quantiques de mes pensées, je ne sais quel bouleversement des spin hurlant leur incompatibilité avec le procédé de résonance magnétique. Peut-être étais-je chargé de mystérieuses particules électriques, héritières de ma… confluence avec le monde de Cthulhu ! Toujours est-il qu'il y eut des étincelles ; un instant, l'aimant supraconducteur vagit avant de rendre l'âme ; je vis éclater quelques néons ; puis tout s'éteignit. Les pontes de la recherche médicale et des neurosciences cognitives voulurent mesurer l'activité des diverses zones de mon cerveau. Ces experts connurent un grand moment de solitude. On changea de matériel, je repartis, revins, et il fallut recommencer plusieurs fois. Mais j'ai tort d'ironiser, car enfin… les analyses apportèrent une forme d'explication, à laquelle j'étais loin d'être préparé.

Pour certains, paradoxalement, le diagnostic fut presque un soulagement ; mais moi, ce que j'appris alors me jeta dans un tel état de confusion et de perplexité, que cela eut pour effet de me calmer d'un coup. Le scanner enfin réussi prouva, tout simplement, que mon cerveau était atteint d'une forme rarissime de tumeur.

Celle-ci, par chance, ne semblait avoir provoqué que des lésions mineures. Mais on ne savait si elle serait dégénérative, si elle était liée à un problème génétique – ma mère avait dû son décès à des troubles neurologiques – ou de quelle façon mon état pourrait évoluer. Une seule chose était certaine : on ne pouvait m'ôter cette horreur sans me condamner à mort, ou à une folie sans rémission – dont je n'étais déjà pas si loin, semblait-il. Tout au plus pouvait-on me suivre étroitement et multiplier les traitements de secours – sans trop y croire. J'étais en sursis. Autant de perspectives qui, après mes explosions hystériques, achevèrent de me plonger dans une parfaite apathie. En tout cas, la tumeur devait suffire à expliquer mon comportement… et surtout, mes hallucinations ! Si bien qu'au moins, tous me regardaient maintenant comme un malade, avec une forme de compassion navrée qui me soulagea un peu. A la fois terrifiée et vaguement rassérénée par cette explication, Anne-Lise s'adoucit – bien que, dans le même temps, l'affolement de sa boussole intérieure ne pût que croître.

Quel qu'il fût, le piège fonctionnait. Etait-ce ainsi, peu ou prou, me disais-je, que cela s'était passé… pour les autres ? *Tous* les autres ? Spencer d'abord, puis tous ceux qui, de gré ou de force, étaient entrés dans la Partie ? Cette tumeur… était-elle présente depuis longtemps, ou m'avait-elle *accompagné*, avait-elle crû en moi, invasion de la malignité, depuis que j'avais eu le malheur de me rendre sous la grange des Laurentides ? Les médecins étaient incapables de dater son apparition avec précision. Mais je sentais bien que, pour Anne-Lise comme pour les autres, il existait un lien implicite entre ce qui m'arrivait aujourd'hui, et l'obsession que j'avais manifestée à vouloir étudier les Livres maudits. Oh, j'aurais pu leur dire que leurs noms, à tous, étaient *ceux de personnages de Lovecraft* ; leur montrer les occurrences de chacune de leur identité, dans le contenu de ses œuvres, pour les mettre en face de cette abominable réalité ; guetter leur réaction et les confondre ! Ah ! ah ! oui ! J'aurais aimé qu'ils me trouvent une explication à *ça* ! De même que j'aurais pu leur montrer mon urne impie, et ses signes, ses hiéroglyphes maudits, ses évocations hideuses. Mais ces tentatives mouraient sur mes lèvres sitôt que ma conscience en formulait l'idée.

A l'inverse, j'avais tout de même de quoi m'interroger aussi. Dans mes pensées embrouillées, avais-je pris de simples coïncidences pour des faits avérés ? Lorsque je m'étais rendu à la grange, dans les souterrains, puis dans la Nouvelle-France reconstituée, enfin sur le lieu de culte de Cthulhu, au bord du lac, j'étais effectivement *toujours seul.* Sans témoin. Même lorsque j'avais découvert… le cadavre de Thomas. Cela aussi me laissait songeur.

Deux scénarios s'opposaient terme à terme ; j'oscillais entre l'accusation et la défense, le réquisitoire de la partie civile et le plaidoyer de l'avocat du diable. La tumeur était-elle déjà là, en germe, au temps de l'éclosion concomitante de la folie de Spencer ? Etait-elle née avec… cette histoire ? Considérant que mes crises d'hystérie ne serviraient plus à rien et guidé par l'instinct de survie, je décidai désormais de me comporter le plus normalement possible, sans pour autant rien perdre de ma paranoïa. Je m'efforçai de rassurer Anne-Lise et mon père. La police barbotait dans son enquête, comme prévu. On confirma que toute la famille habiterait quelque temps sous le même toit. Anne-Lise laissa notre maison à sa jeune sœur et à son mari, et s'installa avec nous dans la demeure de mon père où j'avais passé mon enfance. Il était impératif que je continue de jouer le jeu. Ma plus grande terreur restait l'idée d'un asile où je recevrais de gentilles brassées d'oranges. Malgré tout – *malgré tout* – il me fallait faire face et démêler cette situation insensée.

Durant cette période, je faisais souvent de longues promenades dans le jardin. Mais mon père, entre deux « séances » qu'il consacrait à ses recherches dans la bibliothèque, me surveillait. Lorsque je déambulais dehors, faisant machinalement grincer la vieille balançoire, sifflotant d'un air absent, ou levant le nez vers la cime des arbres ou des montagnes lointaines, je devais leur offrir, à tous, un spectacle bien triste et douloureux. Pourtant je souriais, et donnais l'impression de recouvrer peu à peu toute ma tête. Moi aussi, je pouvais jouer. Manipuler. Durant ces promenades, je me rendais souvent derrière la remise, à l'endroit où j'avais discrètement enterré mon urne. Mes pas s'aventuraient là où la terre était fraîchement retournée. Personne n'était au courant, n'est-ce pas ; mais moi, je la savais *là*, sous mes pieds ! Cette monstruosité, maintenant enfouie dans le jardin ! Ma preuve m'attendait, et… et…

Finalement, je décidai de la déterrer. Anne-Lise serait en congé dès le lendemain ; il me fallait avancer. Un après-midi, profitant d'une brève absence de mon père, je me précipitai derrière la remise avec une frénésie impatiente et inquiète, en même temps que traversé d'une incompréhensible jubilation. J'approchai de la remise, à l'endroit où reposait ma certitude – celle qu'en dépit de tout, j'étais sain d'esprit… Je creusai la terre à pleines mains pour retrouver ma preuve. Et bientôt, bientôt…

Un désespoir sans nom fondit sur moi.

L'urne n'était plus à l'endroit où je l'avais enterrée !

M'étais-je trompé ? J'avais pourtant pris des repères faciles, entre le pied de la remise, la roue abandonnée et cette pierre aux contours caractéristiques ; je cherchai ailleurs, et ailleurs encore, dans le petit périmètre alentour, au point de retourner la terre sur une surface de dix pieds de long, autant de large. Mon urne n'était pas là. Elle n'était plus nulle part ! Le monde entier semblait s'effondrer. Je tombai à genoux et craquai, des larmes venant inonder mon visage devant cette certitude nouvelle. Il n'y avait jamais eu d'urne maléfique.

Ni de Cthulhu. Ni de ville fantôme.

Evidemment, songeais-je en pleurant, *évidemment*...

J'étais fou, irrémédiablement fou! Cette fois, je ne pouvais que m'y résoudre! Moi, perdu dans les méandres, les limbes d'un roman de Lovecraft? Quelle plaisanterie! L'abîme s'était ouvert sous mes pas. Je ne me relevai péniblement qu'au bout de longues minutes et, résigné, revins vers la maison en titubant.

Je pénétrai en silence dans la vieille demeure. Par la fenêtre, côté rue, je vis, à la voiture parquée non loin, que mon père était rentré. Je me préparai à aller le voir. Il devait être retourné dans la bibliothèque. Je marchai lentement sur le sol damé de l'entrée, montant l'escalier d'un pas lourd. Au bord de l'évanouissement, j'étais résolu à m'effondrer devant lui, lui demander pardon... J'avançai sur le parquet grinçant, mes doigts s'apprêtant à tourner la poignée de la porte. En effet, j'entendis depuis son bureau le bruit des pages que l'on tournait, avidement. Et brutalement je me figeai.

Derrière la porte, je venais d'entendre une voix, une voix qui ne trompait pas.

Ph'nglui mglw'nafh Cthulhu R'lyeh wgah'nagl...

Mes sens me jouaient-ils encore des tours, ou cette voix était la même, affreuse et grotesque, celle que j'avais entendue sous la grange – la voix qui « discutait » avec Spencer? A cet instant précis, là-bas, j'avais tourné les talons pour quitter ces catacombes odieuses, et ne plus jamais y revenir. Mais à présent, j'étais chez moi! Et désormais trop engagé dans ma quête impossible pour m'arrêter si près du but. Au moment où j'allais tourner la poignée, pourtant… la voix s'arrêta.

J'eus l'impression qu'il savait que j'étais là.

J'entrai sans plus attendre. La porte n'était pas fermée.

Je vis alors mon père. Il releva les yeux de son bureau, surpris. Je regardai tout autour – mais il était seul derrière sa table d'acajou, sous les volées de livres. Sa main suspendue avait cessé de caresser sa moustache. Le portrait d'un ancêtre inconnu des Milaud dardait sur moi son regard d'aigle. Sous le pâle éclairage de la fenêtre, et d'une petite lampe à abat-jour, mon père me parut particulièrement spectral. J'eus l'impression qu'il se raidissait à mon entrée. D'un geste, il tenta de dissimuler sous un linge ce qui se trouvait sur son sous-main. Mais quand il vit que j'étais sur lui, il se rendit compte de l'inutilité de son geste, et s'arrêta. Je vis alors ce qu'il avait tenté de cacher – elle était trop volumineuse pour qu'il pût penser la soustraire aussi vite à mon attention.

C'était l'urne, encore à demi couverte de terre.

17

La Secte Sans Nom

Mes promenades derrière la remise ne lui avaient pas échappé. Intrigué puis inquiet, il était allé sur les lieux, avait identifié l'endroit où la terre était retournée… et avait exhumé l'urne maudite. Ce midi même, il était allé la montrer à quelques-uns de ses amis, linguistes, archéologues, anthropologues ou spécialistes en civilisations anciennes. J'hésitais entre le soulagement de savoir que je n'avais pas rêvé, et la fureur en face d'une telle dissimulation – même si j'en comprenais les évidentes motivations. Il ne pouvait s'imaginer, cependant, à quel point il avait manqué de prudence. Il ne soupçonnait pas ce que cette urne recelait d'obscur et de dangereux ! *A moins que…* Et mes yeux soudain se plissèrent : était-il, lui aussi, en « conversation » avant mon arrivée ? Avait-il été… gagné par les entités ? *Etait-il lui aussi un serviteur de Cthulhu ?*

Je décidai de le sonder. Il était entouré de volumineux manuscrits, couverts d'écritures étranges, qui encombraient son bureau.

— David… Comment te sens-tu ?

J'avais froid. Je le regardai, bras croisés, réprimant des frissons.

— Combien ?..., lui demandai-je. Combien de spécialistes as-tu vus ?

— Trois, dit-il. Trois en tout. Je comptais aussi en parler à... Verhaeren.

— Surtout pas ! m'écriai-je, la voix tremblante de colère. Ni à lui ni à personne ! Plus personne d'autre ! Tu m'entends ?

Silence. Nous nous jaugions. Mentait-il ? Etait-il vraiment inquiet ?

— Ecoute, me dit-il. Cet objet... Aucun d'eux n'a pu en identifier la matière. Une sorte d'alliage, peut-être. Mais ils sont tous excités. Ils voudraient que je leur laisse pour analyses.

— Non ! m'écriai-je à nouveau en m'avançant vers l'urne et ses motifs obscènes.

Mon père leva la main. Visiblement, il redoutait mes impulsions.

Il avait raison.

— J'ai préféré le ramener d'abord, afin de poursuivre mes propres recherches. Cette créature gravée, David. Et cette... langue. Je n'ai rien trouvé d'approchant. Même en remontant aux Sumériens ! J'y ai passé une partie de la nuit, et je n'ai rien trouvé. On dirait une langue ancienne, mésopotamienne... mais ce n'est pas cela. Pas vraiment. David... *Où as-tu trouvé une chose pareille ?*

Je me tus de longues secondes, incapable de répondre.

Il finit par continuer :

— J'ai commencé à la déchiffrer. *Ph'nglui mglw'nafh Cthulhu R'lyeh wgah' nagl...* Ce ne sont pas des mots. Des souffles ? Des cris ? Des aboiements ? A peine des sons ! Cela ne veut rien dire. Bon Dieu, fils !

Il me regarda, tentant de contrôler sa propre nervosité.

— Tu me connais. Je sais… Je sais les bêtises que j'ai faites. Je n'ai peut-être pas été un père idéal, mais tu sais que je me suis battu… Pour toi, pour que tu sois heureux. Avant, et après la mort de ta mère. Tu peux penser que je ne comprends plus rien, que je suis étranger à ton univers, mais c'est faux. La preuve. Alors s'il te plaît, dis-moi. De quoi s'agit-il ? Que s'est-il vraiment passé, depuis la fusillade à l'université ?

Etait-ce pour cette raison que j'avais entendu cette… incantation derrière la porte ? Seulement parce qu'il l'avait retranscrite, et lue à haute voix ? Je plissai de nouveau les yeux, méfiant. Mais après tout… s'il était sincère, innocent, peut-être serait-il mon allié. Contre ma propre folie. A défaut de la fuir, je pourrais au moins la partager, cette folie – peut-être la vaincre ! Je n'avais de toute façon plus rien à perdre. Alors, cette fois, après une dernière hésitation… je m'assis devant lui.

Et je lui racontai tout. Mon début d'amitié avec Spencer. Ce que j'avais vu, ou cru voir, sous la grange. Le massacre de Laval. Mes recherches sur le *Necronomicon* et les Livres maudits. Je promis de lui montrer les « preuves » à l'actif de mon dossier. Le feuillet quadrillé, arraché au carnet noir de Spencer, avec les vers du poème et les Noms des Anciens. La lettre de Simon Orne. Mes stigmates aussi – avait-il pu croire que je me les étais faits moi-même ? Je lui parlai de ma confrontation avec Wade Jermyn, des engoulevents, de la lumière verte, de ma discussion avec le pêcheur et son acolyte de L'Anse-Saint-Jean. Je lui racontai le lac et le chalet, le lieu de culte immémorial… Je lui narrai la façon dont j'avais trouvé l'urne, et ma fuite éperdue. Puis je lui parlai de la langue elle-même. J'évoquai, pour finir, le CD de Thomas… Et ma découverte du meurtre.

— Mais… Ce garçon… Ce Thomas dont parlait la police… Tu… Tu ne l'as pas…

— Mais non! *NON!* Pourquoi aurais-je fait une chose pareille ?

Mon père me regarda avec intensité. Naturellement, il n'y avait pas de mots pour décrire son effarement. Mais à ce stade de notre dialogue, ou plutôt de mon monologue, il me surprenait. Tout signifiait que j'étais fou. Et pourtant, *parce qu'il m'aimait*, il avait décidé de laisser de côté tout ce qu'il était jusqu'à aujourd'hui, pour écouter ce que je lui disais, et en soupeser la véracité sans être obscurci par le moindre préjugé. Oui, cela m'apparut dans l'instant comme la plus belle preuve d'esprit, et d'amour. Tant j'avais peur.

Tant j'avais peur.

J'avais abandonné dans sa bibliothèque certaines des œuvres de Lovecraft. Je contournai le bureau et les cherchai sur les étagères. Au bout d'un moment, je saisis l'un des recueils : *Dans l'abîme du temps.* Je le feuilletai un instant, puis le glissai sous ses yeux. Il eut un mouvement de recul, prit une inspiration ; je vis ses mains se crisper sur les accoudoirs de son fauteuil. Je venais de lui montrer les formules exactes qui couraient également sur l'urne. Ces souffles, ces cris, ces « aboiements », comme il les avait appelés. *Ph'nglui mglw'nafh Cthulhu…* Et ailleurs, des traductions de cette langue inconnue, à commencer par la fameuse formule qui recoupait aussi la dernière strophe du poème de Spencer. *N'est pas mort ce qui à jamais dort, / En d'étranges éternités, peut mourir même la mort.*

— Cette langue a été inventée par un écrivain, papa. C'est tout.

— C'est… un canular, dit-il en tremblant. Ce ne peut être qu'un grossier canular ! Forcément ! Ce serait tellement… inconcevable !

— Je donnerais tout pour que ce soit le cas. Mais un canular préparé par qui ? Et *pourquoi ?*

Je n'osais aller directement à ma conclusion. Elle était impossible. Impensable. Mais je l'entretins alors du *Necronomicon* et des autres livres, des *Manuscrits Pnakotiques*, du *Livre de Toth* et des *Cultes Innommables*, du *Roi en Jaune* et du *Livre de Sable.* Tout cela réveillait en lui une évidente familiarité ; et pour cause : il avait tout simplement lu certains passages de ma thèse, sans la prendre pour autre chose que ce qu'elle était alors : l'étude d'un genre littéraire. Mais je ne m'arrêtai pas là. A mesure que je lui parlais, les émotions les plus diverses se lisaient sur son visage. Celle de l'homme de raison, outré par tant d'élucubrations ; celle du père épouvanté, à l'idée qu'il prenait la mesure de la démence de son fils ; l'inquiétude rampante de voir cependant tant de signes et d'indices accumulés en faveur de son délire ; le refus colérique d'en savoir davantage, en même temps que cette curiosité insidieuse dont je n'avais été moi-même que trop victime par le passé. Je lui parlai de l'origine du *Necronomicon*, de l'Arabe dément Alhazred, et de la funèbre mythologie lovecraftienne.

Certaines personnes, aujourd'hui encore, et par l'intermédiaire d'un jeu de rôles en ligne abrité par un site fantôme, adoraient peut-être ces Grands Anciens, venus jadis du ciel sur un monde encore jeune, des millions d'années avant l'arrivée des hommes. Je m'arrêtai un instant sur l'hypothèse folle que j'avais déjà formulée : et si le *Necronomicon* existait, et que ses pages maudites eussent été numérisées, pour être mises en ligne, quelque part, pour les seuls initiés ?

— Une autre façon de préparer la venue des Anciens, tu comprends…, dis-je, conforté dans mon délire.

— Les Anciens ? me demanda mon père dans une grimace.

Cette fois, je ne me décourageai pas et rassemblai mes pensées.

Les Anciens, oui ! Ils avaient disparu aujourd'hui, au plus profond des abysses des océans et dans les entrailles de la terre. Je lui expliquai avec le plus grand sérieux en quoi ces terreurs sourdes étaient liées à la peur de Lovecraft lui-même d'un monde déshumanisé, livré aux forces déchaînées de la nature, d'une industrie dotée de machines écrasantes, d'un scientisme aveugle ; celui, peut-être, de l'Internet et de l'intelligence artificielle aujourd'hui, celui de la Seconde Vague, un monde parallèle de signes et une utopie totalisante de l'information et de la communication prenant le relais ; en quoi, bien que littéraire et fantastique, l'hypothèse de Lovecraft rencontrait aujourd'hui encore certaines interrogations scientifiques, et rejoignait les angoisses contemporaines de l'homme – le monde avait-il un sens, derrière l'avalanche des signes ? Existait-il un « code » caché, ou n'était-ce qu'une succession d'aberrations numériques ? Etions-nous seuls dans l'univers ? Y avait-il eu, avant nous, d'autres civilisations, venues d'ailleurs ? Comment comprendre le Mal ? Y avait-il un Dieu au-dessus de nous ? Etait-il bon, ou tyrannique et fou ? *Qui était l'écrivain du monde ?*

Je déroulais ainsi à son intention le fil de la folle mythologie lovecraftienne. J'évoquais les cités monumentales bâties par les Anciens, du désert d'Arabie à l'Antarctique des *Montagnes hallucinées*. Je détaillais le culte de Cthulhu, ce culte patient qui attendait le Jour où Il sortirait de sa noire demeure, la puissante cité engloutie de R'lyeh, pour régner à nouveau sur la Terre. Alors les Anciens, ranimés quand les cycles de l'éternité seraient favorables, franchiraient de nouveau les abîmes du temps et plongeraient d'un monde à l'autre à travers le ciel. Je montrai à mon père les passages en question. Je lui exposai comment Lovecraft, passionné de mythologie, attiré par les villes telles que Providence, Charleston, Salem ou La Nouvelle-Orléans, avait créé Arkham et l'université Miskatonic; comment il s'était inspiré de légendes de diverses traditions du monde pour créer son propre pandémonium : le « Mi-Go » ou abominable homme des neiges tibétain, les légendes indiennes, le souvenir des cultes païens de Cybèle, des sacrifices humains de Carthage, des vestiges cyclopéens de l'île de Pâques et du Pacifique. Et bien sûr, pour finir, je lui parlai de nouveau du *Necronomicon* d'Alhazred, le grimoire ultime qui renfermait les secrets des Anciens, le Temple de la Folie, dont les rituels et sortilèges préparaient Leur Retour. Et ainsi, en attendant, privés de mouvement, ces fameux Anciens ne pouvaient que se reposer dans les limbes de Leur éternité, éveillés et songeant aux ténèbres tandis que les années s'écoulaient par millions…

Ce fut presque un cours de littérature mythique que mon père suivit avec autant d'effroi que de consternation, mais en ce moment je dus lui paraître sensé – car alors c'était bien son fils, le jeune professeur d'université qui suivait ses glorieuses traces, qu'il entendait. A la fin il me regarda, et commença de comprendre dans quel terrifiant entre-deux je me trouvais, à ne plus savoir où se situait le délire de la fiction littéraire, et celui du réel rassurant et palpable. Il devina même, je crois, de quelle manière avait pu être instillée en moi l'insidieuse pensée que j'avais moi-même *pénétré* l'œuvre de Lovecraft – à moins que ce ne fût l'inverse ! Il mesura enfin combien, livré à mes obsessions, j'avais pu représenter une proie de choix à toutes ces évocations impies et abracadabrantesques. Je lui montrai aussi l'Oméga barré de ses deux traits sur le bas-relief, le Signe du Troupeau, la moisson des étoiles, et lui dis qu'il avait également orné l'avant-bras de Spencer, de Thomas et de Wade Jermyn. Autant d'indices prouvant que tout *ne pouvait pas* être le seul fruit de ma folie !

Et ce fut à ce moment précis qu'un nouvel épisode vint alimenter notre… je ne sais si je dois parler de réflexion, ou de délire partagé.

Car, lorsque j'en eus fini, mon père me regarda longuement en silence. Puis, sous mes yeux, il se contenta de glisser… une lettre.

Je reconnus aussitôt le cachet du Pénitencier 666 de Laval.

— Je l'ai interceptée dans ton courrier, David. Dans ton état, je pensais… enfin… je l'ai prise. Je ne voulais pas que tu la voies. Et je l'ai lue.

Le pli ne comportait qu'un mot, pour le moins liminaire, de la main de Simon Orne – et toujours aussi étrange, puisque le psychiatre se fendait d'un équivoque : *A bientôt!* et du jeu de clichés que je lui avais demandé avant de quitter le pénitencier. On y voyait ces inscriptions infectes, dont ce malade de Jermyn avait couvert les murs de sa cellule.

Ottawa120312Paris150711230410Copenhague
Buffalo060608Toronto0703110611110611110611110

61111061111061111061111061111061111061111106
11110611110611110611110611110611110611111061
111061111061111061111061111TokyoLaval

— Sais-tu ce que tout cela signifie ? me demanda mon père.

Je lui avais mentionné ces inscriptions en évoquant ma visite au psychopathe. Voilà encore quelque chose qui, au moins partiellement, accréditait mes dires.

— Je... Je n'en sais rien, dis-je. Je voulais justement... tenter de comprendre.

Lorsque mon père reprit la parole, son ton avait changé.

Je sus qu'il avait saisi l'exacte dimension de tout cela, et qu'il ne mésestimait en aucun cas ce que j'avais vécu. Il se pencha vers moi, le front suant.

— David, il y a trois solutions.

Il fit une pause. Mais pour une fois, on ne me parla pas comme à un malade, ou à un fou au troisième degré.

— La première... c'est que tu sois définitivement schizophrène, et que déjà, nous ne puissions plus rien pour toi. Schizophrène à un tel point que tu pourrais nous entraîner dans ta folie. La lucidité chez certains ... patients, te diraient Anne-Lise ou les professeurs qu'elle fréquente, est une chose pathétique ; ils peuvent être extrêmement convaincants dans leur délire.

Il en parlait avec une fausse décontraction, bien entendu ; comme si le seul fait que mon entendement soit réceptif à cette hypothèse dût suffire à prouver que je n'étais pas concerné. Lui aussi – oh, papa ! – avait besoin de se *rassurer*.

— La deuxième solution... (et il tapota les photos)... c'est que tu aies touché du doigt une vérité partielle.

Peut-être es-tu vraiment tombé sur une secte, David. Une Secte Sans Nom, ce Cercle de Cthulhu. On a voulu tuer Dieu, voilà ce que nous récoltons… On a voulu faire du matérialisme la nouvelle pierre philosophale ? Tes Grands Anciens sont à son image. Le plomb reste le plomb. Le cynisme, l'orgueil, le nihilisme, même le contresens hédoniste ou épicurien, demeurent l'apanage des inconséquents. Ceux-là sont une insulte vivante et révoltante à tous les autres qui, dans leur vie, souffrent le martyre dans leur corps et leur âme – un martyre qu'à l'évidence ils n'ont pas choisi, et que souvent leur existence ne permettra jamais de surmonter. On peut toujours parler d'hédonisme et d'athéisme aux martyrs. Il faut être bien médiocre pour vanter les mérites de ces pseudo-philosophes matérialistes, comme beaucoup ne cessent de le faire. Ce sont les excroissances malades de sociétés pourries par leur luxe. Il ne faut pas les laisser gouverner le monde, David. Il souffre trop pour se laisser abuser par ces menteurs. Le christianisme, le bouddhisme, et la plupart des religions, quoi qu'on en dise, et en dépit de leurs égarements, fixent à l'homme l'horizon d'un dépassement de soi. Une ambition de bonté, une espérance en la vérité, la beauté transcendantales, qui nous unissent et nous sauveront, d'une manière ou d'une autre, par-delà la mort. Ce sont des remparts, David ! C'est une chose, de refuser qu'un dogme soit assené au monde ; c'en est une autre de renoncer à tout postulat transcendantal, pour mieux asseoir une autre sorte de fanatisme : celui de la bêtise, le dogme du *refus de chercher*, et le culte béat de la jouissance.

Il se pencha vers moi.

— Ces faux érudits ne savent pas qu'ils tuent nos humanités, en croyant ruiner le sacré et la divinité. En agissant ainsi, on libère d'autres puissances, d'autres folies, bien plus dérangées, et qui cherchent au contraire l'anéantissement, ou y concourent sans même s'en rendre compte. La foi en Dieu et en l'homme a ses ennemis, David – ou plutôt, *l'homme a ses dieux de l'ombre.* Tout cela – ces Livres maudits, ces cultes et ces rituels – ont pu attirer d'autres gens que toi. Comme ce Spencer, ou ce Wade Jermyn. Des gens bien moins équilibrés au départ, qui n'y ont vu ni un jeu, ni une facétie du savoir, mais se sont fait berner par leur propre fascination. Cela a pu faire en eux des ravages considérables.

— Et… et moi ?

— Toi-même, tu es peut-être sur le point de succomber. Si… tous ces gens ont vraiment fondé un véritable groupe actif, avec ses rituels ou ses lieux de culte, inspirés de la littérature fantastique – de Lovecraft, et d'autres peut-être, le danger est sans doute parfaitement réel… Si Dieu est mort, et Satan aussi, que reste-t-il ? Peut-être Cthulhu, le vrai Léviathan, et tous les Pandémonium païens…

Je le regardai intensément. C'était maintenant le doyen d'université, l'historien érudit qui me parlait à son tour ; mais le ton de sa voix trahissait son angoisse.

— … Une secte qui a pu commencer comme un jeu. Le jeu du *Cercle de Cthulhu*, qui a dérapé. Des jeux inspirés de ce genre de lectures… Le réseau s'est élargi ; dans la partie, sont rentrés des gens de moins en moins fréquentables… Des tueurs en puissance, peut-être, David. Qu'ils aient organisé une ou deux cérémonies, une ou deux orgies, un ou deux sacrifices de poulets… et les voilà adorant Cthulhu sur les bords d'un lac !

Je l'écoutais, saisi. Tout cela, en effet, n'était pas en contradiction, loin de là, avec ce que j'avais vécu.

— Et toi, tu es tombé dans la nasse, sans même t'en rendre compte. Une victime toute trouvée. Un passionné. Peut-être *s'amusent-ils* avec toi, pour une raison que j'ignore. Parce qu'ils se prennent eux-mêmes pour les Anciens... Ne dis-tu pas qu'ils sont censés avoir créé l'homme par jeu, ou par erreur ? Peut-être trouvent-ils une jubilation secrète à te manipuler, comme un pantin. Peut-être le jeu continue-t-il... pour le seul plaisir du jeu. Jusqu'à ce que tu craques, que tu cèdes, ou que tu les rejoignes dans leur autodafé ! Jusqu'à ce que tu répandes la violence et la barbarie à ton tour ! Comme Spencer... comme Jermyn. Et cette saleté de violence de se répandre comme un virus... Le *Necronomicon*, David. C'est peut-être *cela*, tout simplement. Cette propagation malsaine. Cette prolifération que nul ne peut arrêter ! Certaines sectes satanistes sont allées jusqu'à sacrifier des nouveau-nés, David, lis seulement les rapports de police de Pennsylvanie ! Alors, des fous en réseau... Voilà ce qu'ils sont, tes lecteurs, tes joueurs, tous : un *réseau. Une communauté démente.* Comme une société qui aurait perdu tous ses repères.

Dans ce discours insolite, je discernais comme une lumière – plus, une planche de salut. Je m'y raccrochai désespérément, bien qu'une partie de moi ne pût ignorer tout ce que j'avais bel et bien vu et senti.

— Une secte ? m'exclamai-je. Une petite conspiration des ténèbres, orchestrée par des gens fragiles, des étudiants éthérés et des psychopathes en devenir ? Mais...

— La ville de Nouvelle-France... Qu'elle ait fait forte impression sur toi se comprend ! Mais David, tu le savais : c'est un *décor de cinéma*, un miroir aux alouettes ! Ce n'est pas la réalité ! Le décor lui-même, en revanche, est bien réel. Ces panneaux que tu as vus :

ils ont pu être placés là par jeu, à ton intention, ou à celle des autres membres du « club »! La ville au loin, son clocher délabré : pourquoi ne serait-elle pas bien réelle?

— Mais... la lune en plein midi? Et...

— Tu as peut-être eu des hallucinations visuelles; ce n'est pas pour autant que Cthulhu et le *Necronomicon* existent! De même que les fous sectaires peuvent exister sans que leur mythologie, elle, soit réelle! Tu m'as raconté ta conversation avec Verhaeren...

— Justement! Verhaeren! Et Orne? C'est quand même cela, le plus troublant! Tous les personnages de...

— Des coïncidences, opportunément utilisées contre toi? Au moins partiellement, là encore? Ou bien, tout simplement, certains d'entre eux sont complices, comme tu le penses! David... J'ai hésité à appeler ce Dr Orne. Mais je voulais d'abord t'en parler.

— Ne l'appelle pas. Je t'en prie, ne le fais pas! Je... Je ne sais pas de quel bord il est!

— Et Verhaeren? Depuis que tu l'as maudit de ton lit de convalescent, il se dit mortifié. Mais je doute que lui...

— Au contraire! Il n'a jamais cessé d'être fasciné par tout cela! Il pourrait être un client parfait! Ne lui parle de rien pour le moment, je t'en prie! Mais tu penses donc que j'aurais pu être... abusé? demandai-je avec espoir. Et que... ma tumeur, ma fatigue nerveuse, ou les deux, auraient fait le reste?

— Souviens-toi de ce que Verhaeren te disait, au sujet de la magie du chaos... Tes prédispositions ont encouragé ces visions. Les reflets sur le lac, l'orage et le soleil masqué par les nuages, tout cela a pu être le produit de ton invention, de ton état du moment. Les oiseaux t'ont fait peur, c'est entendu – mais ont-ils *vraiment* cherché à te tuer ? Et cette lumière, ne l'as-tu pas rêvée ? A moins qu'elle ne soit le fruit d'un dispositif ingénieux – d'autres gens du village ne disent-ils pas l'avoir vue, eux aussi, depuis les rivages du lac ?

— Un… Un grand miroir aux alouettes ? Mais pourquoi, Bon Dieu ? *Pourquoi moi ?*

— Toi et les autres, David ! Toi comme les autres ! C'est le principe ! Recruter des brebis faciles ! Frapper gratuitement, au hasard, ou presque ! Ne se laissera prendre que celui qui aura les prédispositions nécessaires ! Un jeu de rôles, très, *très* fort, grandeur nature, élargi aux dimensions d'un mythe, et dont l'enjeu est de faire craquer les esprits ordinaires pour les entraîner dans le matérialisme obtus, ou à terme, dans une folie meurtrière !… Pour participer à la vaste orgie finale, l'avènement métaphorique des Anciens, la Jouissance par-delà le bien et le mal – jusqu'à l'autodestruction ! De tout temps, on a su instrumentaliser les superstitions. Peut-être en est-ce la dernière expression, la plus moderne… La plus dévastatrice ! En tout cas… (Il se pencha, l'air sombre.) *Tu es en danger*, fils, et peut-être beaucoup plus que je ne le croyais. Peut-être certains de ces salopards te surveillent-ils, rôdent-ils dans les environs…

— Mais… je dois comprendre ! Sortir du piège !

Ma voix s'était brisée ; il savait ce qui se jouait en ce moment ; une lueur de tristesse et d'inquiétude passa dans ses yeux.

— Tu n'es pas seul, David.

Merci ! Merci ! avais-je envie de lui crier au travers de mes larmes. Je lui aurais sauté au cou.

— Toutefois, dit-il en retrouvant son air sombre…

Je me raidis à nouveau.

— Il y a la troisième solution. Que je préfère… ne pas pousser plus loin.

— Tu veux dire ?

— *Qu'Ils existent vraiment.* Tes… Enfin… Tes Anciens.

Le silence tomba dans la pièce.

— Il faut que tu saches, acheva-t-il en désignant l'urne luisante, auprès de nous. Comme je te l'ai dit, cette matière existe, et pourtant elle n'existe pas. Elle ne nous évoque rien de connu. Un alliage, oui, probablement… Nous *devons* le faire analyser, pour en avoir le cœur net. En particulier, il y a… comme des traces de cendres, au fond.

— De cendres… Oui… De qui, d'ailleurs ?

— Qui sait ? Mais, David… c'est autre chose que je voulais te montrer.

Ses yeux se posèrent de nouveau sur les photos.

— J'ai aussi essayé de comprendre les inscriptions sur les murs de la cellule de ce psychopathe, Wade Jermyn. Ces noms de villes. Ces chiffres. Ce sont des *dates*, David.

Ottawa120312Paris150711230410Copenhague
Buffalo060608Toronto070311061111061111061111O
6111106111106111106111106111106111106111106
1111061111061111061111061111061111061111061
1110611110611110611110611111TokyoLaval

Lentement, il se tourna vers son ordinateur portable, dont il usait chaque jour en plus de ses bons vieux bouquins. Je fus presque surpris de sa dextérité lorsque, en quelques clics, il fit s'ouvrir simultanément quantités de fenêtres.

— J'ai cherché… des points communs.

J'en restai coi.

— Et… Oh, Seigneur ! dit-il. *J'en ai trouvé.*

C'étaient des extraits de coupures de journaux, ou d'articles publiés sur le Web, des mentions diverses au détour de livres, procès, comptes rendus journalistiques.

— A Ottawa, le 12 mars 2012, continua mon père, une jeune adolescente de 16 ans s'est jetée par la fenêtre, après avoir dessiné des croquis obscènes dans sa chambre. A Paris, le 15 juillet 2011, un homme de 35 ans s'est jeté sous une rame de métro, en criant des mots incompréhensibles.

Mon cœur s'accélérait à mesure que je comprenais, avec le même effarement, ce qu'il était en train de me dire.

— A Buffalo, le 6 juin 2008, un Américain de 64 ans s'est tiré un coup de fusil dans la bouche. On a retrouvé chez lui les fragments d'un livre qui ont fini par s'émietter complètement, et son Journal, racontant l'histoire de sa rencontre délirante avec des « Créatures Au-Delà de Tout ».

— Oh mon Dieu… Oh mon Dieu…

— Plus loin : le 6 novembre 2011, tiens-toi bien : ce sont 22 jeunes Japonais, garçons et filles, qui se sont suicidés, *exactement en même temps, devant leur ordinateur.* En réseau, en quelque sorte. Au cours d'une espèce de… cérémonial informatique. Un brasier.

J'avais mis la main devant mes yeux.

— Et regarde ça, David.

Ce disant, mon père tourna l'ordinateur vers moi.

Sur les inscriptions de la photo figuraient aussi à plusieurs reprises le nom de Laval, ainsi qu'une date… Oh, une date que je ne connaissais que trop. Celle de la mort de Spencer et de Debbie ! Mon père me glissa sous le nez l'article du quotidien local, daté du même jour :

L'ÉTUDIANT FOU SÈME LA MORT
SUR LE CAMPUS.

— Arrête… Arrête.

Mon père se pencha et, me regardant toujours avec la même intensité :

— Je n'ai pu les identifier tous, David. Ils sont trop nombreux. On les trouve au hasard de dossiers de presse, de journaux, de sources éparses, sans lien apparent entre eux. Certaines pistes sont sans doute impossibles à remonter. Mais nous n'avons pas besoin d'en savoir plus. David…

— Je sais ce que tu vas me dire. Ils étaient tous membres du Cercle.

— Ils se sont suicidés, ont tué ou sont devenus fous, *les uns après les autres, comme une traînée de poudre.* Une longue… implosion en chaîne. Ici ou là, aux quatre coins du monde.

— Un virus, comme un virus informatique géant, une souche numérique qui se propage. A la mesure de la mondialisation et de l'interconnexion. Une folie faisant imploser la psyché, à la manière du *Necronomicon* – ou comme si le *Necronomicon* était le jeu lui-même ! Un *Roi en Jaune* sur ordinateur, un *Culte des Goules*, un jeu qui rend fou, comme le livre !

A ce stade, une évidence me sauta aux yeux. Une chaîne de probabilités.

Premier postulat : *le Necronomicon existait.* Deuxième postulat : ses pages avaient été *numérisées et mises en ligne.* Troisième postulat : exactement comme le Livre originel, qui peut-être avait été détruit, mais qui continuerait de *vivre dans le virtuel à tout jamais*, il manifestait son Mal sous la forme d'un virus informatique qui faisait imploser la psyché.

Quatrième postulat… Alors… ma tumeur ?

Le Necronomicon a été mis en ligne, c'est un virus informatique qui se propage… J'ai été en contact avec lui… et il a créé ma tumeur.

Le Necronomicon ancien… Et le moderne.

Seigneur ! Etait-ce donc cela… le continuum ?

— Un gigantesque livre, un arbre mondial ! La folie Lovecraft…, me contentai-je de murmurer. La technique rejoignant la mystique du Livre.

— Et, oui, il y a peut-être une source unique, David. En deçà, ou au-delà même du *Necronomicon*. N'oublie pas ce que disait Jermyn.

— « C'est le Livre qui m'a dit de le faire. »

— Lequel, finalement ? Le *Necronomicon* lui-même, vraiment – ou un nouveau Livre maudit ? Le même, mais maquillé ? Une chose est sûre… tu es menacé, David. L'un des lieux figurant parmi les inscriptions m'a alerté.

— Lequel ?

— Providence. Sur le cliché, il est suivi d'une date… que je n'arrive pas à déchiffrer. Et c'est apparemment la dernière que Jermyn ait écrite.

— Providence, dis-je. *La ville de Lovecraft.*

Il y eut un long silence.

— Il faut y aller. La solution est peut-être là-bas… Je dois y trouver la réponse.

— A l'aveugle ? David, non. La seule chose à faire est de continuer les analyses de cette urne. Remonter la piste. C'est peut-être elle notre seule chance de comprendre. Et si tu quittes la ville… la police pourrait s'en inquiéter.

— Sauf si je suis couvert par la raison médicale. Papa, je ne peux pas rester ici, les bras croisés ! Tu peux conserver l'urne et faire toutes les expertises que tu veux. Mais ne me demande pas d'attendre ici et d'être... pris à mon tour ! Ecoute-moi : tu comprends maintenant pourquoi il faut mettre le moins possible de gens au courant de cette affaire ? Nous ne savons pas *qui* se tapit derrière tout ça. N'écoute personne en dehors de moi ! Evalue avec prudence tout ce que l'on te dira – même les résultats des analyses. N'ébruite rien, et je t'en prie, pas un mot à Anne-Lise !

— Anne-Lise, Seigneur ! David...

— *Tu dois me faire confiance !* Si la moindre...

Nous fûmes interrompus par la sonnerie du téléphone, et sursautâmes ensemble. Dans l'état de tension où nous nous trouvions, le téléphone nous apparut comme une sorte de scolopendre visqueux, prêt à nous sauter au visage. Nous échangeâmes un regard puis, d'une main tremblante, mon père saisit le combiné. Il écouta une seconde avant de me le tendre, d'une voix blanche.

— Ce... *C'est pour toi !*

La bouche sèche, je pris le combiné à mon tour.

— Allô ?

— Monsieur Milaud ? David Arnold Milaud ? Mon nom est Derleth. August Derleth.

Je me sentis pâlir. Mon père, lui, ne pouvait entendre la voix de mon interlocuteur.

Celui-ci poursuivit :

— Vous êtes allé à la maison du lac, n'est-ce pas ?

— Oui. Mais...

— Vous avez vu les pierres... et vous avez volé l'urne.

J'essayais de rassembler mes pensées.

— *Qui... Qui êtes-vous ?* Que voulez-vous ?

— Ne vous préoccupez pas de moi, monsieur Milaud. Vous vous demandez si vous avez pénétré l'univers de Lovecraft ? Si vous êtes *vraiment* emmuré vivant ?

— Assez ! *ASSEZ !* Je veux comprendre ! Maintenant !

— Il y a une explication, monsieur Milaud. Ecoutez-moi. Je vous appelle pour vous prévenir. Vous êtes prisonnier, et vous ne pouvez rien faire, sinon l'accepter.

— Prisonnier ? Mais prisonnier de qui ? Lovecraft ? Les Anciens ? Ah ! ah ! ah !

— Celui Derrière la Porte. Je ne peux vous en dire plus. Il est interdit de prononcer Son Nom. Il pourrait vous exterminer d'un seul battement de cils. Mais ne vous découragez pas, monsieur Milaud. Voyez-vous, le tableau n'est pas complet. Il y a bien un sens à tout cela, si je puis dire. Ou du moins… une explication. Qui éclairera, ou assombrira l'ensemble du paysage.

— Dans le *Necronomicon* ?

Je perçus une hésitation dans sa voix.

— En quelque sorte.

— Alors, hurlai-je. Il existe ! Il *existe*, n'est-ce pas ?

— En quelque sorte.

Nouvelle pause. J'entendais son souffle dans le combiné.

— Qu'y a-t-il, monsieur Derleth, dans le *Necronomicon* ?

Il finit par me répondre :

— Vous vous souvenez des bourdonnements dans la forêt, et dans votre tête, monsieur Milaud ? Des incantations pour Celui qui Dort Derrière la Porte… La réponse est là. Mais êtes-vous vraiment sûr de vouloir aller jusqu'au bout ?

— Je veux la vérité ! Je veux comprendre ce qui m'arrive ! Je le dois !

Iä! Shub-Niggurath! Le Bouc Noir des Forêts aux Mille Chevreaux!

— Si vous voulez vraiment la vérité, tout en sachant, monsieur Milaud – et cela je vous en avertis, je vous le dis et vous mets en garde – tout en sachant qu'elle est *insoutenable*, que vous ne la découvrirez pas sans perdre ce qui vous reste de raison…

— JE VEUX LA VÉRITÉ, vous m'entendez ?

Je m'étais subitement levé, postillonnant, les veines battant à mes tempes.

Mon père me regarda, affolé.

Il y eut un bref silence, puis :

— Soyez dans deux jours à l'église Saint-John, à Providence, finit-il par lâcher. A la tombée du jour. A la veille du solstice. La nuit du solstice, monsieur Milaud, sera… une nuit importante. Venez à Providence, et vous saurez. Vous aurez la vérité, cette vérité qu'au fond, vous savez déjà.

Puis il raccrocha.

Frénétique, je me tournai vers mon père et lui expliquai la situation.

— C'est un piège, dit-il. Un nouveau piège. David, n'y va pas.

— Peut-être. Mais c'est ma piste la plus tangible.

— Cet August Derleth…

Je regardai mon père droit dans les yeux :

— Sais-tu de qui il s'agit ? L'exécuteur testamentaire de Lovecraft.

Il fronça les sourcils.

— Tu penses qu'il pourrait nous éclairer sur tout cela ?

J'oscillais une nouvelle fois entre le sentiment de ma propre folie et celui d'être la proie d'un immense canular.

— Oh, peut-être ! A un détail près. August William Derleth, écrivain, anthologiste et éditeur…

Je regardai de nouveau l'urne et lâchai un rire irrépressible.

— … Il est mort depuis près de quarante ans.

Mon père réfléchit une seconde.

— Il ment ! Il utilise simplement… un autre pseudonyme, approprié au jeu !

— Oui, ce peut être l'explication. Ou bien, papa…

— Ou bien quoi ? demanda mon père.

— Ou bien… Ou bien *je suis déjà mort moi aussi*, articulai-je avec terreur. Peut-être suis-je déjà perdu. Peut-être me suis-je *déjà* suicidé… Et ceci est-il mon enfer !

Je le regardai. Mon père existait-il vraiment ? Et Wade Jermyn ? Et Simon Orne ? Et tous les autres, mon Dieu ?

— Peut-être n'ai-je aucune existence ! dis-je en tendant des mains suppliantes.

18

The King is Alive

Je décidai de partir pour Providence non pas en avion, comme c'eût été le plus simple, mais en voiture ; j'avais besoin de ce long voyage pour réfléchir, et je trouvai dans ce ruban d'asphalte qui défilait à l'infini sous mes yeux une sorte de tranquillisant immuable, capable de dompter mes angoisses. Mon père avait d'abord refusé de me laisser seul. Il avait exigé de m'accompagner. Bien sûr… mais c'était pour moi hors de question. Il devait s'occuper de l'urne, qui restait *la* preuve essentielle que je n'avais pas rêvé. Il était également hors de question d'éveiller d'autres soupçons. A contrecœur, mais gagné à la cause, mon père avait menti avec moi à Anne-Lise, arguant que je devais partir quatre ou cinq jours pour rencontrer plusieurs spécialistes aux Etats-Unis, et que je serais chaperonné par l'un des neurologues qui s'était occupé de moi. Pour alambiquée qu'elle fût, cette explication suffit ; le voyage serait fatigant et Anne-Lise ne pourrait m'accompagner, elle non plus. Je les appellerais souvent, serais bien « encadré », et vite revenu.

J'avalais ainsi les kilomètres, mon bras enclenchant les vitesses, et sous mon crâne s'agitaient de nouveau les lueurs funèbres de l'œuvre de Lovecraft. Les monstres. *Les monstres sur le seuil.* Prêts à le franchir de nouveau, immobiles et patients.

Et je voyais soudain des nuées de vers et de chimères multiformes infestant la Terre depuis la nuit des temps, sommeillant dans les failles abyssales de l'océan où l'homme n'avait encore pu s'aventurer, lovées au fond d'entrailles volcaniques, de caves hantées de nappes phréatiques fumantes, perdues au milieu des ruines de leurs anciens sanctuaires, jaillissant à l'aube de sépulcres d'airain ou de tombes scellées d'argile.

> Certaines sont depuis longtemps connues de l'homme, tandis que d'autres lui sont encore inconnues, attendant le chaos des derniers jours pour se révéler. Les plus terribles sont malheureusement encore à venir. Mais parmi celles qui se sont déjà montrées par le passé et sont apparues au grand jour, il en est une qui ne peut être nommée ouvertement en raison de son infamie particulière, Celui qui hante le mystère et l'obscurité des tombeaux et n'apportant en effet que la mort et la folie…

Plusieurs fois, je ris nerveusement, puis me concentrai sur la route.

Mon père m'avait fait prendre conscience d'une chose : l'enjeu était presque… métaphysique. C'était comme si, avec ma folie, se jouait le sort du monde. Quant à mon père lui-même… une question terrible entre toutes continuait, malgré tout, de me tarauder. Etais-je sûr qu'il était vraiment de mon côté ? Je me souvenais de cette odeur nauséabonde que j'avais sentie sous la grange, au bord du lac, et dans la bibliothèque où il avait commencé de travailler sur la pierre ; à un moment, il m'avait semblé qu'elle provenait non de l'urne… mais *de lui.* De mon père ? Mon propre père ? Mais quelle était la réalité de tout cela ?

> Les cavernes les plus profondes ne peuvent pas être aperçues par les yeux qui voient, car elles recèlent d'étranges et terrifiantes merveilles. Maudite soit la terre où les pensées mortes revivent sous des formes étranges, et damné soit l'esprit que ne contient aucun cerveau. Ibn Schacabao a dit, très justement, que heureuse est la tombe où n'a reposé aucun sorcier, qu'heureuse est la ville dont les sorciers ont été réduits en cendres. Car il est notoire que l'âme de celui qui a été acheté par le diable ne sort pas de son charnier d'argile mais nourrit et instruit le ver qui ronge jusqu'à ce que de la décomposition jaillisse la vie, et que les nécrophages de la terre croissent et deviennent assez puissants pour la tourmenter, et s'enflent monstrueusement pour la dévaster. De grands trous sont creusés en secret là où les pores de la terre devraient suffire, et les choses qui devraient ramper ont appris à marcher !

Et ces visions de vers grouillants ou de créatures nécrophages, prenant soudain l'apparence des membres du Cercle de Cthulhu, de la Secte Sans Nom, ne cessaient de me hanter.

Je fus bien plus secoué encore lorsque, à l'un de mes arrêts, en route vers la frontière entre le Canada et les Etats-Unis, j'achetai la presse du jour et la compulsai tout en avalant un sandwich. Mes battements de cœur s'accélérèrent. Un bref entrefilet était consacré… à Wade Jermyn au pénitencier de Laval. Comme la première fois, il me sauta aux yeux.

UN PSYCHOPATHE
TUÉ PAR SON PSYCHIATRE
AU PÉNITENCIER DE LAVAL.

Jermyn… *Jermyn était mort.* Et le plus beau, c'était qu'il avait été tué, apparemment… par le Dr Simon Orne ! Le décès s'était produit dans des circonstances insensées : après une conversation prolongée avec Jermyn, le psychiatre, saisi de folie, avait usé de ses passe-droits dans le quartier de haute sécurité pour assommer un maton et, « dans un état second », pénétrer dans la cellule du dément… avant de lui briser les membres avec une batte de base-ball ! Les caméras de surveillance montraient une chose des plus étranges : on y voyait Jermyn, agenouillé, de dos, devant ses graffitis délirants, comme « en prière » ; mains jointes, tête baissée, il semblait attendre, comme s'il avait *espéré* ce coup de grâce, ou qu'il s'y était résigné ! Orne l'avait battu avec une violence inouïe, déployant une force surhumaine, fracturant son corps en de multiples endroits, de la nuque aux chevilles, et en particulier au niveau du bassin. Puis le « thérapeute » s'était présenté sous les alarmes devant l'arrivée des autres matons. Il avait souri, écarté les bras, et s'était mis soudain à charger comme une bête fauve ! On l'avait abattu à son tour. Simon Orne aussi était mort !

Une dernière chose : sur les images de Jermyn en prière, on devinait aussi, devant lui… une ombre, indistincte et difforme… *Comme si une troisième personne avait été là, avant ou au moment des faits !* A moins que ce ne fût seulement l'ombre projetée du même Simon Orne ? Peut-être… A ceci près qu'elle paraissait plus grande. Plus monstrueuse. Sans y croire, bien sûr, l'article n'infirmait pas en soi cette folle hypothèse, mentionnant que l'on avait également trouvé sur place, dans la cellule, des « empreintes incompréhensibles et quasi bestiales », traces qui semblaient ne correspondre ni à celles de Jermyn, ni à celles de son psychiatre devenu fou, mais que, toujours selon l'article, l'on pouvait « cependant interpréter comme des traînées laissées par la batte de base-ball ensanglantée au bout du bras du psychiatre, ou comme les projections de sang liées aux coups répétés portés au prisonnier ». Des « traînées laissées par la batte de base-ball » ! Tu parles ! Orne avait-il été possédé, comme Spencer ? Ou bien « assisté » par je ne sais quelle… créature ? Les deux ? En lui ou hors de lui, partout sans doute, le Mal avait fait son œuvre. De quoi Jermyn et le thérapeute avaient-ils pu parler, *avant* le moment fatal ? Malheureusement, la conversation n'avait pas été enregistrée.

Je restai, hébété, à lire et relire ces lignes incroyables. Entre le premier entretien de Simon Orne avec Jermyn et le meurtre, les matons avaient entendu le tueur gémir et supplier, à la tombée du jour, dans une langue inconnue ; puis il s'était muré dans ce silence résigné. Sur le sol et sur le mur, avec ses ongles, avant de se figer devant l'ombre dominatrice dans sa posture de communiant, il avait tracé des symboles étranges. Et il s'était écrié, distinctement cette fois : « J'ai voulu dire Son Nom. Je L'ai réveillé, et Le Livre veut me reprendre. »

Je lus encore, et je relus.

Le psychopathe tué par son psychiatre.

Des empreintes incompréhensibles et quasi bestiales.

Je continuai ma route, sous le choc, et elle me parut bien longue jusqu'à ce que j'atteigne les Etats-Unis. J'avais espéré que cette odyssée me permettrait de me recentrer, de me retrouver un peu ; en passant la frontière, j'étais au contraire plus déboussolé que jamais. Je dus faire halte à de nombreuses reprises, du fait d'une lancinante douleur dans le crâne, que je n'interprétais que trop bien… Mais je devais poursuivre. Peut-être pensais-je confusément qu'en comprenant le fin mot de toute cette histoire, je parviendrais à vaincre aussi cette mystérieuse tumeur qui, de temps à autre, me contraignait ainsi à m'arrêter sur le bas-côté, une main sur la tête ?

J'avais encore une carte dans ma manche, avant de gagner Providence. Appelons cela le saut dans le vide, le va-tout du désespéré, ce que vous voulez – mais, au détour d'une route, sur une impulsion subite et irraisonnée, je décidai de faire un petit crochet… par un certain endroit du Maine.

C'est que Verhaeren, voyez-vous, cet imposteur, n'était pas le seul spécialiste de fantastique mondial. Depuis le début de mes travaux, j'avais pensé *le* contacter ; je m'étais même essayé, une fois, à une vague tentative dans ce sens, trop vite abandonnée. J'avais besoin d'une aide un peu particulière, et l'endroit où il vivait était pour ainsi dire sur ma route. J'avais retenu son nom comme celui d'un… interlocuteur possible, si jamais les choses tournaient *vraiment* mal. Pas de doute… on y était ! Il s'agissait d'un homme dont je devinais, dont j'étais sûr qu'il pourrait peut-être m'en apprendre plus. Il me dirait, lui, ce qu'il savait du *Necronomicon*, s'il avait croisé quelque chose d'approchant, si le Cercle de Cthulhu pouvait avoir la moindre réalité, ou s'il n'était qu'une somme de fantasmes de ma part. Juste avant de rencontrer Derleth, j'allais prendre le temps de trouver celui qui savait tout des mystères de l'horreur et de la nécromancie, de la sorcellerie, du vampirisme et de nos peurs primales ; celui auprès de qui j'aurais peut-être une chance de comprendre la clé de tout cela, et avec qui je pourrais enfin faire la part du chaos et celle de la raison, pour savoir qui, de moi ou du monde, était vraiment abusé; j'allais trouver un homme, enfin, dont le métier même était la terreur, qui puisait à la source des ténèbres et avait su en percer les secrets. Un héritier et un Maître.

Terrassé par la douleur et la fatigue, je m'assoupis pourtant une première fois dans la voiture, après m'être rangé de côté. J'étais presque dans un état second lorsque, quelque temps plus tard, je franchis le panneau de la ville où je m'étais promis d'essayer de *le* rencontrer ·

CASTLE ROCK.

Le panneau glissa devant moi, comme dans la brume… et disparut.

Mon « contact » en question étant une sommité planétaire, retrouver de là le chemin de sa maison serait enfantin, me dis-je, en lorgnant une nouvelle fois la manchette du journal au sujet de la mort brutale et inouïe de Wade Jermyn.

Je m'arrêtai à l'entrée de la ville pour reprendre de l'essence à la station-service. Tandis que j'engageais le flexible dans le réservoir, je regardais autour de moi d'un air distrait… et ce fut alors que le miracle se produisit. Je n'aurais pu en demander tant, ni l'espérer dans mes rêves – ou mes cauchemars – les plus fous; mais il était bien là, devant moi. Il sortait, tout simplement, de la superette – du *dépanneur*, comme on disait au Québec – voisine. Je faillis en renverser l'essence à côté du réservoir et, tremblant, arrêtai aussitôt mon pompage, reposant maladroitement le revolver sur sa citerne. Mais pas de doute, c'était bien lui; jamais je ne me serais attendu à le trouver là, à l'improviste, et aussi facilement. C'était comme s'il m'était envoyé ; comme s'il avait su qu'il devait se présenter ici, et maintenant. C'était tellement énorme que j'en perdis presque mes moyens. Devant cette intervention du *deus ex machina*, je compris que je n'aurais sans doute pas d'autre occasion, et me dirigeai vers lui d'un pas pressé. S'il fallait jouer le tout pour le tout, c'était le moment – plutôt que de me présenter chez lui, où j'avais toutes les chances d'être rapidement embarqué par la police ; car il faut bien dire qu'ayant agi sur une folle impulsion, je n'avais guère de plan.

Le Maître mâchait un chewing-gum, portait un large sweat et une casquette de base-ball, une paire de jeans dans laquelle il avait plongé l'une de ses mains. De l'autre, il cherchait machinalement ses clés de voiture tout en tenant un sac en plastique. Sa physionomie était aisément reconnaissable et je ne pouvais me tromper. Il fut surpris lorsque je lui tendis la main et, derrière ses lunettes – je me souvins qu'il était atteint d'une grave myopie – il me regarda d'un air soudain méfiant, redressant le menton. « A demain, Hernie ! » venait-il de lancer au gros barbu en chemise à carreaux que j'entrevoyais au comptoir de la superette, derrière la porte vitrée. Mais à présent, tout sourire avait disparu de son visage.

— Monsieur King ? demandai-je.

Stephen King regarda ma main, sans la serrer.

— J'ai besoin de votre aide. Je… Euh, je suis venu vous parler du *Necronomicon*.

Si au début de mon travail sur le genre je ne connaissais guère l'œuvre de Lovecraft, celle de Stephen King, plus contemporaine et écumant régulièrement nos librairies, n'avait pu m'échapper. Impossible de pondre une thèse sur le fantastique sans trouver le King sur son chemin, et en préparant mes travaux, j'avais lu presque tous ses romans, y compris son *Anatomie de l'Horreur*, recueil de « conseils » sur la conduite des récits fantastiques et la dramaturgie de l'horreur, qu'alors, en ma grande naïveté, j'espérais encore pouvoir utiliser un jour dans le cadre de mes propres œuvres. Cet autre pape du fantastique moderne était né le 21 septembre 1947 à Portland, Maine. Ses parents s'étaient séparés alors qu'il avait deux ans et il avait grandi avec sa mère, qui dut aller de petit boulot en petit boulot pour subvenir aux besoins de ses deux fils. Son enfance n'avait guère été très heureuse, du fait des absences de sa mère et des vexations qu'il subissait de la part de ses camarades de classe. Plutôt rond et mal dans sa peau, il était devenu un bouc émissaire facile. Il s'était tourné très tôt vers la lecture, et ce fut sa rencontre avec une malle remplie de livres de fantastique, dans le grenier de sa tante, qui décida de sa vocation. Dès 12 ans, il commençait à écrire de petites histoires. On disait qu'il avait retenu de sa grand-mère, grande admiratrice d'Agatha Christie, une façon de lire particulière – puisqu'elle avait l'habitude de lire en commençant par la fin, ce qui la dispensait à volonté de tous les épisodes séparant l'exposition du dénouement ! Stephen avait repris cette méthode à son compte pour l'élaboration de ses romans, de façon à brouiller les cartes et à rendre le conte impossible à comprendre pour tous les petits malins tentés de faire de même.

Cette solitude de Stephen King et sa passion enragée et précoce pour les livres n'étaient pas sans analogie avec celles de Lovecraft, bien qu'à ma connaissance il ne fût il ne fût pas question de misanthropie chez Stephen – mais plutôt d'une sourde angoisse existentielle où était allée se nicher sa fascination pour le mal et l'horreur. Etudiant, il obtint une maîtrise d'anglais puis exerça différents métiers, de concierge à professeur, et épousa sa femme Tabitha ; mais la vie était encore difficile. Je crois me souvenir qu'au début, le couple vivait plus ou moins dans une caravane, ou un *home* préfabriqué, qui abritait certaines de ses séances d'écriture, et où il avait continué à bricoler ses récits d'année en année. Il buvait pas mal ; l'avenir, alors, semblait loin d'être assuré. La légende – authentique – voulait que Tabitha eût récupéré le manuscrit de *Carrie* dans la poubelle où son auteur, brouillé avec sa propre prose, l'avait jeté. *Carrie* parut en 1974 ; on connaît la suite. Entraîné par un succès vite devenu planétaire, Stephen vissa sur sa tête sa casquette de base-ball et commença à abattre un travail de titan, écrivant parfois plusieurs livres en même temps. Pour les amoureux des chiffres, il avait totalisé près de cinquante ouvrages vendus à plus de 300 millions d'exemplaires, traduits dans 32 langues et ayant donné naissance à plusieurs dizaines d'adaptations pour le cinéma et la télévision. Voilà qui fixait la barre assez haut ! Il avait aussi écrit sous le pseudonyme de Richard Bachman, lui inventant une biographie et lui donnant le visage d'un anonyme qui, le temps d'une photo, avait accepté le petit jeu. Mais un étudiant en droit plus sagace que les autres avait fait le rapprochement, éventant le secret – ce qui n'avait pas empêché King d'écrire un ou deux romans sous ce nom fictif, *Les Régulateurs*.

Et voici que je me retrouvais dans son fief, le Maine, où se déroulaient la plupart de ses intrigues, comme

Cujo, Dead Zone, Bazaar, La Part des Ténèbres, et de nombreuses nouvelles des recueils *Danse Macabre, Brume* et *Minuit 4*. En toute logique, espérer le rencontrer par hasard et sans introduction ou recommandation préalable, m'imaginer entrer en relation avec lui en m'aventurant sur ses terres, la fleur au fusil, relevait du délire – mais depuis quelque temps, je ne m'arrêtais plus à ce genre de considérations. Je savais pourtant qu'il devait recevoir des milliers de lettres de fans ; il avait été menacé lui-même plusieurs fois par de dangereux personnages, ce qui avait d'ailleurs donné naissance à *Misery* – un écrivain adulé est retenu prisonnier par une psychopathe. Mais mes recherches ne souffraient pas de délai, c'était devenu, au sens propre, une question de vie ou de mort. Le destin me facilitait les choses en le plaçant ainsi miraculeusement sur mon chemin : je devais saisir cette opportunité inespérée, ou agencée par quelque Parque ironique. Toutefois, pour faire pencher la balance en ma faveur et espérer profiter d'un entretien, il me fallait plus que cela. Heureusement, j'avais un argument : le *Necronomicon* lui-même, et l'admiration que le King, je le savais, portait à l'un de ses lointains mentors : HPL. En outre, ma position de professeur émérite à l'université de Laval, spécialisé dans le genre fantastique, pouvait le séduire. En vérité, il se passa même quelque chose de plus inespéré encore : croyez-le ou non, mais le King avait lu ma thèse sur le sujet – et elle l'avait « amusé », selon ses propres termes. J'avais de quoi être flatté. Aussi, passé le premier moment de stupeur, et après que j'eus présenté ma carte d'identité et des preuves valides de ce que j'avançais, non seulement le King accepta-t-il de discuter avec moi… mais il m'invita chez lui pour le thé – comme l'eût fait une vieille Anglaise.

Je n'en revenais pas : j'allais prendre le thé avec Stephen King.

Il vivait dans une demeure splendide, de style victorien, avec sa femme Tabitha Spruce – qui, au passage, était elle-même écrivain de talent, il ne fallait pas s'y tromper – et deux de leurs enfants, Joe et Owen. Je savais par ailleurs que leur fille Naomi avait convolé quelques années plus tôt en noces homosexuelles à Nashville, Tennessee. Autrement dit, j'en connaissais bien plus sur lui que lui sur moi, on s'en doute. Après m'être manifesté par interphone interposé et avoir franchi les grilles sécurisées de la belle demeure, je remontai l'allée. Alors que je détaillais la façade de la maison, je fus soudain saisi d'une terrible bouffée d'adrénaline.

Oh, mon Dieu.

Je l'avais à peine vue jaillir des fourrés ; une masse énorme, couverte de poils, qui dans l'état où j'étais depuis quelque temps me parut brièvement l'une de ces créatures issues des Profondeurs pour me dévorer. J'eus le temps d'entrevoir un mufle noir, des yeux étincelants, et une gueule, trouant de rose ces trois cents kilos de poils, découvrit sous mon nez des dents furieuses et une langue baveuse. Je crus que l'énorme saint-bernard allait se jeter sur moi, auquel cas j'aurais pu, me semblait-il, mourir étouffé dans la seconde. Mais le bon gros chienchien se contenta heureusement de tourner autour de moi en poussant des aboiements gigantesques, agitant son encolure et ses quartiers de viande sous mes yeux dans une débauche intimidante. Sur le perron, Tabitha était apparue et s'écriait :

— *CUJO!* Suffit, maintenant ! Suffit le chien !

Je mentirais si je disais que j'étais rassuré. D'autant qu'au même moment, je dus contrôler une nouvelle vague de douleur, qui vint tambouriner à l'intérieur de mon crâne. A la voix de son maître, le saint-bernard, après avoir encore tourné autour de moi en remuant la queue, hésitant à me recouvrir de son poids pour me lécher le visage, se mit à courir comme un fou vers l'autre côté de la maison. J'étais en sueur mais, sans rien en laisser paraître, je me contentai d'ouvrir un bouton de ma chemise avant de m'avancer sur le perron. Souriante, Tabitha m'invita à entrer.

— Vous devez être monsieur Millow ? Stephen m'a prévenue. Je vous en prie.

En contemplant la façade de la superbe maison, je ne pus m'empêcher, je ne sais pourquoi, de penser aux angles durs et aux yeux-fenêtres expressionnistes de la célèbre maison de Norman Bates dans *Psychose* – bien que les deux décors fussent tout de même très éloignés, je le précise. L'intérieur était d'ailleurs délicieusement décoré et tout à fait chaleureux. Je fus introduit dans le salon, puis dans une sorte de véranda où le King m'attendait. Une baie vitrée donnait sur les arbres avoisinants.

Et je me retrouvai bientôt attablé avec lui.

La conversation débuta sur un ton badin. King me posa beaucoup de questions. Cachant mon trouble, je lui parlai de mon père, d'Anne-Lise et de l'enfant que nous attendions, ainsi que de mes premières œuvres, dont la thèse qui allait me servir de passerelle pour aborder le sujet qui avait motivé ma venue. Tandis que nous discutions, avec une familiarité des plus étonnantes, comme si nous étions deux copains à peine sortis des vestiaires, je détaillais ce visage singulier que j'avais vu tant de fois déjà sur des photos, mais aussi dans les films où il avait fait quelques apparitions comme son caméo dans *Creepshow* ou dans *Maximum Overdrive*, le long métrage un peu foutraque qu'il avait réalisé lui-même. Ses relations avec le cinéma étaient complexes, puisqu'il avait été en franc désaccord avec Kubrick pour l'adaptation de *Shining*; je croyais savoir en revanche qu'il était très content de *Stand By Me* ou de *Misery*, et qu'il avait contribué à la création de la société de production Castle Rock Entertainment, qui avait adapté plusieurs de ses œuvres. Non loin de lui se trouvait une guitare, dont il jouait assez souvent. Plus loin, des tonnes de CD de rock trônaient en piles chaotiques auprès d'une chaîne hi-fi. Je remarquai aussi une brochure de WZON, cette station de radio de Bangor qu'il avait financée, et qui diffusait du rock ou des retransmissions sportives de matches de baseball. Dans la bibliothèque, outre certains de ses romans disposés en vrac – dont des traductions dans diverses langues – je remarquai plusieurs recueils de Lovecraft et, en évidence sur une pile, un vieux scénario de l'épisode qu'il avait écrit pour la série *X-Files*.

Il me regardait, et ces yeux en amande, ce front et ce menton larges, ce visage allongé, ces cheveux noirs, tout cela m'évoquait un faune ou un antique satyre, un brin malicieux, comme si lui-même était l'une de ces créatures dont il n'avait cessé de s'inspirer, au service du grand dieu Pan – à moins qu'il ne fût ce dieu lui-même. Après quelques détours, nous en vînmes aux questions qui m'intéressaient. Dans un premier temps, avançant masqué, je m'étais borné à lui dire que je cherchais à approfondir mes recherches sur les Livres maudits, le *Necronomicon* en tête; je lui avais dit aussi que je préparais un opus 2 à ma thèse, adapté cette fois au grand public, et que naturellement un tel travail gagnerait à être émaillé de quelques citations du King – qui, comme chacun le sait, était toujours vivant. Je mentis aussi en lui disant que je devais prochainement rencontrer Ridley Scott et Sam Raimi. Intrigué, peut-être encore méfiant, il n'en laissa en tout cas rien paraître et se prêta de bonne grâce à mes questions. Quant à moi, en élève appliqué et consciencieux, je sortis de mon sac, avec une nonchalance calculée, un carnet et un petit crayon, faisant mine de boire ses paroles tout en attendant de placer le sujet qui me hantait – ce que je *devais* savoir. Un crocodile en valait bien deux. Mais, durant l'entretien, la douleur dans mon crâne revint de temps à autre, ce qui chaque fois mouilla mon front d'une légère sueur. Lorsqu'il s'enquit de savoir si tout allait bien, je m'épongeai d'un mouchoir, lui disant en plaisantant à demi que *c'était l'émotion*; ses lèvres s'ourlèrent d'un sourire plus franc. Puis je tentai de me reconcentrer.

— Certains tenaient le *Necronomicon* pour un livre sacré, vous savez, me dit-il... Mais il est difficile d'y distinguer le bien du mal. A vrai dire, il ne contient pas de « jugement » au sens moral. Il se moque de la morale. Il est a-moral. Il *est*, c'est tout. Il se moque de nous et de notre avis. Ce rire horrible des profondeurs résonne en nous comme le Mal absolu, précisément parce qu'il se moque de nos jugements. Vous me suivez ? De même, il est impossible d'y démêler le vrai du faux... Il n'a pas forcément besoin de se manifester sous la forme de son objet physique pour agir... Il est *ailleurs*, voyez-vous. Il manipule des idées situées du côté obscur de l'Arbre de Vie, comme les *kiflot*. Les habitués de la raison tels que vous sont toujours déconcertés par la fascination qu'il peut exercer, c'est normal. J'étais comme vous autrefois...

Il posa machinalement sa casquette de base-ball sur la table.

— C'est peut-être plus prudent, d'ailleurs. Ceux qui ont cherché à en percer le mystère sont morts, ou sont devenus fous… Si vous avez, ne serait-ce qu'une infime parcelle de prédisposition à la folie – et franchement, qui n'en a pas, monsieur Millow? – il vous fait plonger dans l'abîme… Mais vous savez tout cela, n'est-ce pas? Il est vrai que l'auteur du traité, l'Arabe Abdul Alhazred, était fou lui-même… Tout comme les parents de Lovecraft, son père en particulier, frappé du sceau de la démence… Et tout comme moi, aussi. Un peu!

Il eut l'un de ses sourires carnassiers, presque sadiques, dont on ne savait s'il était sérieux ou non. Ses yeux en amande se plissèrent comme ceux d'un reptile derrière les verres de ses lunettes d'éternel adolescent.

— Le rapprochement n'est-il pas saisissant?

Je l'écoutais avec attention, préparant le moment où je pourrais enfin poser la question qui me taraudait. Mais j'attendais la seconde propice, tandis que le maître de l'horreur continuait de monologuer.

— Lovecraft est celui qui a révélé l'existence de ce livre et l'a inscrit dans l'histoire du XXe siècle, mais personnellement, j'ai toujours pensé qu'il s'était fondé sur des informations authentiques. Tout comme le mystérieux Simon, l'auteur de l'une des versions du *Necronomicon*. Seulement, Simon était un affabulateur. Lovecraft est né « un jour où le ciel a explosé », comme l'a dit joliment un de ses commentateurs, en une fin de siècle, au carrefour des craintes et des espoirs de l'humanité… Un peu comme aujourd'hui, d'ailleurs. Mais un temps où les théories rationalistes étaient battues en brèche, et où se fissurait le premier ordre scientiste et technocratique. Le siècle des Lumières avait marqué la décadence de Dieu, c'était au tour de la science…

Il eut de nouveau un sourire de crocodile, plus chaleureux, cette fois.

— Elle n'avait pu combler le vide des aspirations métaphysiques, monsieur Millow. Et par un curieux retour de l'Histoire, nous en sommes aujourd'hui au même point. Vous pigez ?… Englué dans le même débat, la même alternative entre un Dieu dont on n'a plus le téléphone et une science qui ne peut se substituer à lui sans être à son tour très, très suspecte… *Ça*, Lovecraft l'avait senti. A mon sens, c'était même son moteur premier… Sa véritable tension intérieure… Il était terrassé par des questions métaphysiques face auxquelles la science impuissante ne pouvait que laisser la place à la mythologie. Vous connaissez l'histoire des Nephilims, monsieur Millow ?

— Euh… Vaguement…, dis-je en m'épongeant le front.

— Laissez-moi vous rafraîchir la mémoire. Ces anges avaient pour mission de protéger l'humanité… Ils l'aimèrent tellement qu'ils s'unirent aux filles des hommes pour donner naissance à une nouvelle race. Mais selon certains traités cabalistiques, ainsi que le *Livre d'Enoch*, il en résulta des géants, des monstres perpétuellement insatisfaits, qu'on appelait Vent du Sud, Dragon à la gueule béante, Panthère voleuse d'enfants, Bête sauvage, Ouragan malsain… Faut-il y voir une métaphore du Mal, une autre interprétation de son ontogenèse, admettre que nos *serial-killers* seraient les descendants des Nephilims ? Ces monstres particulièrement voraces dévoraient chaque jour des milliers de personnes ou d'animaux. Ils devinrent une *injure*, monsieur Millow. La tradition juive y voit d'ailleurs la raison même du Déluge ! Dieu aurait voulu purifier le monde de ces « anges déchus ». Le symbolisme aquatique fait depuis longtemps partie de la mémoire ancestrale. Pour autant, purification ne signifia pas annihilation. Les Noyés subsistèrent dans un autre plan, entités blasphématoires sommeillant en attendant l'heure de leur retour. C'est pourquoi le *Necronomicon* parle des Grands Anciens « qui étaient, sont et reviendront ». Et ce n'est pas un hasard si Lovecraft a choisi la mer pour Cthulhu et la cité maudite de R'lyeh, et si elle occupe dans ses contes une place si importante.

Ce fut à cet instant que Tabitha entra avec le plateau du thé. King me servit une tasse tandis que je regardai machinalement à l'extérieur. L'énorme saint-bernard s'affairait à fouiner de la truffe dans je ne sais quel terrier à l'angle du jardin. Mais depuis quand Stephen King avait-il un chien baptisé du nom de l'un de ses romans ? Suivant mon regard, il s'aperçut de ce qui se tramait dans son jardin ; il prit lourdement appui sur ses mains pour se relever.

— Excusez-moi, dit-il en se dirigeant vers l'une des grandes fenêtres de la véranda, qu'il ouvrit avant de crier : *CUJO !* Cujo, ça suffit !

Puis il referma la fenêtre coulissante et ajouta, avec un demi-sourire :

— Il va encore me bousiller mes plantations…, la dernière fois qu'il a cherché dans les terriers, ça lui a coûté cher.

Il avala une gorgée de thé chaud et claqua la langue, m'adressant un clin d'œil.

— Je vous disais donc, le *Necronomicon*… Ah oui. R'lyeh, et tout ça.

— « Tout ça », comme vous dites, n'est pas très catholique, dis-je avec un grand sens de l'à-propos – histoire de relancer la conversation.

Je toussai. Il eut encore son sourire de travers. Depuis qu'il avait retiré sa caquette, une mèche de cheveux noirs dessinait un épi derrière son crâne. Ses mains dansaient devant moi maintenant comme celles d'un sorcier.

— Ne croyez pas cela, me dit-il. Les Anciens ne sont pas totalement absents de la tradition chrétienne. Voyez les anges de l'Apocalypse, qui annoncent la fin du monde au son de leurs trompettes. On retrouve ce même genre d'évocations dans l'Edda de la tradition nordique ou dans le *Livre des Morts* égyptien.

— Et le *Necronomicon* serait une prophétie ? Une œuvre eschatologique ?

— Mais sans rédemption, monsieur Millow. *Sans rédemption aucune.* Une apocalypse fatale, que l'on peut au mieux accélérer, mais pas empêcher. Elle ne laissera que les ténèbres et la claustrophobie d'un monde repris par les Anciens glissant parmi les ruines, et les édifices de nouvelles cités cyclopéennes – mais pas le couronnement des justes, ni la promesse de lendemains meilleurs. Loin de là. Pour l'homme, ce sera l'apocalypse en soi, et pour soi. *L'abomination de la désolation*, selon la formule.

Il avait prononcé ces mots avec un air si onctueux que j'en eus un frisson.

— J'ai utilisé moi-même ces ramifications, par exemple dans le démon de *La Tempête du Siècle*, entre autres, créature mythique et sans âge, Lucifer qui vient en Minotaure réclamer son dû sacrificiel… Vous l'avez lu, celui-là ? Ou vous avez vu la série ?

Je hochai la tête lentement, avec un sourire un peu forcé.

Mais le moment était venu d'aller au fait. J'attendis que Tabitha soit sortie de la pièce, puis me penchai vers lui.

— Monsieur King… Je dois savoir. Vous disiez penser que Lovecraft s'était servi de sources authentiques, mais… Vous, *avez-vous jamais eu entre les mains un exemplaire du Necronomicon ?*

Il s'arrêta et me regarda.

Cette fois, toute trace d'ironie avait disparu de ses petits yeux en amande.

— Je vois où vous voulez en venir. Des rumeurs circulent, n'est-ce pas… Certains disent qu'un authentique *Necronomicon* aurait existé, et qu'il en subsisterait des exemplaires, au British Museum, à l'université de Lima au Pérou, à Harvard, à la Bibliothèque Nationale de France… ou encore – comme toujours – dans les caves du Vatican !

— Oui, renchéris-je. J'ai lu aussi, parmi mille choses, que son titre et son contenu auraient été inspirés à Lovecraft par Sonia Greene, qui fut sa femme pendant deux ans à New York. Elle aurait elle-même tenu ses informations d'Aleister Crowley, célèbre occultiste qui vivait alors à New York lui aussi. On dit que plusieurs versions imprimées du livre seraient disponibles sur des sites d'achat en ligne ! Mais je n'en ai jamais trouvé – en dehors des fac-similés habituels… mais ce n'était pas ma question. Monsieur King…

Stephen King sourit, mais ce sourire avait quelque chose de contraint. J'hésitai encore une seconde, puis ouvris de nouveau mon sac, et en sortis l'article insensé concernant la mort de Wade Jermyn.

— Cet homme… il s'appelle Wade Jermyn. Un psychopathe qui a tué sa femme et sa fille. Il vient lui-même de décéder dans des circonstances abominables au pénitencier de Laval. Il prétendait avoir lu le *Necronomicon*. Il a même annoncé au psychiatre qui le suivait, et avec qui j'ai été en relation, un certain Dr Simon Orne, que c'était le « Livre qui revenait le chercher. » C'est ce même psychiatre qui l'a tué, comme vous pouvez le constater, après être devenu fou à son tour. A la suite d'une conversation qu'ils ont eue tous les deux. Et cet homme…

J'hésitai encore, puis décidai de me lancer :

— Il cachait, non loin de sa maison de campagne, si je puis dire, une sorte… de bas-relief à l'effigie de Cthulhu, monsieur King. Dans un endroit étrange. Comme… un lieu de culte.

Je choisis de ne pas parler de l'urne – ainsi que je l'avais moi-même fait promettre à mon père. Mais je vis Stephen King hésiter à son tour puis, l'air à la fois méfiant et inquiet, il se pencha, un pli au coin des lèvres. Enfin, se décidant, il se mit à lire l'article, l'examinant soudain de si près que je ne savais si je devais mettre cette attitude sur le compte de sa myopie ou d'un terrible intérêt qui le poussait à détailler au plus étroit le moindre mot de ce « fait divers ». Sans doute les deux. Puis il baissa l'article et leva les yeux. Il ne dit rien, se contentant de m'observer avec une froideur nouvelle.

Ce qui ne fit que m'encourager.

— Il est possible que cet homme ait été… membre d'une *secte*, dis-je en insistant sur ce mot, une secte sans nom – ou, peut-être, baptisée le *Cercle de Cthulhu*. Monsieur King… en avez-vous entendu parler à un moment ou à un autre ? L'avez-vous trouvée sur votre chemin ? Cette secte… a-t-elle, à votre connaissance, la moindre existence réelle ?

Il rit, mais ce rire avait tout à coup quelque chose d'inhumain.

— Et nous, monsieur Millow? Et nous tous? Avons-nous la moindre existence réelle? Je ne figure même pas dans l'annuaire de Castle Rock!

Sur le moment, je ne saisis pas ce qu'il voulait dire. Mais il jetait de manière très étrange des regards vifs et subreptices sur l'article. A n'en pas douter maintenant, il avait été intrigué, voire *inquiété* par quelque chose. Il refrénait un tremblement dans lequel je devinais à la fois de l'excitation, du dégoût, et… de la peur, oui, une peur absolue et profonde – et voir ainsi frissonner devant moi le maître de l'horreur avait quelque chose de profondément fascinant. Puis il releva les yeux vers moi. Ils me semblèrent vides et fuyants, comme si, au-dessus d'eux, et à l'ombre de son crâne, ses petites cellules grises s'étaient mises à réfléchir, réfléchir à toute vitesse.

— Cela vous montre bien, cher monsieur, qu'il s'agit d'un canular, n'est-ce pas ?

De nouveau, il eut un rire forcé. Puis il se leva.

Un instant, il sembla chercher quelque chose dans sa bibliothèque. Il en sortit finalement un livre, qu'il me glissa sous les yeux. Je reconnus l'étude de Houellebecq consacrée à *H.P. Lovecraft* : *Contre le monde, Contre la Vie* – édition française.

— Vous l'avez lu ? C'est excellent. La preuve, j'en ai fait la préface. Je vous conseille de lire ceci – mais vous l'avez déjà fait, bien sûr! Dans ce cas, relisez-le, n'est-ce pas, tant que vous voulez. Mais surtout… *Ne cherchez pas au-delà.* Me comprenez-vous ? *Vous n'êtes pas de taille pour ça, monsieur Millow.* Arrêtez-vous à cette porte-*là.* Et souvenez-vous de quoi il est question, de quoi je parle, de quoi il parle, de quoi nous parlons tous. D'essais. *D'essais, au sujet d'un affabulateur.* C'est tout. Soyons sérieux : comment pouvez-vous croire une seconde à ces sornettes ?

Il cligna les yeux derrière ses lunettes. Puis il eut un autre sourire singulier et secoua lentement la tête, tel un professeur qui aurait gentiment tancé un élève indiscipliné.

— ... Et c'est pour cela que vous êtes venu de Québec jusqu'à moi ?

Je l'observai alors sans rien dire ; et durant ces quelques secondes, mon esprit formula l'idée implicite qui n'avait pas cessé de me travailler, et qui m'avait guidé jusqu'à lui. Je me demandai soudain où l'auteur de *Carrie* et de *Shining*, aux multiples romans, nouvelles et adaptations cinématographiques, aux millions d'exemplaires vendus, avait pu puiser sa diabolique inspiration ; il était là, interdit devant moi, et je repensai à Carrie recevant un seau de sang au bal de la promotion, à Jack Torrance avançant dans les couloirs hallucinés et les monstres de buis de l'Overlook Hotel, au romancier de *Misery* cloué au lit et pris en otage par sa fan psychopathe, au bébé ressuscité du morne *Simetierre*, je le regardai encore, son front s'était assombri, sa main s'était crispée sur sa casquette de base-ball, sur la table. Il était là en maître, à la fois impressionnant et populaire, mais surtout en cet instant terriblement inquiétant lui-même – je repensai encore au miroir de Spencer et à ses dessins monstrueux, au *Modèle de Pickman*, et à cette même question que je m'étais alors posée : d'où venait son inspiration ? Le King était là, silencieux devant moi tel un chat des anciens temps, un sphinx muet comme une tombe, et il dut sentir, sentir la sourde interrogation qui me venait alors et risquait de fleurir sur mes lèvres sèches : *Mais où était-il allé trouver tout ça ?*

Alors il me regarda encore – non, il planta littéralement ses yeux dans les miens – et croyez-moi ou non, ce regard était d'une telle intensité, d'une telle noirceur, qu'il me glaça jusqu'à la moelle.

— Notre entretien est terminé, dit-il.

J'avais l'impression qu'il avait sifflé ces mots entre ses dents.

— Monsieur King…

— J'ai dit : *notre entretien est terminé.*

Quelques instants plus tard, je sortais en trombe de Castle Rock et, épuisé de nouveau, je me garai, laissai mon visage tomber sur le volant et fermai les yeux. Je crus encore m'assoupir. Mais avant de sombrer – une minute, cinq minutes ? Une heure ? – une parole, puis une image subites explosèrent dans ma tête.

Et nous, monsieur Millow ? Et nous tous ? Avons-nous la moindre existence réelle ? Je ne figure même pas dans l'annuaire de Castle Rock !

Et tandis que j'étais une fois de plus happé par ce sommeil plombant, je crus me remémorer un détail, que ma conscience avait dû enregistrer sans pour autant lui donner de sens. Là, au-dessus du poignet, sous la manche à peine remontée du sweat de Stephen King, avais-je bien vu… la naissance d'un tatouage ? Une marque ?

Oh, non…

La marque… Lui aussi ?

19

Le Ver qui ronge

Je me réveillai dans ma voiture, et repris la route.

Avais-je rêvé ? Avais-je vraiment rencontré Stephen King ? J'avais peine à le croire. Et… Mais était-ce possible ? songeai-je encore. King était-il lui aussi membre, ou parrain du Cercle de Cthulhu ? Le *Necronomicon* avait-il pu véritablement lui servir… de source, à lui comme à H. P. Lovecraft ? A eux – et à tous les autres ? Je me souvenais de la façon dont King avait trouvé chez sa tante, dans la malle du grenier, les livres fantastiques qui allaient décider de sa vocation. Un exemplaire du *Necronomicon* figurait-il parmi eux ? Sans doute me laissais-je une fois de plus entraîner par mon imagination… Quoi qu'il en soit, la filiation entre King et Lovecraft, elle, était bien réelle. Jusqu'où pourrait-on ainsi remonter ? Aux cultes pré-antiques, impies et immémoriaux ? Le livre s'était-il… servi des écrivains pour entretenir sa légende, alimenter son moulin de l'horreur ? Avait-il propagé sa vérité cachée, à travers la multiplicité de leurs créations, à travers des millions de livres, d'images suscitées par des hommes de culture, hommes de rêves et de cauchemars ? Le *Necronomicon* lui-même, l'Archive, la documentation entre toutes… Peut-être en allait-il de même pour les peintres, les dessinateurs, les musiciens… Etait-ce cela, le virus du Livre – cette faculté de propagation infinie, dans le temps et dans l'espace, d'*une inspiration venue d'ailleurs ?*

Je songeai à Poe, à Roerich et ses peintures asiatiques que Lovecraft citait plusieurs fois dans les *Montagnes hallucinées*, à Lord Dunsany et Arthur Machen ; je revoyais les peintures de Giger et de son *Alien* ; des films, comme le *Necronomicon* érotique de Franco, ou les *Evil Dead* de Sam Raimi, dont le *Necronomicon Ex Mortis* avait été illustré par Tom Sullivan, également auteur d'illustrations pour le jeu de rôles *L'Appel de Cthulhu* ; ou le film à sketches *Necronomicon* de Gans, Yuzna et Kaneko, où Jeffrey Combs, dans le rôle de Lovecraft, recopiait ses nouvelles et puisait son inspiration dans un exemplaire du Livre maudit ! Mais encore, à Bosch et à Bacon, aux gravures et aux escaliers impossibles d'Escher, aux expressionnistes allemands ; je songeai à Paganini qu'on appelait le Diable, et à ce joueur de viole jouant une musique impossible, dans la nouvelle de Lovecraft baptisée *La Musique d'Erich Zann* ; j'allais jusqu'à me perdre en conjectures parmi les figures des inventeurs des nombres imaginaires, des géométries non euclidiennes, des théories astrophysiques des supercordes postulant l'existence de multiples dimensions aux côtés de la nôtre.

Tous – où avaient-ils trouvé leur inspiration ? S'agissait-il de la *grâce*… ou de son reflet dans l'ombre ? Me vint alors à l'esprit une représentation démentielle ; comme quelque fragment du détestable *Necronomicon*, à demi rongé par les vers, j'imaginai une liste, la liste de ces légions d'artistes et de scientifiques, figurant de toute éternité dans d'obscurs parchemins, vocation écrite par avance dans le plan maléfique du Livre maudit – et les mots de la lettre que m'avait adressée Simon Orne, quelque temps plus tôt, me revenaient en mémoire. La lettre disait qu'au cours des interrogatoires, Wade Jermyn fabulait non seulement sur les divinités du panthéon de Lovecraft, mais aussi sur une « liste » où figureraient les noms de toutes les proies du *Necronomicon* – tous ceux qui avaient eu le grimoire maudit entre les mains !

Soudain je me les représentai tous, les membres de cette liste maudite ; je les vis défiler sous mes yeux. Une partie de moi, celle qui conservait encore un peu de raison, partit alors d'un grand rire moqueur. Mais dans le même temps mon effarement grandissait, car tandis que je continuais de conduire, je voyais les noms s'ajouter, se répondre, enfler dans mon esprit, sans autre fil conducteur que celui de ma pensée désordonnée : certains, au milieu d'une foule d'anonymes, me sautaient au visage. Dans le dédale de ma conscience, je pouvais même me faire une image précise de cette horreur : je les voyais, ces rouleaux de parchemin, succession de fragments évoquant les papyrus égyptiens du *Livre des Morts*. Leur toucher, vaguement granuleux, aurait quelque chose de détestable, peau de reptile susceptible à tout moment de libérer je ne sais quel venin ; j'imaginais leur calligraphie chaotique, semblable à celle que j'avais déjà vue à plusieurs reprises, si minuscule ici qu'une loupe serait nécessaire pour en identifier les signes ; et l'intégralité du rouleau en serait tellement couvert, que pas un millimètre n'y échapperait, en haut, en bas, sur les marges – comme ces inscriptions dans la cellule de Jermyn. Et puis, effarants et grotesques, voici qu'ils se déroulaient à l'infini dans ce fantasme incongru : les Noms.

Sur mon *Necronomicon* intérieur figuraient Lucius Domitius Claudius Nero, dit Néron, Caligula comme Caracalla, et tous les empereurs parricides, matricides, fratricides ou infanticides ; ces dictateurs, despotes et autres tyrans affreux des confins des âges ; Alhazred, bien sûr ; et encore Alexandre le Grand, Adolf Hitler, Napoléon Bonaparte, Vlad l'Empaleur de Valachie, comte de Dracula, Iossip Vissarionovitch Djougachvili dit Staline, et la cohorte des traîtres, calomniateurs, concupiscents, faussaires, tueurs de masse, figures de sinistre mémoire, réputées pour leur cannibalisme, leurs meurtres abominables, leur folle sauvagerie, Gilles de Rais, Jack l'Eventreur, Landru et Marcel Petiot, Manson et sa Famille, mais aussi des artistes et des écrivains tels Sade, le Divin Marquis, King et Houellebecq sans doute, ou Lovecraft lui-même ! Tous figuraient dans ce bestiaire, dans ma bibliothèque-musée imaginaire, cet arbre à l'efflorescence putride ; et ils composaient dans mon esprit une sorte de longue, d'infinie Chaîne du Mal, une chaîne dont les maillons survolaient l'abîme du temps ! Une image assez fidèle de l'ADN même de ce Mal, comme si tous étaient porteurs du gène impie, ou du virus qui n'avait cessé de se répandre à travers toutes les époques, sur tous les territoires. Ce bréviaire immonde se déroulait en moi avec une minutie absurde et glaçante.

La Liste était infinie. Et bien sûr, j'y aurais trouvé les noms de Spencer Willett, de Wade Jermyn… Et probablement… le mien !

Je me mis à rire de plus belle.

David Arnold Milaud, écrit en minuscules lettres rouges, orthographié à l'ancienne, à l'époque de l'arrivée de mes ancêtres huguenots, patronyme originel, inconnu de tous en dehors de moi et de mon père, qu'un mystérieux généalogiste eût exhumé de quelque archive ancienne…

Mon nom figurait-il en effet quelque part, au côté des autres, de tous ceux du Cercle de Cthulhu, comme ceux des victimes auxquelles faisaient référence les inscriptions de Jermyn dans sa cellule ? Attendait-il son tour dans les pages du *Necronomicon*, ou de je ne sais quel Livre d'entre les livres ? Mais, Bon Dieu, je n'avais *JAMAIS EU* ce satané bouquin entre les mains ! Ni lui, ni aucun autre de véritablement approchant ! Où était-il seulement ? Il n'existait pas ! Tout cela était *IMPOSSIBLE !*

Le Ver qui Rampe, le Ver qui Ronge. Le cancer. La vraie tumeur.

Ce courant que je n'avais cessé de mettre au jour, depuis les travaux de ma thèse, revenait exploser dans ma mémoire, dessinant la plus effroyable des constellations. Et de cette filiation incroyable, ce ténébreux flambeau remontant à des origines sans âge, Stephen King semblait être le souverain, le moderne et suprême couronnement, comme une nouvelle pierre angulaire.

Pour autant, j'avais été congédié fermement de la maison du King, qui sans doute avait dû considérer que j'abusais. Sa poignée de main avait été froide et semblait presque comme un avertissement. Il semblait bien que mon enquête tournait court. Je n'avais rien appris de plus, ni sur le *Necronomicon* lui-même, ou je ne sais quel Livre maudit, ni sur une quelconque piste qui eût pu me mener jusqu'à lui. Au moins avais-je la satisfaction d'avoir rencontré le pape actuel de la littérature fantastique. Soit il me prenait pour un fou, soit il me cachait quelque chose. Dans les deux cas, me disais-je tout en avalant un hot-dog en sortant de *Chez Hernie*, je n'avais avancé en aucune manière quant à ma fameuse secte sans visage et ma conspiration des ténèbres ; la nuit tombait sur Castle Rock et je me demandais bien ce que je faisais encore ici. *Une chose me semble acquise*, pensai-je avec une ironie un peu inquiète, *je ne crois pas – ou plus – être dans un roman de Lovecraft, sans quoi ma rencontre avec le King constituerait un singulier anachronisme… Suis-je passé à l'héritier ?* Maigre consolation ! En réalité, j'étais terriblement frustré. La douleur dans mon crâne reprenait de plus belle, de nouveau l'inquiétude me taraudait ; que je jette un œil dans l'abîme hallucinant qu'il me semblait côtoyer sans cesse, et je craignais de sombrer pour de bon dans une panique sans rémission, qui me clouerait sur place. Je continuais donc de lutter, mais cette concentration même achevait d'épuiser mes nerfs.

Le soir même, vaincu, je me réfugiai sur la route dans un motel miteux, à l'enseigne crépitante, *Chez Teddy* cette fois, ou quelque chose du même genre. J'avalai un sandwich infect et un soda, avant de téléphoner à mon père depuis ce bouge. De longues sonneries retentirent avant qu'il ne se décide à décrocher.

— Papa ? C'est moi !

— Oui ? Tout va bien.

— Est-ce une affirmation… ou une question ?

— Où es-tu, fils ?

— Pas loin d'Albany. Je serai à Providence demain. Et toi, as-tu avancé ?

Le bourdonnement de la ligne téléphonique reprit lorsqu'il parla.

— J'ai… J'ai donné l'urne, le métal, enfin la *matière* à un éminent collègue de Laval. Chimiste et biophysicien. Il a promis de s'en occuper et je dois dire que, sitôt qu'il l'a vue, l'urne l'a complètement fasciné. Bien sûr, je lui ai fait jurer de garder à ce sujet le secret le plus absolu !… Il tiendra cette promesse. Peut-être se voit-il déjà Nobel… Certaines particularités ne lui ont pas échappé. L'odeur étrange, cette horreur gravée sur le pourtour… Il est inquiet, je pense. Inquiet d'avoir trouvé quelque chose qui pourrait bel et bien être, comment dire… *trop énorme.* Pour lui, pour nous. Mais il n'ose encore le formuler – pas plus que moi.

— Il n'a aucun résultat ?

— Pas pour le moment, si ce n'est qu'il est, comme nous, toujours incapable d'identifier la nature exacte de l'objet. Il y travaille. *Seul.* Mais tout va bien.

Le bourdonnement continuait, et modifiait curieusement les inflexions de la voix de mon père. Pourquoi me répétait-il « tout va bien » ?

— Anne-Lise est là ?

— Elle vient de rentrer !

Il avait prononcé ces mots avec un entrain forcé. Il me la passa.

— Bonjour, mon chéri.

Le bourdonnement reprenait.

— Il y a un problème avec la ligne. Comment vas-tu ?

— Tout va bien, dit-elle. Et toi ? Que disent les médecins ?

— Je… Les analyses se poursuivent. Il est trop tôt pour le dire, mais ils sont, euh, plutôt optimistes, mentis-je dans une grimace.

— Oh, mon chéri… Tu nous manques, dit-elle.

L'absence de chaleur et de coloration dans ses intonations me surprit ; à moins que ce ne fût ce bourdonnement pénible qui donnait à ses mots un air chuintant. Nos échanges durèrent encore une minute ou deux, et mon impression étrange se confirma. Enfin, je demandai à parler de nouveau à mon père. Il commença de la même voix faussement enjouée, attendant sans doute qu'Anne-Lise fût sortie ; puis il me sembla qu'il mettait une main sur le combiné, et qu'il baissait d'un ton pour chuchoter.

— David, j'ai aussi continué d'examiner la langue, me dit-il. Et les symboles. Je suis allé dévaliser les bibliothèques des environs, les collections personnelles de quelques amis… Grâce à des recoupements assez inouïs, je suis arrivé à certaines conclusions… Mais ça va, David, hein ! Tout va bien.

Je cillai.

— Cette écriture curviligne, poursuivit-il. Comme je l'avais soupçonné, elle n'a pas d'équivalent dans les langages anciens, même si certains signes évoquent les minuscules saxonnes du VIIIe ou du IXe siècle avant Jésus-Christ. Elle fonctionne tantôt en suggérant des sons, tantôt par idéogrammes… Je me suis penché sur de vieux manuels de paléographie, et une formule étrange m'est apparue, David… on dirait une transcription du bas latin, elle-même dérivée d'un langage plus ancien, et isolée parmi le reste des symboles. Cela signifierait à peu près : « A Celui qui Dort Derrière la Porte », suivi d'une sorte d'invocation – « Iä ! Shub-Niggurath ! »

— Ne me demande pas ce que cela signifie exactement… mais j'ai déjà lu cela.

Le bourdonnement ne cessait de s'amplifier, gênant notre conversation.

— Tu as lu la presse ? lui demandai-je.

— Tu parles de Wade Jermyn ? J'ai lu. Mais ne t'inquiètes pas, ici tout va bien, et...

— Il a parlé du *Necronomicon*, il a...

Tout à coup je m'arrêtai. L'idée affreuse venait à nouveau de fulgurer dans mon esprit, et de susciter en moi une indescriptible horreur. Ce ton vaguement robotisé, ces intonations affectées, qui se voulaient rassurantes et ne faisaient que m'inquiéter davantage... Ce chuchotement, ce bourdonnement de fond – et si ce n'était pas à cause de la ligne ? De nouveau ma paranoïa venait reprendre le dessus, comme une bouffée délirante. Je fus inondé d'une sueur glacée.

— *Papa ?*

— Oui fils ?

Mon père était-il possédé, comme l'idée m'en avait déjà traversé l'esprit, avant de le retrouver dans son bureau, occupé à « discuter » avec l'urne ? Etait-ce bien lui que j'avais, en ce moment même, au téléphone ? *En était-il ?* Et Anne-Lise ? Mes pensées s'emballaient. Que se passait-il à la maison ? Cette urne maudite... Ces traces de cendres inconnues... La Secte Sans Nom...

— Je cherche seulement à te rassurer, dit mon père comme s'il avait deviné mes pensées, et sa voix me parut soudain plus normale. David... Tu dois être surmené. J'ai respecté ton choix, mais écoute-moi : ton départ n'était pas une bonne idée. Rentre, rentre dès que possible. Ta famille t'attend.

Ce discours eut paradoxalement pour effet de m'apaiser. De nouveau, je mesurai la force surhumaine qui m'était nécessaire pour lutter contre les chevaux fougueux de mon imagination. Dieu, je devais me contrôler ! Mes yeux papillonnèrent. J'avais les mains moites. Je chassai de mes pensées le mirage funèbre de la Secte Sans Nom et du Cercle de Cthulhu, puis je dis :

— Crois-moi, je vais faire au plus vite.

Après un mauvais dîner, succombant d'abord à la tension nerveuse, à l'arsenal de cachets qu'il me fallait avaler et à cette douleur lancinante dans mon crâne, je m'effondrai sur le lit de la chambre que je venais d'investir. Il me sembla avoir somnolé une heure ou deux, mais durant ce léger retrait de conscience, les chevaux continuaient leur cavalcade. Je pensais à Wade Jermyn, dans sa cellule, avec sa craie, puis se cassant les ongles sur la pierre pour la couvrir avec frénésie de symboles terrifiants ; à ses yeux furieux et illuminés, à ses lèvres murmurant de noires incantations, aux pieds d'une créature d'une autre dimension, jaillie d'un gouffre de ténèbres, non pour son salut, mais pour se laisser broyer ; et à un autre regard vide et dément, celui de Simon Orne entrant dans sa cellule, la bouche écumante et la batte de base-ball en main, possédé, guidé par la même créature ! Après quoi, je songeai à ces traditions folkloriques répertoriées dans les Livres maudits, et disant que parmi les hommes, certains communiquaient en rêve avec les Anciens et perpétuaient leur culte depuis la nuit des temps, en attendant le réveil des Dormeurs ; puis l'image de mon père sous le vieux portrait des Milaud se substitua à ces images de cultes terribles ; un pape décharné à la tiare d'ombre agitait un sceptre sans âge sous un ciel de ténèbres ; je vis Anne-Lise me sourire, mais dans mon rêve, ce sourire était celui d'une goule, d'une harpie, et le bébé qui jaillissait de ses entrailles, créature aux yeux creusés comme la mort, ouvrait une bouche emplie de vers en éructant quelques borborygmes infantiles devant l'Ombre ; et les os de Jermyn craquaient entre les quatre murs, et..

Je me réveillai en sursaut de ce demi-sommeil abominable, que balayaient les vagues de mon inconscient. Je me redressai dans un cri, suant, les yeux grands ouverts, le corps rompu comme si je m'étais réellement battu avec des créatures d'outre-monde.

Il devait être près de trois heures du matin, et je ne pus me rendormir.

Au matin, alors que mon mal de crâne ne cessait d'empirer, je repris la route de Providence.

20

Sous la Tour Sombre

Lorsque j'arrivai en vue de Providence, dans l'après-midi, il me sembla que la douleur de mon crâne s'atténuait, à défaut de disparaître. Je serais à temps au rendez-vous que m'avait fixé August Derleth – ou le prétendu tel. J'étais au moins sûr d'une chose : Providence, elle, existait. Pas comme cet Arkham ou cette « rivière Miskatonic » que j'avais « vue » lors de ma mortelle randonnée près du lac, ou encore la fameuse Castle Rock de Stephen King, au sein de laquelle j'avais déjà cru m'égarer. Rien de tout cela avec cette chère Providence, capitale du Rhode Island, rassurante dans sa tangible présence, bien qu'elle aussi conservât de son passé quelques souvenirs fantômes, à l'image de toutes les grandes villes de Nouvelle-Angleterre. La baie avait jadis été colonisée par des puritains exilés emmenés par Roger Williams. Providence était devenue l'une des treize colonies d'origine du pays. Malgré ses difficultés, elle gardait une forme de charme provincial discret, assez doux et tout à fait particulier. En arrivant, j'aperçus d'abord la tour de la Bank of America, le plus haut bâtiment local, dressée vers le ciel comme une flèche de cathédrale. Je suivis les chemins de promenade le long des rivières, la patinoire, l'université Brown et le Providence Pall Mall. Je choisis rapidement un hôtel donnant sur les jardins de Waterplace Park et, profitant des deux ou trois heures qui me restaient, je m'aventurai, carte en main, dans les méandres de la cité, à la rencontre de ces lieux encore hantés par la présence de Lovecraft.

Je me retrouvais ainsi au cœur de ce qui avait été sa ville natale, celle de sa formation littéraire, de la découverte des horreurs des Anciens ; au cœur de cet inconscient que je n'avais cessé de traquer – car c'était bien le curieux sentiment que j'éprouvais alors. A cheminer dans ces ruelles, je voyais se juxtaposer la Providence coloniale à la Providence moderne, et englobant ce théâtre, le visage, l'âme tourmentée de l'écrivain. Je glissais à l'ombre des érables, goûtant le charme réel d'endroits souvent oubliés des touristes, tandis que, dans mon esprit, continuait de poisser l'acuité spongieuse de ma douleur, et la prescience d'un danger imminent. Si j'avais pu prendre un peu de hauteur, j'aurais vu, assurément, les clochers, les dômes et les toits de l'ancienne cité basse, et là-bas l'ourlet lointain des collines. Mais, bien que me tenant ici et maintenant, j'avais l'impression de marcher au milieu de vieilles reliques, et côtoyais ces anciennes demeures de l'époque des rois George avec une inquiétude que je ne parvenais pas à chasser.

HPL avait vécu ici dans de nombreux endroits. De sa naissance à son mariage et son départ pour NewYork, il avait occupé le 454, puis le 598 Angell Street. Puis il avait habité le 10 Barnes Street, dont il avait fait le domicile du Dr Marinus Bicknell Willett dans *L'Affaire Charles Dexter Ward.* A l'Athenaeum, la bibliothèque qu'il fréquentait, il empruntait les livres dont la lecture allait donner naissance au *Necronomicon.* C'était aussi là que Edgar Poe avait fait la cour à Sarah Whitman.

Je me rendis à la fameuse Maison Fleur-de-Lys, refuge de l'artiste Henry Anthony Wilcox dans *L'Appel de Cthulhu ;* à la Ferme et la Maison Halsey de *L'Affaire Charles Dexter Ward.* Je vis Old Court et la Maison Munford, la dernière demeure de Lovecraft, où il avait vécu de 1933 à sa mort, en 1937, et où il avait logé, cette fois, son personnage Robert Blake dans *Celui qui Hantait les Ténèbres.*

Mais le soir venait.

Je gagnai enfin l'église Saint-John, sur Atwells Avenue.

Celle-ci, romane et catholique, était citée également comme la First Baptist Church ou la Starry Wisdom Church de *Celui qui Hantait les Ténèbres.* Elle avait été détruite, au point qu'il n'en restait qu'une tour sombre, puissamment évocatrice pour moi. Et ce fut ici – j'en étais à peine surpris – que, sous le rayon d'un soleil finissant, je rencontrai celui qui allait décider de mon sort.

Car il était là, déjà – et il m'attendait.

August Derleth.

— Vous êtes David Arnold Milaud, n'est-ce pas ?

— Oui, lui répondis-je en lui serrant la main d'un air hébété.

— J'espérais vous trouver là.

Il me souriait de toutes ses dents, sous sa moustache.

— Je suis August Derleth.

Ainsi, alors même que j'étais en contemplation sous la masse sombre de la tour Saint-John de Providence, Derleth – imposteur ou non – se tenait devant moi, en costume sobre et bien coupé, le col blanc et digne serré dans une lavallière d'un autre âge. Il continuait de me sourire. Sous le bras, il portait le quotidien local, *The Providence Journal*, disponible dans tout le Rhode Island et le Sud du Massachusetts – mais je m'aperçus vite, au cours de notre conversation, qu'il était daté… du 19 mars 1937 ! Or, cette date, me dis-je dans un éclair de lucidité, n'était pas choisie au hasard. C'était… le jour de la mort de Lovecraft ! Et d'une certaine façon, si on la prenait pour point de référence, elle semblait cohérente avec l'âge de la personne qui se présentait à moi : mon homme paraissait avoir trente-cinq ans, et Derleth était né en 1909.

Je le regardais avec une expression qui dut lui sembler bien pathétique.

Originaire du Wisconsin, Derleth – le vrai, en tout cas – avait aussi collaboré à *Weird Tales*. Je me souvenais qu'il avait été enseignant, et brièvement rédacteur en chef d'un magazine de science-fiction, dont j'avais oublié le titre. Une fois de plus, cela ne tenait pas debout, mais à le voir se présenter à moi ainsi, j'eus l'impression d'avoir affaire à… un cosmonaute, ou un passager du Temps.

L'histoire de l'amitié entre Lovecraft et Derleth était incroyable : ils ne s'étaient jamais rencontrés physiquement. A 17 ans, Derleth avait envoyé une lettre à HPL dans l'espoir d'obtenir des conseils sur la manière d'écrire des contes fantastiques. Leur relation épistolaire avait duré jusqu'à la mort du maître. Lovecraft appelait affectueusement August « le gamin ». En attendant, « le gamin » lui avait rendu de fiers services, jouant souvent le médiateur entre lui et le rédacteur en chef de *Weird Tales*, ce dernier ne goûtant en fait que modérément ces histoires de Cthulhu et d'Anciens cosmiques.

C'était notamment grâce à August que le magazine avait publié *La Maison de la Sorcière* en 1933. La mort de Lovecraft avait profondément affecté Derleth ; et il était pour beaucoup dans sa postérité, puisqu'il avait récupéré et complété nombre de manuscrits inachevés, fondé la maison d'édition Arkham House et publié la majorité de ses œuvres. Intronisé « continuateur en chef » des œuvres lovecraftiennes, comme on l'aurait nommé conservateur de musée, Derleth était en tous points son véritable *exécuteur testamentaire.*

Pour autant, il n'était pas qu'un disciple perpétuant les mythes lovecraftiens – il avait tout de même écrit de sa main une centaine de romans, dans le domaine du fantastique, mais aussi du polar, de la SF ou de la poésie. Il avait inventé Hastur, Celui Que l'On ne Peut Nommer, les Tcho-Tcho ou le Marcheur du Vent, et Solar Pons, parodie de Sherlock Holmes – souvenir de sa brève correspondance avec sir Arthur Conan Doyle. A cause de sa philosophie chrétienne, les puristes lui avaient parfois reproché d'avoir tenté de créer un panthéon de dieux positifs ayant jadis vaincu les Grands Anciens, réintroduisant une forme de manichéisme étranger au mythe originel. Et son amitié avec Lovecraft, qui ne s'était jamais démentie, avait aussi porté des fruits insolites, puisque Lovecraft lui-même s'était amusé à l'intégrer dans certains de ses récits, faisant de lui l'un de ses personnages.

Etait-ce donc si étonnant que je le croise ici, et maintenant ?

Un de plus, songeai-je.

— En effet ! Il m'appelait le comte d'Erlette, dit August.

Il semblait avoir lu dans mes pensées.

Toujours souriant, il s'inclina, main sur le cœur.

— … Gentilhomme français du XVIIIe siècle… et auteur de l'un des plus scandaleux grimoires du Mythe de Cthulhu : le *Culte des Goules.*

C'était abominable, car tout à coup, malgré sa jovialité, le teint blême de sa peau et quelque chose d'absolument éteint et vide dans son regard me laissèrent penser que lui-même était l'une de ces goules dont il avait inventé le culte.

Il me sourit encore. N'eût été ce haut-le-cœur qui me saisit, et cette impression atroce de me trouver en face d'un mort-vivant, j'aurais pu le trouver charmant. Mais mon cauchemar éveillé ne faisait que continuer. Qui avais-je devant moi ? Un vrai, un faux Derleth ? Le Derleth, personnage de Lovecraft ? Une goule ? Je faillis chavirer, me contentant de passer les doigts sur mon front brûlant.

— Qui êtes-vous *vraiment ?*

— Vous êtes venu pour le *Necronomicon*, n'est-ce pas…, se contenta-t-il de répondre.

— C'est vous qui m'avez fixé rendez-vous, dis-je, la bouche sèche.

— C'est vrai. Si vous me trouvez sur votre route, c'est parce que j'en suis, en quelque sorte… le gardien. Le gardien du *Necronomicon*. Entre autres.

Il affichait à présent un air grave.

— Vous voulez savoir ce qu'il y a de l'Autre Côté, n'est-ce pas ? C'est plus fort que vous… Vous voulez savoir si les Anciens et les Grands Anciens existent… S'il existe un espoir au-delà de l'homme, ou si tout n'est que terreur ?

— Je veux savoir ce qui m'arrive, monsieur Derleth. Qui est le Maître du Jeu. Celui que Wade Jermyn ou Tony appelaient… Arandul je ne sais plus quoi. Je veux savoir si le Livre existe, et de quel Livre il s'agit.

— Et vous espérez y trouver le salut ? Trouver le salut… dans l'ouvrage le plus abominable qu'ait produit l'univers ?

Il sourit alors, et ce sourire, qui tenait davantage du rictus, avait quelque chose de pestilentiel.

— Mais vous n'imaginez pas ce qu'il contient.

— Et vous, vous le savez ?

Il sourit encore.

— Bien sûr ! *J'en viens.*

Il éclata de rire, et ce rire acheva de me glacer les sangs. J'aurais dû, une fois de plus, tourner les talons, fuir à jamais. Mais j'étais comme en transe, sous hypnose, et pris de longue date dans les filets de ce livre obsessionnel et maudit. Alors fuir, vers quoi ? La folie ? Le suicide ? Je craignais que la mort elle-même, si elle ne s'accompagnait d'aucun espoir de rédemption, ne fût pire encore que ce cauchemar. Que pouvais-je faire sinon aller au bout de ma quête, dont je ne savais plus si c'était celle du *Necronomicon*, de moi-même, ou des origines du Mal ? Derleth paraissait continuer de lire dans mes pensées.

— Demain sera une nuit très spéciale.

— Quoi ? Halloween ? Ce n'est pas la saison.

J'avais répliqué avec un brin d'agressivité, mais ce sarcasme n'était qu'un vain antidote à mon effroi.

— Non, David. Pas Halloween.

Il laissa planer un instant le silence entre nous.

— Allons… vous allez comprendre. Vous allez découvrir la vérité. Vous l'avez bien mérité. Après tout, vous êtes entré dans le Jeu…

— Mais je ne l'ai jamais voulu !

— Que vous dites ! Mais quoi qu'il en soit, maintenant, il est trop tard. Tout a une fin. Grâce à moi, la révélation vous sera plus douce.

Il posa sa main sur mon épaule, baissant la tête, me prenant à part comme si nous étions de vieux complices. Son contact était froid comme la tombe.

— Car ce n'est pas du tout ce que vous imaginez, David. Il vous abuse, vous comprenez. Celui Derrière la Porte.

— Qui ? Qui est derrière la Porte ?

— Oubliez ce que vous avez appris, oubliez même ce que disait mon maître et ami. Je vous le répète, le contenu du véritable *Necronomicon* n'est pas ce que vous imaginez, monsieur Milaud. Je dirais même…

Il me regarda de son sourire dément.

— C'est encore *pire.*

J'entendis subitement tinter dans sa main un objet, ou une série d'objets qui venaient de faire apparition comme par miracle, et que je ne pus identifier avant qu'il ne me les glissât sous les yeux. C'était un trousseau de clés, de diverses formes et dimensions. Il le laissa se balancer doucement sous mon nez.

— 454, Angell Street, monsieur David-Arnold-Milaud, dit-il en détachant volontairement chaque syllabe.

— Je vous demande pardon ?

Il ouvrit ma main et y déposa le trousseau. Suspendues à un arceau en fer, les clés avaient quelque chose de médiéval, semblables à celles des prisons de Louis XI ou des contes gothiques. Puis Derleth ouvrit sa veste et me tendit un document recouvert de cuir souple.

— Tenez. J'ai autre chose pour vous.

— Comment ?

— Ceci est son testament. Le testament de H.P. Lovecraft.

Il fit mine de me saluer en ôtant un chapeau imaginaire.

— Une dernière chose. Allez donc faire un tour à la John Hay Library. Demandez à consulter les archives du journal local. Regardez tranquillement.

— Mais… Pourquoi ? Que suis-je censé y trouver ?

— Puis vous irez au 454, Angell Street, demain soir. Attendez la nuit. Et cherchez sa tombe.

— Sa tombe ? Au cimetière de… de Providence ?

— Non, David. Sa *vraie* tombe. C'est à l'intérieur que vous trouverez ce que vous cherchez.

— Vous voulez dire : le *Necronomicon ?*

— Je veux dire : *ce que vous cherchez.*

Il me fit un clin d'œil.

— 454, Angell Street. Demain, David. Demain, vous saurez. Préparez-vous.

L'instant d'après, l'exécuteur testamentaire s'évanouit dans l'ombre de la tour.

Demeuré seul, les yeux écarquillés, je regardai attentivement les clés et le prétendu testament. En fait de dernières volontés, ce document me laissa perplexe. Derleth devait se jouer de moi. Il s'agissait de plans, avec des extraits du cadastre de la ville, parsemé de cotations qui n'étaient pas moins étranges que les signes ésotériques auxquels la fréquentation de Cthulhu m'avait habitué. Et surtout, je trouvai, parmi ces différents plans urbains, ceux des *Souterrains et Egouts de la Ville de Providence*. L'intitulé avait été ajouté à la main et à la plume, d'une écriture désuète et alambiquée. Les plans eux-mêmes dataient de 1850. A l'emplacement du 454, Angell Street, figuraient un cercle et une croix. De là rayonnait un maillage enchevêtré de souterrains semés de rectangles noirs.

Je secouai la tête en soupirant, puis examinai les clés. Il y en avait quatre. Les deux premières, en fer, me semblaient assez ordinaires. Mais les deux autres étaient délirantes. L'une comportait cinq branches en forme d'étoile, aux encoches microscopiques. La seconde, assez lourde, évoquait davantage un instrument chirurgical qu'une clé. Un triangle isocèle, frappé sur chaque face d'un symbole cunéiforme, était prolongé d'une sorte de pommeau semblable à celui d'une épée courte ou d'une dague. Longue et affûtée, la clé se composait ensuite de deux tiges de métal pointues, de dimensions légèrement différentes. Je donnai une pichenette sur l'instrument, cherchant à déterminer la nature exacte du métal qui le composait. Il en résulta une vibration étrange, qui ne disparut qu'au bout de plusieurs secondes ; presque une *musique*, échappée de je ne sais quel espace-temps.

J'allais en rester là lorsque je m'aperçus de la présence d'un dernier document, tout aussi incompréhensible que les autres, griffonné de notes et d'équations complexes, qui me laissèrent pantois.

En topologie, le ruban de Möbius (appelé également bande, anneau ou ceinture de Möbius) est une surface fermée dont le bord se réduit à un cercle. Cette surface a été découverte simultanément et indépendamment en 1858 par les mathématiciens August Ferdinand Möbius (1790-1868) et Johann Benedict Listing (1808-1882). L'histoire retint le nom du premier, qui communiqua ses travaux à l'Académie des Sciences de Paris dans le cadre d'un mémoire célèbre.

Le ruban de Möbius n'a qu'une seule face : en partant de n'importe quel point du ruban, si on trace une ligne sans jamais lâcher le stylo, on se retrouve au point de départ à mi-chemin, mais de l'autre côté du ruban. On est pourtant toujours sur la même face ! Pour rejoindre le point de départ sur le « bon » côté, il suffit de continuer le tracé. Un ruban de

Möbius classique peut être engendré par un segment pivotant dont le centre décrit un cercle fixe. Un paramétrage correspondant est ·

$$\begin{cases} x = (2 + t\cos v)\cos 2v \\ y = (2 + t\cos v)\sin 2v \\ z = t\sin v \end{cases} \qquad \begin{matrix} -1 \leq t \leq 1 \\ 0 < v \leq \pi \end{matrix}$$

[…]

Pour le visualiser dans l'espace, il suffit de faire subir une torsion d'un demi-tour à une bande de papier, puis de coller les deux extrémités. Si l'on coupe le ruban en deux, en longueur, on obtient un anneau unique, vrillé, mais possédant deux faces et deux bords distincts. Si on le recoupe en longueur, on obtient deux anneaux distincts, vrillés et entortillés l'un sur l'autre.

A l'instar des Borromée et figures géométriques insolites ou « impossibles », le ruban de Möbius dispose d'une symbolique puissante qui a alimenté de nombreux logos – c'est le logo universel des matériaux recyclables depuis 1970 – et des œuvres artistiques ou philosophiques; dans 2010, Odyssée deux, *le comportement aberrant de l'ordinateur de bord HAL 9000 est caractérisé comme une « boucle de Hofstadter-Möbius ». Le ruban a aussi profondément marqué l'œuvre du graveur et dessinateur néerlandais Escher. Angoisse « qui tourne en boucle », représentation obsessionnelle d'un monde absurde et infini, où la conscience folle risque de se perdre à tout jamais? Le ruban a alimenté les débats philosophiques, et en particulier la pensée du psychanalyste Jacques Lacan. « Qu'est-ce qui fait qu'une image spéculaire est distincte de ce qu'elle représente? C'est que la droite devient la gauche et inversement. – Une surface à une seule face ne peut pas être retournée. – Ainsi une bande de Möbius, si vous en retournez une sur elle-même, elle sera toujours identique à elle-même. C'est ce que j'appelle n'avoir pas d'image spéculaire. »*

Que signifiait ce charabia?

J'avais pourtant le sentiment confus et inexplicable que les événements s'accéléraient – et que je courais au-devant de cette obscure révélation que j'appelais de mes vœux comme une libération, peut-être illusoire, autant que je la redoutais comme une fatalité.

Je me précipitai sur le campus de la Brown University, et à la John Hay Library, cœur prétendu de l'université de Miskatonic. Ici était censé reposer un exemplaire du *Necronomicon*. J'arrivai juste avant la fermeture. Le personnel, complice et habitué à la légende, fut d'une extrême prévenance. Pas de livre maudit ici en vérité, bien sûr, je le savais depuis longtemps ; mais dans les archives de la John Hay se trouvaient entreposés les principaux textes originaux de Lovecraft.

Le répertoire que je compulsai rapidement donnait le tournis. On y trouvait référencés tous les écrits et leur diffusion. Je pus voir un manuscrit autographe, à l'écriture tendue et serrée. Cette écriture, je l'avais déjà vue par le passé. Sèche, puissante, froide comme les limbes des Anciens – elle semblait avoir été dictée par Eux, depuis leurs refuges abyssaux et stellaires. Mais ce n'était pas pour cela que Derleth – ou qui que ce fût en réalité – m'avait envoyé ici. Il m'avait parlé du journal local. L'accès aux archives numériques était enfantin. Je les fis défiler, sans même savoir ce que je cherchais. Dès que je tapai « Lovecraft » dans l'index de recherche, comme je pouvais m'y attendre, des milliers d'informations apparurent. Je n'étais pas dans sa ville et sa bibliothèque pour rien ! J'entrai *Lovecraft* + *Necronomicon*. A nouveau, des tonnes de résultats. *Lovecraft* + *Cthulhu*, pareil, forcément. Puis je réfléchis… *Lovecraft* + *urne*. *Lovecraft* + *cendres*.

Je retins mon souffle. Un article venait de s'afficher.

PROFANATION DE LA SÉPULTURE D'UN PAPE DE LA LITTÉRATURE FANTASTIQUE

Trois étudiants ont été interpellés ce 19 mars, après avoir profané la sépulture de l'une de leurs « idoles », l'illustre écrivain H.P. Lovecraft, qui repose depuis sa mort le 19 mars 1937 au Swam Point Cemetary de Providence. Il semblerait que les étudiants aient non seulement déplacé la pierre tombale, mais ouvert le cercueil lui-même – pour « voir l'écrivain en face » en ce jour d'anniversaire de sa mort, selon l'expression pour le moins incroyable de l'un d'entre eux. Cela en dit long sur…

L'article datait du 20 mars 2006. On avait déjà vu ce genre de profanation idolâtre, au célèbre Père-Lachaise de Paris, par exemple, ou ailleurs… Mais ici, à Providence ! De nouveau mon cœur s'était accéléré. Etait-ce cela que Derleth voulait que je voie ? La date… La date de cette profanation correspondait-elle à la date ultime écrite sur le mur par Wade Jermyn ? Car une réflexion de mon père ne m'avait pas quitté, qui avait commencé de nous orienter vers Providence. *David, l'un des lieux m'a alerté…Providence. Sur le cliché, il est suivi d'une date que… Que je n'arrive pas à déchiffrer. Et c'est apparemment la dernière que Jermyn ait écrite.* J'avais emmené les clichés avec moi. En effet, la date ultime n'était pas claire. Ce chiffre… un 6 ? un 8 ? et là, un 0 ? Le 19 ou le 20.03.06 ? Je regardai de nouveau la photo… Ce *devait* être cela, et pourtant… non, enfin, ce n'était pas sûr. Peut-être. Mais de toute façon, quel rapport ?

Une heure plus tard, le cimetière était fermé mais, après un coup d'œil à droite puis à gauche, je décidai de passer par-dessus les grilles, dans le silence de la nuit de Providence. Je n'aurais pu, de toute façon, manquer ce pèlerinage.

Aussi me rendis-je sur la tombe de Lovecraft, à Swam point Cemetary.

J'avais imaginé un cimetière morne, envahi de ronces et de lierre sauvage. Je pénétrai dans un grand parc aéré, parsemé de nouveaux érables qui, aux premières lueurs du jour, s'animeraient de mille couleurs. Un plan me permit de repérer facilement la tombe du poète. Je me faufilai entre les ombres et les stèles funéraires. Je trouvai sans difficulté la sépulture et me plantai devant elle.

HOWARD PHILLIPS
LOVECRAFT
AUGUST 20 1890
MARCH 19 1937
I AM PROVIDENCE

Je me tenais debout, comme en recueillement, les mains jointes. J'étais là devant la tombe, moi, David Arnold Milaud, dans le cimetière sous la lune, dans un silence profond. Je contemplais la stèle grise et granuleuse, très sobre. Elle avait été financée par des inconditionnels, à l'occasion du centenaire de la naissance de Lovecraft. Certains de ses fans y revenaient régulièrement, et y laissaient des statuettes ou des figurines de jeux de rôles évoquant les Grands Anciens, semblables à celles que j'avais vues dans « l'atelier » de Spencer, sous la grange des Laurentides ! Cela me fit froid dans le dos. Les membres du Cercle de Cthulhu étaient-ils déjà passés ici avant moi ? Les profanateurs *en étaient-ils ?* Blasphème supplémentaire, ou, dans leur délire, preuve cohérente d'adoration ?

Je levai le nez, humant l'air qui circulait entre les tombes et les érables. Lovecraft dormait ici, entouré des siens. Il dormait comme le Léviathan, son Cthulhu de la cité engloutie de R'lyeh ; comme les puissances cosmiques tapies dans les profondeurs de son imagination fertile. Mais…

« N'est pas mort ce qui à jamais dort », n'est-ce pas ?

De nouveau, le sésame de son œuvre et les vers de Spencer dans *Melancholia ex Tenebris* m'assaillirent. Que se passe-t-il, là-dessous ? me demandai-je. As-tu trouvé Cthulhu et R'lyeh ? As-tu rencontré tes dieux impies ? As-tu retrouvé le sourire et oublié le sceau de ta détresse et de ta démence ? Toi, le pape et le prophète de l'ombre, as-tu enfin trouvé ta libération ? Ou bien… Ou bien…

— *Attendez la nuit. Et cherchez sa tombe.*
— *Sa tombe ? Au cimetière de… de Providence ?*
— *Non, David. Sa vraie tombe. C'est à l'intérieur que vous trouverez ce que vous cherchez.*

Je chancelai sous l'effet d'une nouvelle douleur à la tête. Je dus m'adosser à un arbre quelques instants.
Bon. Et alors ? Et alors, Bon Dieu ?

454, Angell Street. Demain, David. Demain, vous saurez.
Préparez-vous.

21

I Am Providence :
le Complot Des Étoiles

De retour à mon hôtel, après un dîner sur le pouce, je finis par m'allonger, la gorge sèche. J'étais épuisé, et pourtant le sommeil ne venait pas.

Je passai cette dernière nuit avant ma rencontre finale avec le Livre maudit dans un état de tension abominable. Je me retrouvai dans la salle de bains. Je doublai ma dose de cachets. Je finis par sombrer enfin vers quatre heures, dévasté par mes chimères. Peut-être aurais-je mieux fait de rester éveillé. Le cauchemar que j'eus alors fut plus terrible que n'importe quelle insomnie. Oui, aujourd'hui encore, alors que je suis confiné entre les murs de ma prison, l'asile d'Arkham, je me souviens de ces images. Non seulement elles ne m'ont pas quitté, mais elles me hantent au point qu'il me semble en être encore environné, cerné – elles n'ont, croyez-moi, pas cessé de m'étouffer. Sans doute, cette nuit-là, l'effet produit par la tombe de Providence, le souvenir du lieu impie cerné par le lac et les engoulevents près du chalet de Wade Jermyn, ainsi que les réminiscences des *Unaussprechlichen Kulten*, se mélangeaient-ils en moi, pour composer ce cauchemar qui défiait toute imagination.

Je commençai par assister à une sorte de sabbat frénétique, au milieu d'une clairière cernée de conifères et de flambeaux.

La ronde s'organisait autour d'un monolithe gravé de signes lapidaires, au cœur d'un village pétrifié, sous le silence des montagnes. En maîtresse de cérémonie, une femme vieille et nue dansait et se frottait le ventre contre une peau de bête étendue au sol. Elle riait et grimaçait, levant les bras vers la lune. Auprès d'elle se contorsionnaient des êtres issus d'une race bizarre et barbare, aux traits slaves et magyars peut-être, mais mélangés d'un sang venimeux et dégradé ; tout, dans leur comportement, était animal et grossier. Ils accompagnaient le sabbat d'une mélopée envoûtante, jetant les bras en l'air et agitant le torse en rythme. Les pieds vissés dans je ne sais quelle boue informe, j'étais incapable de bouger. Par ce jeu épouvantable de la conscience onirique, je savais que je rêvais, j'étais convaincu que la scène à laquelle j'assistais en cet instant, ce rite répugnant et obscène, *avait bien eu lieu*, et se renouvelait, peut-être, depuis le fond des âges. Dans mon sommeil, j'acquis la conviction qu'il s'agissait d'un rite échappé du Temps, et qui m'était dévoilé, à moi, sans doute parce que j'étais suffisamment avancé dans la lecture des ouvrages interdits – comme tous ces personnages égarés inventés par mes romanciers maudits. Pas de dieu-crapaud, ou de reptile hideux et incertain perché au sommet du monolithe, comme dans certaines nouvelles que j'avais lues ; mais la fumée jaune, ces vierges insensées qui se traînaient sur le sol, flagellées par l'assemblée, pluies de coups sur la chair sanglante et sarclée d'ombre, les tambours que l'on frappait en cadence, les bébés brandis vers le roulis des nuages avant d'être fracassés contre la pierre, le cercle grotesque et dansant, la vieille sodomisée par un bouc, les acrobates sauvages et bariolés, les barbares secouant les bras à contretemps au-dessus de leurs têtes, tous les Fantasmes de la Terre s'étaient donné rendez-vous ici, dans cette clairière ; et j'observais en spectateur ce rassemblement de ténèbres, celui de la Secte immémoriale et Sans Nom, celui du Cercle de Cthulhu.

J'étais le témoin du Mal, du Festival.

Puis le ciel s'ouvrit, le monolithe s'effaça dans la fumée jaune, et je vis la Porte : une Porte immense, verrouillée de mécanismes titanesques et ornée de symboles, qui luisait sous les éclipses et les astres noirs. Elle s'ouvrit à son tour, et je tremblai en découvrant les Sphères Extérieures, qui libéraient ses hordes. Je vis les sorcières et les goules, les vampires et les nécromanciens, les Devanciers et les Marcheurs, et toutes les abominations que l'imagination humaine avait pu concevoir. La Porte vomissait ses envoyés, ils se déversaient sur toute la surface de la Terre, avant-garde des Anciens, prête à prendre possession des vivants !

Puis je Le vis. Ou bien, je La vis. L'Entité. La Chose, l'Etre, Celui Que l'On ne Pouvait Nommer, Celui Derrière La Porte. Etait-il l'un d'Eux ? Le véritable Maître du Jeu ? Je ne le sais. J'entendis Sa voix, je perçus Son souffle. Dans ce rêve, je marchais dans plusieurs dimensions, j'arpentais le cosmos au milieu des constellations, dans des tourbillons de matières, de gaz et d'étoiles en formation ; je plongeais dans les espaces infinis et éternels, interdit devant l'immensité froide ; je croisais des cités d'un autre âge, et entrevis des symboles qui n'appartenaient pas à la Terre ; des pyramides noires et grises, des frises et des fresques narrant l'odyssée de la Vie comme un carnage. Et enfin, tout au bout, derrière

La Porte, *Lui.* Mais comment dire ? A mon réveil, je sus que je L'avais vu, que j'avais senti Sa Présence ; pourtant, je ne parvenais pas à me souvenir de Son apparence exacte. Les traits de Son visage me fuyaient, j'avais gardé *l'impression* qu'Il se tenait en posture assise, derrière ce qui ressemblait à… un autel. Pour le reste, Il avait dans mon esprit l'apparence d'un trou noir. Sa présence était un trou noir… une singularité au-delà de l'horizon des événements. Mais Il était bien là ! Et soudain, dans une langue cette fois parfaitement compréhensible, j'entendis Sa Voix, une voix sourde, tonnante et terrible, qui me disait : *Prosterne-toi ou meurs !* Etait-ce l'un des Grands Anciens ? L'un de ces monstres qui avaient régi la Terre, avant même la préhistoire, et qui attendaient le moment propice, la voie invoquée, pour revenir dominer le monde ? L'une de ces abominations dont on trouvait encore les restes du culte dans les tribus reculées, chez les provinciaux consanguins, ou chez d'apparents bourgeois tranquilles versés dans l'ésotérisme et la sorcellerie ? Le solstice, la Conjonction approchait, le…

Non, non, non…

Je me redressai, blême et dégoulinant de sueur.

Dans quel delirium t'es-tu perdu ?

Mes draps étaient trempés.

Auprès de moi, la clé d'outre-monde luisait.

Ainsi me retrouvai-je dans la salle de bains, haletant, cherchant un moyen de m'ancrer de nouveau dans le réel. Le monde se dérobait sous mes pieds. J'étais encore trop plein de mes visions, dont il ne restait pourtant dans ma mémoire que les ombres portées, des réminiscences plus que des images, des sensations plus que des faits. Cela suffisait à me remplir d'effroi. C'était comme si je m'apprêtais à mourir, d'une mort imminente. Avais-je eu des visions du passé, ou de l'avenir ? Mon cœur battait la chamade. Ma tête me faisait souffrir le martyre. Je savais que je ne pourrais plus supporter longtemps l'horreur de ma situation.

La clé... Je me retournai vers la table de nuit, où se trouvait le trousseau de Derleth et le soi-disant testament de Lovecraft, ces plans du 454, Angell Street. Derleth, le gardien... Je revins au miroir. Je restai encore longtemps immobile, livide, devant la glace de cette petite salle de bains, dans l'hôtel de Providence. *Les clés... Les clés de quoi ?* Dans un effort inouï de rationalisation, j'essayai de retrouver la logique et la compréhension qui me fuyaient. Je tentai de nouveau de m'accrocher au versant rationnel des événements. Je m'imaginai une fois de plus le centre d'un jeu de rôles métaphysique et sans mobile, la proie d'une partie du *Cercle de Cthulhu*... La cible de la Secte Sans Nom, cette assemblée virtuelle, tissée sur tout le territoire, ou dans le monde entier, répandant le mal à tout prix...

Je retournai dans la chambre et allumai le téléviseur, mettant le volume assez bas mais suffisamment pour l'entendre. Le grésillement familier me rassura un peu. Un programme scientifique abscons se déroulait au milieu de la nuit. Un quinquagénaire moustachu expliquait l'une des théories astrophysiques qui faisaient florès depuis quelque temps ; je n'en saisissais que des bribes. « Connaissez-vous la théorie des *p-branes* et des supercordes ? L'univers est composé de cordes vibrantes... Il y a des mondes parallèles, des dimensions parallèles... Peut-être, dans ces mondes, existe-t-il d'autres vous-mêmes, d'autres inversés, le même mais différent, ce que vous êtes, ce que vous auriez été si vous aviez été différent, ce que vous serez, ou seriez, *si*... Selon les multiples potentialités du devenir, l'inflexion infinie des possibles... Une autre dimension pour une autre vérité... Derrière la *PORTE!* »

Mon regard se braqua vers le téléviseur. Avait-il vraiment dit : *Derrière la Porte?* Le geste rageur, je pris la télécommande et éteignis le poste. Le scientifique semblait maintenant me regarder d'un air narquois. Il disparut.

Un voisin frappa contre le mur; je sursautai.

Puis je revins dans la salle de bains et me servis un verre d'eau. Les supercordes! Cthulhu caché dans un monde alternatif, avec sa cohorte de titans monstrueux? Et tous ces événements impossibles? Ma tumeur, toujours? J'étais malade, drogué. Peut-être étais-je schizophrène, comme l'avait envisagé mon père, et usais-je d'une raison en marge de la raison – la raison de ma folie? Etais-je vraiment, définitivement perdu, moi aussi, sur l'autoroute de la pensée? Pendant que les membres du Cercle, dont « Derleth », tenaient leur rôle pour me faire craquer – des comédiens, des joueurs complices d'une énorme farce, comme celle d'Orson Welles faisant frémir l'Amérique, lorsqu'il avait raconté à la radio l'invasion des Extraterrestres? Le journal de Derleth, daté de 1937? Le fabriquer était enfantin. Pris isolément, chaque élément pouvait encore trouver sa justification.

Ils sont forts. Très forts.

Dans un coin de la chambre gisait un autre numéro du journal de Providence – daté du jour, celui-là. Je l'avais trouvé glissé sous ma porte.

Vingt-huit morts à la suite d'un attentat à la bombe en Irak.

Fin du cessez-le-feu dans la bande de Gaza.

La répression s'accentue au Tibet.

Découverte de huit cadavres de bébés dans la cave d'une mère de famille.

Le raz de marée emporte six mille personnes.

Oui! un virus. Le Mal, ce virus continuait de se répandre dans le monde. Avec ou sans le *Necronomicon*, il y avait bien… une Présence. Et si le cauchemar que je venais de faire n'était que la manifestation inconsciente de ce constat? Un virus… Un sale virus… Comme celui que véhiculait le *Necronomicon* lui-même, ces pages maudites sans doute mises en ligne – peut-être était-il à l'origine de tout cela, du mal du monde comme de ma tumeur intérieure? Et moi j'étais au seuil de l'abîme, tel ce personnage effaré du *Cri*, ce fameux tableau de Munch – moi qui sans le vouloir, peut-être même sans m'en rendre compte, avais un instant, un bref instant, eu le malheur de jeter un œil sur lui, ce livre porteur d'un virus numérique au prolongement neurologique. Le livre propagateur de l'hécatombe. Oui, il y avait bien un lien entre tout cela. Mon continuum. Le réel, le virtuel; l'intérieur, l'extérieur; moi et le monde; ce monde et moi; nos tumeurs confondues.

De nouveau, d'insidieuses pensées se glissaient en moi.

Ou bien cette multiplication des phénomènes étranges et des violences avait ce sens auquel je me refusais encore à croire. La profusion des signes annonçant le retour. Tout le XXe siècle avait débordé d'horreurs. *N'est pas mort ce qui à jamais dort.* La Secte Sans Nom pouvait bien exister. Peut-être ne s'agissait-il, non pas d'un jeu, mais d'une véritable préparation. L'armée se préparait, dans les moissons du ciel et les profondeurs de la Terre. Alors, comme l'avaient dit Lovecraft et ses prophètes malgré eux, on ouvrirait les

Portes des grandes Cités, et dans les forêts on dessinerait les pentagrammes. Tout, à sa manière, reprenait sens. Le *Bardo Thödol*, le *Livre des Morts* égyptien et ses momies, le secret des Pyramides, des lieux mystiques et hantés, Pi et le Nombre d'or, l'occultisme et les hérésies, l'hermétisme des bâtisseurs de cathédrales et des maçons, le symbolisme et l'alchimie, les recherches de lumières cachées, la gnose, les Mystères d'Eleusis et de Pythagore, les théorèmes insolubles, les paradoxes de la géométrie non-euclidienne et le Big Bang, Stonehenge et les druides, *tout* depuis que l'homme est homme, témoignait de la recherche de cette vérité alternative, et de l'existence de cette Vérité elle-même, celle de la conspiration universelle. Le retour des Anciens, préparé par Le Cercle ! Et j'étais le seul à savoir !

Il fallait les arrêter ! Les arrêter à tout prix !

Je me raccrochai à l'évier, vacillant et doutant de tout, effaré de ma propre fièvre, de mon propre délire. J'en étais là lorsque je me souvins avec horreur que je n'avais rappelé ni mon père ni ma femme, depuis la veille. Ma famille ! Papa avait-il des éléments nouveaux ? Il devait être cinq heures du matin. Quelle importance ! J'avais, tout ce temps, éteint mon portable. Quinze appels en absence. Tous venaient d'Anne-Lise et de mon père. Je ne pris pas le temps d'écouter les messages. Ce fut Anne-Lise qui décrocha, presque aussitôt.

— *DAVID !* Mon Dieu ! Enfin c'est toi ! Mais qu'est-ce que tu fais ?

Elle sanglotait.

— David, j'en étais à prévenir la police. Tu devais rentrer, David. Ton père…

— Passe-le-moi, Anne-Lise, c'est extrêmement important !

— Tu ne comprends pas, David. Ton père… *il est mort.*

Je restai sans voix, la main sur le portable grésillant.

— Q… Quoi ?

Elle sanglota de plus belle.

— Je l'ai trouvé dans son bureau… Il avait la tête… plongée dans ses livres. Ils ont trouvé une sorte… d'urne étrange, ils disent qu'ils n'ont jamais vu ça. Il a eu une crise cardiaque. On a trouvé des *traces… bizarres* autour de lui… sur le sol. David, il faut revenir.

— Oui, je vais revenir. Demain.

— Comment ça, demain ? Mais où es-tu ?

— A Providence, dans le Rhode Island. Je t'expliquerai. Ecoute-moi bien. Va chez ta mère. Tu m'entends ? Dans leur maison, à Shannon.

— Mais tu plaisantes ! Il y a… l'enterrement, les funérailles ! David ! C'est ton père ! Tu es son fils !

— *VA A SHANNON !*

Une crise cardiaque ?

Tu parles.

Ils l'ont tué.

J'avalai ma salive avec difficulté.

Parce qu'il était proche de la vérité. Comme moi.

La Secte Sans Nom. Ou… le Maître Lui-Même.

— C'est un complot, Anne-Lise. Un complot… cosmique, oui ! Cosmique ! Fais ce que je te dis, laisse tout derrière toi ! *Je te retrouve à Shannon !*

Je raccrochai après cinq minutes de négociations et de hurlements.

Je passai la journée suivante dans un état d'hébétude amorphe. Lorsque je me décidai à sortir, à la tombée du jour, pour me rendre au 454, Angell Street, l'illumination me vint. Le solstice. L'un des journaux d'un kiosque, qui fermait, acheva de me convaincre. Je ne lus que ces mots :

ALIGNEMENT DE TROIS PLANÈTES.
UN ÉVÉNEMENT POUR LES ASTRONOMES.

Je ris, d'un rire de fou. Je comprenais à présent pourquoi Derleth m'en avait parlé comme d'une « nuit importante ». Aujourd'hui était une sorte de solstice inversé, et il me semblait soudain que sur toute la surface du monde, c'étaient bien les Anciens que l'on avait adorés et que l'on adorait encore. Fallait-il y voir une sorte de *Walpurgisnachtstraum*, ce Songe de la Nuit de Walpurgis fêté sur le massif immémorial du Harz en Allemagne Centrale, couronnant la fin de l'hiver, la plantation de l'Arbre de mai et l'embrasement des feux nouveaux, en souvenir de sainte Walpurgis, ou Walburge, abbesse de Heidenheim ? Une Nuit des Sorcières, échappée de toutes ces traditions folkloriques enfantées par les âges ? Je croyais entrevoir, comme cette nuit, à l'ouverture de la porte des cauchemars, ma propre ronde des créatures de ténèbres, perpétrée de manière blasphématoire et scandaleuse dans la clairière de mes fantasmes, et figurant littéralement le Cercle maudit dont j'avais commencé de pénétrer les arcanes depuis ma rencontre avec Spencer Willett – le vaste et vénéneux *Cercle de Cthulhu*. Ces anciennes traditions, y compris celles de Nouvelle-Angleterre qui avaient tant fasciné Lovecraft, *avaient-elles une source cachée ? Unique ?*

Cthulhu.

Alignement de trois planètes. Un événement pour les astronomes.

La Conjonction favorable..

Non. C'est de la folie. De la démence. C'est impossible.

Le soleil dardait ses derniers feux lorsque je me plantai, avec mes cartes et mes clés, devant le 454 Angell Street. Derleth n'avait pas eu besoin de me prévenir : c'était la maison du grand-père paternel de Lovecraft, où HPL lui-même était né. La genèse, en quelque sorte. Les Lovecraft y avaient vécu jusqu'à la mort de l'aïeul, en 1904. Je me trouvais en face de cette maison, sans chercher d'explication, mais habité d'une question bien embarrassante. N'avais-je pas lu quelque part que cette maison avait été détruite en 1961 ? Ou ma mémoire me faisait-elle défaut? Pourtant... elle était là, devant moi, entourée de sa grille et de ses arbres plantés de part et d'autre des haies. Une volée de marches conduisait à la véranda. Je lorgnai les trois fenêtres du rez-de-chaussée, les trois autres de l'étage, la toiture et les stries horizontales et rectilignes qui semblaient devoir faire grincer et hululer à chaque instant la vieille bâtisse de Nouvelle-Angleterre.

La vaste demeure était rendue plus inquiétante par l'approche de la nuit. Selon le style colonial usuel à Providence, elle était pourvue d'une grande cheminée centrale, d'un toit pointu et d'une entrée sculptée avec une imposte en éventail, ainsi que du caractéristique fronton triangulaire, que soutenaient des colonnes doriques. Après son départ de cette résidence géorgienne confortable, Lovecraft avait continué à vivre à côté, au 598, de 1904 jusqu'à son installation à NewYork en 1924. Il avait longtemps rêvé de récupérer la bâtisse de son grand-père et de la restaurer. Sa vraie maison avait toujours été celle-là.

Je poussai les grilles sans difficulté et entrai dans le jardinet.

Un chat se dressa à mon arrivée.

La maison m'attendait dans le soir.

Et la nuit où je devais affronter le Livre commença.

22

Le Miroir dans la bibliothèque

La première clé me permit d'ouvrir la porte d'entrée.

Lorsque j'eus pénétré à l'intérieur, je fus aussitôt frappé par l'odeur qui régnait dans le hall – ou, devrais-je dire, l'absence d'odeur. Je m'attendais à respirer des effluves de moisi et de renfermé, à passer le doigt sur des meubles envahis de poussière. Il n'en fut rien. La maison semblait propre et bien tenue, comme si ses occupants l'avaient quittée quelques minutes à peine avant mon arrivée. Et, comme si je l'avais moi-même habitée, et qu'elle me fût familière – ce qu'elle m'était d'ailleurs, curieusement – je laissai mon veston sur une patère de l'entrée, auprès d'un buffet de marbre. C'était donc sous ce toit que Lovecraft avait passé son enfance, élevé par une amie de sa mère, la poétesse Louise Imogen Guiney. Je cheminai dans la maison déserte, encore hantée de sa présence. La première pièce dans laquelle je me rendis fut la bibliothèque. La vieille et imposante bibliothèque du grand-père de Lovecraft.

Je restai un instant sur le seuil.

Elle était monumentale, ses rayons de bois déroulant une quantité infinie de livres, habitée de mystère. Les livres, toujours les livres.

Trouverais-je ici le *Necronomicon* ? Ou les autres du même genre ?

La bibliothèque abritait l'ensemble du théâtre de Shakespeare, dans lequel, enfant puis adolescent solitaire, Lovecraft s'était plongé. Une profusion de contes fantastiques et d'histoires d'horreur. Un refuge pour le jeune garçon, dont il rendrait plus tard témoignage dans *Démons et Merveilles*, car c'était aussi durant ces tristes années qu'il avait été confronté à la folie, l'internement en hôpital psychiatrique, puis la parésie et la mort de son père. Ici était née son incompréhension, la reconnaissance tragique de son impuissance face à la démence, qui allait engager le reste de son œuvre. A l'ombre de ces rayonnages, il avait dû écrire *The Beast in the Cave*, qui ne serait publié que treize ans plus tard. En 1923, il fréquenterait le Kalem Club de New York, cercle d'amateurs de fantastique qui me rappelait le *Cercle de Cthulhu* ; et il ferait paraître son premier récit dans *Weird Tales, Dagon*, en octobre 1923. Mais tout était déjà là, en germe, sous mes yeux. Je vis aussi un manuscrit poussiéreux intitulé *Le Piège de Dante*, que je jetai au loin après avoir regardé sa couverture en fronçant les sourcils. Sur les rayons figuraient encore des précis d'astronomie, des ouvrages consacrés aux civilisations anciennes, des livres d'art. Pas de *Necronomicon* ; c'eût été trop facile.

Je jouai machinalement avec les clés que j'avais gardées en main. Il m'en restait trois. Il s'agissait simplement de découvrir ce qu'elles ouvraient, l'une après l'autre. Je visitai un salon, une salle à manger, une cuisine, un débarras. Revenu dans le hall, je posai la main sur l'imposant escalier en bois. Mon regard fut attiré par les portraits d'ancêtres accrochés au mur. Leurs noms, lorsqu'ils étaient mentionnés, m'étaient inconnus. Ils semblaient représenter des armateurs et des marchands de Providence; sans doute de ces familles d'esclavagistes qui, pendant un temps, avaient fait de la ville l'une des capitales du commerce négrier. Je devinais, au fond de leurs pupilles, quelque chose de glaçant – mais aussi, comme un éclair de vie, qui me rappela confusément l'horreur que j'avais éprouvée en découvrant les dessins et les peintures des créatures de Spencer, sous la grange. Etaient-ils vivants, eux aussi ? S'animaient-ils parfois, au hasard des ombres de la nuit ? Ils donnaient, en tout cas, toute l'apparence de la dignité, ces notables à canne et haut-de-forme. Froids, fous et dignes. S'agissait-il ou non d'ancêtres de Lovecraft ? J'étais incapable de le dire.

A l'étage, je trouvai facilement la chambre où le petit Howard Phillips avait dû jeter ses premiers mots sur le papier, lorsqu'il ne se réfugiait pas dans la bibliothèque. Je comptai plusieurs pièces de ce genre, ainsi que deux cabinets de toilette. Mais cette chambre attira aussitôt mon attention. J'observai le lit aux draps froids, le pupitre d'écolier face à la fenêtre. J'imaginai de nouveau Lovecraft à six ans, écrivant ses premiers poèmes d'influence grecque et latine, et sa première nouvelle, *The Little Glass Bottle*. Je m'arrêtai quelques instants pour regarder au-dehors. Je m'aperçus que, par un tour extraordinaire, la rue avait conservé toute sa modernité, que voitures et badauds y passaient; alors peut-être n'étais-je pas, comme j'en avais pourtant l'impression profonde en cet instant, égaré dans une maison impossible, hors du temps ? A moins qu'une fois encore... les deux mondes ne coexistent ? La chambre dominait le carré de jardin. A l'horizon, je devinais les pentes violettes des collines lointaines, des toits et des clochers. Au crépuscule, l'enfant perturbé avait dû contempler rêveusement ces paysages à la fois attirants et sinistres. Les tours sombres de Memorial Hall. Le beffroi du palais de justice. Au loin, le linceul de la nuit tombante.

Je levai les yeux vers le ciel.

Alignement de trois planètes. Un événement pour les astronomes.

Mais ce fut autre chose, sur le pupitre près de la fenêtre, qui mobilisa bientôt toute ma concentration. Un appareil enregistreur, comme on n'en faisait plus depuis des lustres. Je me demandai même si j'en avais jamais vu de semblable. Il était composé de deux bandes magnétiques, d'un clavier en bois évoquant les premiers télégraphes, et d'une sorte de cornet acoustique ridicule. Je ne pus m'empêcher de tourner le premier bouton. Les bandes se mirent en marche. Une voix lugubre se fit entendre. La bande ne se déroulait pas à la bonne vitesse. Une mollette servait de régulateur. La voix s'accéléra, se fit stridente, puis plusieurs inflexions semblèrent se mêler. De l'engin s'éleva un terrifiant chorus de suppliciés. Je frissonnai. Une autre voix, neutre et froide, se dégagea peu à peu. La bande était abîmée; de nouveau, la voix se fit trop rapide ou trop sourde, si bien que je n'en perçus que des bribes. « Les fluides… Tout dépend des fluides utilisés… Il faut parler à Ceux… Pour invoquer les Créatures engendrées dans les Sphères extérieures, et qui frappent à la Porte… les Noms et les Sons de ce lieu que les mortels nomment l'Enfer… Mais qui est le piège, un autre piège… Ce sera le prix si l'on veut Le faire revenir… »

Et cette chorale de suppliciés.

Je ne supportai pas très longtemps cette expérience. Je redescendis et m'arrêtai de nouveau dans la bibliothèque, continuant de m'interroger sur les trois autres clés dont j'ignorais l'usage. Je m'arrêtai soudain face au miroir. Un homme – moi, bien sûr – se tenait dans le reflet. Mais j'eus l'impression indéfinissable que quelqu'un d'autre me regardait… *de l'autre côté.* Surtout, dans ce reflet, derrière moi, au fond de la pièce, une porte était ouverte. Je ne bougeai pas, convaincu de ne pas avoir repéré cette porte auparavant. J'avais fait le tour de la pièce, certes absorbé par les livres, mais je ne *pouvais pas* l'avoir ratée. Pourtant elle se trouvait là, béante.

Je restai pétrifié de longues secondes.

Et devant ce miroir, je me remémorai soudain mes lectures d'un autre inventeur de livres impossibles : Borges, l'Argentin passionné de la mythologie et des langues nordiques. J'avais été saisi par la puissance visionnaire de ses ontologies fantastiques, de ses étymologies transversales, ses généalogies synchroniques, ses géométries imaginaires, ses thrillers théologiques et autres souvenirs inventés. Autant de mises en abyme qui offraient à ses lecteurs de pénétrer dans une autre dimension – miroir infini où se jouait le fil de nos représentations, comme autant de poupées russes. Ses récits enchâssés invitaient à découvrir l'envers de la réalité ordinaire. Je me souvins, surtout, de sa peur des miroirs. Il craignait leur apparition en rêve; éveillé, il les surveillait avec inquiétude. Cette terreur du reflet déformé hantait son œuvre. Il était aussi intimement lié au sentiment procuré à la fois par la lecture et par l'écriture. A l'image de la relation entre la créature et son créateur, l'œuvre et l'auteur – et en définitive, de la création pure : une porte ouverte sur une autre réalité, à la fois présente et absente, réelle et virtuelle. Je me souvins aussi, dans un autre genre, de la définition que Stephen King avait donnée de l'écriture –

l'une des plus simples, et pourtant, à mes yeux, l'une des meilleures.

Qu'est-ce que l'écriture ?

De la télépathie, bien sûr…

Je plantai mon regard inquiet dans celui de l'autre – *l'autre* qui me regardait fixement. Et brusquement, devant ce miroir, j'éprouvai de nouveau, de manière intime, profonde, ce qui devait se passer à la lecture du *Necronomicon* et des différents Livres maudits. Ce virus mental, désormais à la portée du monde, de la page au simple *clic*, ce virus qui, jailli des noires profondeurs de nos anciennes bibliothèques, pouvait sans doute user désormais des technologies les plus modernes pour se répandre ; surfer sur les agrégats de signes invisibles, ces reflets de nous-mêmes, de notre conscience. Une fois la souche déposée, elle incubait, jusqu'à consumer l'esprit, et la dévorer, cette conscience – jusqu'à la contaminer de l'intérieur. Ces livres tuaient par *télépathie* parce qu'ils étaient les réceptacles, les récipiendaires de la folie d'un autre. La boîte où était enfermée la Démence. Grimoire magique griffé de stances poétiques et versifié par le démon, le *Necronomicon* pouvait bien être relié de peau humaine, écrit en braille ou en lettres de sang, ou même, comme je l'avais imaginé, *téléchargeable* sous forme de signes numériques et immatériels – mais peut-être n'était-il… *rien de cela*. Pourquoi pas autre chose, de plus improbable encore ? Et si ces diverses façons de décrire le *Necronomicon*, et les autres livres – peau humaine, sang séché, langues et dessins inconnus, signes au-delà du réel, ce *continuum* – n'étaient elles-mêmes que des métaphores masquant un secret pire encore que toutes nos représentations, des plus conventionnelles aux plus modernes ?

Par cette télépathie, « jeu » en ligne ou effort de lecture, chacun se faisait ses propres représentations du *Necronomicon.* Chacun pouvait, en quelque sorte, s'écrire *son* livre. Un livre interactif… Existait-il autant de *Necronomicon* que de lecteurs potentiels – *un Livre maudit, réel ou virtuel, pour chaque être capable de le déchiffrer ?* De même que la contamination n'était pas forcément immédiate, mais dégénérescente, ainsi que la maladie dans mon pauvre crâne, cette tumeur, qui, très certainement, en était le prolongement, l'excroissance, et qui finirait par avoir raison de moi. Il dégoupillait brutalement une sorte de grenade psychique, incubait tranquillement et propageait son effet dévastateur. S'il était capable de causer des dommages nerveux, et de renvoyer la domination de l'homme sur Terre à une illusion transitoire, c'était l'accès à cette vérité qui accomplissait son œuvre foudroyante. En définitive, la connaissance elle-même devenait l'ennemie, du moins… la Connaissance des égarements ésotériques, ou de la raison sans âme, l'homme piégé dans un univers froid et anonyme, dominé par la matière, dupé par son anthropocentrisme mesquin – mais peut-être salutaire, en définitive, car son ignorance le protégeait de vérités insoutenables, celles d'une gnose impie, située au-delà même de son contenant, quel qu'il fût – du livre à la pensée. De la pensée à la pensée. Reflets. Miroirs et mise en abyme.

Télépathie.

Je me retournai lentement. Je ne pouvais plus reculer. Quoi qu'il se passe, et s'il restait un salut à mon âme, il passerait par cet affrontement. Je savais qu'il ne pouvait en être autrement. La porte était là. Je marchai jusqu'à elle. Un escalier plongeait dans les profondeurs, derrière les boiseries de la bibliothèque.

Je descendis dans la tumeur.

23

Dans la Tumeur

L'obscurité était quasi totale. Au bout de quelques secondes, je me retrouvai dans une cave humide, au sol de terre battue. La gorge nouée, je tâtonnai à la recherche d'une lampe ou d'un interrupteur, butant contre des rondins entreposés près d'une chaudière morne et ventrue. Celle-ci était encore grosse d'un charbon recouvert de poussière. Je dénichai tout près une boîte d'allumettes. Je m'en saisis avec espoir. Il n'en restait plus que quatre ou cinq – dont trois usagées. La présence, non loin, d'un bidon d'huile me rassura. Je souris. Je n'eus pas de mal à trouver un morceau de bois parmi la profusion des rondins, ainsi qu'un chiffon couvert de suie, qui reposait à côté d'une trousse à outils. Quelques instants plus tard, je dressais une torche au-dessus de moi.

Je continuai mon inspection. Je saisis les plans fournis par le prétendu Derleth, que j'avais glissés à ma ceinture. *Plan des Souterrains et Egouts de Providence*… Ce réseau invraisemblable… Le point de départ était-il ici ? Je songeai également à ce document absurde évoquant le ruban de Möbius, dont la signification m'échappait. Je poussai un juron, puis furetai encore quelques minutes, sans rien trouver d'intéressant. Relié à un évier de céramique, un tuyau traînait, flasque et froid, dans la poussière. Alors que je m'en approchais, je ne pus retenir un cri. De nouveau, le souvenir de la grange de Spencer Willett me brûla la mémoire. Dans cet évier se trouvaient d'abondantes traces de sang frais, mêlées à des éclats de chair racornie. Je restai un instant à les observer, n'osant en vérifier ni l'étendue ni la consistance. Je vis aussi des instruments chirurgicaux qui me causèrent un haut-le-cœur. Ils voisinaient avec ce que je pris d'abord pour des petits osselets, semblables à ceux que jetaient les vieilles sorcières pour consulter les oracles. Puis je m'aperçus qu'il s'agissait d'ossements et non d'osselets; ils ne me semblaient pas ceux d'un animal, et pourtant ils étaient trop petits pour être ceux d'un adulte.

Lorsque l'image passa dans ma tête, elle déclencha une nouvelle bombe.

Je me détournai puis me cassai en deux pour vomir.

Un peu plus loin, je trouvai une sorte de vieux ballot. Je m'en approchai, en tremblant. J'eus la surprise de découvrir, abandonnées là, une série de lettres aux enveloppes jaunies par le temps. Toutes étaient adressées à la même personne : *H.P. Lovecraft.* Je les attrapai fébrilement. On les avait visiblement mises au rebut – sans pour autant les détruire. Je les compulsai les unes après les autres. La plupart étaient souillées, illisibles; toutefois, les bribes que je parvins à déchiffrer ici et là me causèrent un malaise insoutenable.

Je comprends les efforts désespérés que vous avez faits pour cacher à l'humanité votre découverte; qu'elle ait pris les chemins de métaphores fantastiques, tout comme chez vos confrères inventeurs de livres maudits, n'enlève rien à l'indicible terreur dont vous avez perçu l'origine.

Je ne sais que trop, Monsieur Lovecraft, le mal que vous vous êtes donné pour expliquer que le Necronomicon n'existait pas ; qu'il était le seul produit de votre imagination, et que les Anciens étaient comme des émanations de vos rêves et de vos cauchemars. Je sais que vous avez été surpris de savoir que certains chercheurs s'étaient mis en tête de retrouver votre recueil d'affabulations, et que vous-même avez appris avec un certain effroi la postérité dont vous avez accouché.

… Que vous avez menti ou, à tout le moins, que vous n'avez pas dit toute la vérité, de cette vérité que vous avez découverte DERRIÈRE la légende et les mythes littéraires que vous avez créés, en particulier celui du Necronomicon qui désormais POSSÈDE certaines personnes, dans tous les sens du terme… Mais dans ce cas, il ne fallait pas lever le voile, il ne fallait pas L'invoquer ni en parler DU TOUT, Monsieur Lovecraft.

Je vous parle du Livre Commun à Tous Les Livres, et qui est pourtant Chaque Fois Différent, dont le Créateur est à la fois le Connu et l'Inconnu ; je vous parle du Livre qui Précède Tous les Autres ; vous savez, Monsieur Lovecraft, que ce Livre suprême existe ; qu'il précède et contient même le Necronomicon, les facéties du Livre d'Eibon, du Culte des Goules ou du Nain en Jaune ! Qu'il les passe et les résume ! Vous savez qu'il est la Racine des Racines, le Nombre d'or, la Somme de Toutes les Peurs, l'Ancêtre de Tous les Livres ; le Narcisse véritable !… Et vous savez De Qui je parle ! Arandul ! Arandul Addelnae ! Celui qui rend véritables les fantasmes, les pires cauchemars et les abominations, celui qui les contrôle et leur fait franchir la Porte, parce qu'il est imagination et folie pures, parce qu'il est plus réel que la Réalité !

… Pour chacun d'entre nous, même s'il ne se nomme pas ainsi, et qu'il est partagé par l'humanité entière… Autrement dit, que votre création n'est que le reflet d'une vérité plus horrible encore, et que vos Anciens sont à l'image de Qui Vous Savez, Celui Qui est Derrière la Porte, de ce que vous êtes vous-même, et des Autres, tous les Autres vos semblables !

… Je gage d'ailleurs que ces bandes magnétiques où sont enregistrés les cris des suppliciés et prisonniers À CAUSE DE VOUS vous feront changer d'avis.

… Peut-être est-ce votre Necronomicon ; à moins qu'il n'en soit qu'une émanation ou des fragments, ou encore l'origine cachée, parce qu'Il est le Vôtre, Il est le Mien, il est le Chacun et le Nous Tous ; et vous savez aussi que Livre ultime et atroce a un Nom ! Et que ce Nom est…

… Et le Nom, évidemment, était illisible.

Mais Bon Dieu, allait-on m'expliquer le sens de cet invraisemblable fatras ? Y en avait-il seulement un, ou n'était-ce qu'une suite d'élucubrations hallucinatoires, sans queue ni tête ? Je savais pourtant – je savais que je progressais vers… *quelque chose.* Je jetai loin de moi ces lettres incompréhensibles – ou plutôt, que je craignais de comprendre bientôt, dans leur définitive horreur. Mais je ne pouvais m'arrêter si près du but. Tournant en rond, j'examinai le sol. *Plan des Souterrains et Egouts de Providence*… D'accord, mais comment y accéder ? Je considérai de nouveau la cave autour de moi. Puis, saisissant un autre rondin, je cognai à terre de façon répétée. Ici, là, plus loin… Je jetai bientôt un cri de victoire. A un certain endroit, sur un carré d'un mètre de côté, la surface sonnait creux. Je m'agenouillai et évacuai la terre battue. Je distinguai peu à peu un trait, un signe, un autre trait… Je ne pus retenir une exclamation de stupeur. A mes pieds, un pentagramme apparaissait. S'y trouvaient des noms d'éléments chimiques, de planètes telles que Mercure, Vénus, Mars, ainsi que des symboles dont le sens m'échappait. Je les avais pourtant déjà croisés – sur les pages du Journal de Spencer, sur le lieu de culte derrière la maison de Wade Jermyn, sur le bas-relief. En particulier – l'Oméga barré de ses deux traits, au centre du pentagramme. Comme cachée au milieu des symboles, se trouvait une serrure. Je cherchai fébrilement la seconde clé. J'eus quelque difficulté à la faire fonctionner. Dans un cliquetis, suivi d'un long grincement, une trappe, jusqu'alors invisible à l'œil nu, s'ouvrit en bâillant.

Une échelle aux barreaux de métal descendait vers de nouvelles profondeurs.

Une bouffée nauséabonde monta à mes narines ; je détournai la tête. Cela ne me rappelait que trop ce que j'avais déjà entrevu sous la grange des Laurentides.

Quelles abominations pouvaient encore se trouver en deçà ?

Je dus surmonter ma répugnance pour respirer le moins possible l'air vicié qui s'échappait de cette fosse ; j'en vins à mettre devant ma bouche la manche de ma chemise. Je descendis ; il me semblait avoir déjà, non seulement vécu, mais *lu* cette descente. Je happais ces instants au fil de *L'Affaire Charles Dexter Ward*. L'échelle s'abîmait dans l'obscurité jusqu'à une esplanade étroite, suspendue au milieu de nulle part, et communiquant avec de nouvelles marches. De part et d'autre de l'escalier, ma lampe éclaira une maçonnerie ancienne ; je vis, accumulée sur les murs suintants, une mousse malsaine. Les degrés de pierre s'enfonçaient toujours plus bas. J'avais compté une trentaine de marches environ, quand un son me parvint, très assourdi.

> C'était un son impie ; une de ces basses, insidieuses aberrations de la Nature, qui ne devraient pas exister. Parler de plainte sourde, de gémissement de condamné qu'on traîne au supplice, ou du hurlement désespéré de l'angoisse à laquelle répond le corps sans âme sous les coups, ne saurait

rendre sa hideur fondamentale et ses harmoniques qui vous écœurent jusqu'à l'âme.

Je fus inondé de sueur. C'était bien *L'Affaire Charles Dexter Ward*. Le héros entendait un son similaire, tout en s'aventurant dans les profondeurs du laboratoire d'un affreux nécromancien !

Je restais bouche bée lorsque, au milieu de ce bruit révoltant qui rebondissait en échos contre les murs, je tombai au pied des marches sur une sorte de gigantesque entrée. A la lueur de ma torche, je découvris les hauts murs d'une galerie aux voûtes colossales, percée d'innombrables passages. L'entrée où je me trouvais devait faire une quinzaine de mètres de haut jusqu'au milieu de la voûte, et une trentaine de large. Le sol était pavé de grandes dalles ébréchées, les murs et le plafond faits de maçonnerie revêtue d'enduit. J'étais incapable de me faire une idée de sa longueur, car elle se perdait au loin dans les ténèbres. Certains des passages voûtés possédaient des portes à panneaux, dans le vieux style colonial. Je retins un rire. C'était peut-être cela, le maillage délirant des *Souterrains et Egouts de Providence*.

J'avais plutôt l'impression d'une descente dans une sorte de labyrinthe intérieur, une sorte de *Kabinet des Dr Caligari* du temps des expressionnistes allemands, des mondes sombres d'un Wiene, d'un Murnau ou d'un Fritz Lang première période ; plus je dégringolais, plus je m'aventurais dans les affres délirantes et les élucubrations fantasmatiques d'un auteur créant ce monde brutal et fou – mais qui devait être, ni plus ni moins, l'esprit, ou le cœur intérieur, non pas de cinéastes délirants, mais de Lovecraft lui-même. La Tumeur. Plus je descendais, plus je cheminais dans les méandres de ses délires, vers les sources inconscientes de son inspiration – à moins que celles-ci ne fussent communes à lui et à tous ces inventeurs de contes horrifiques, qui me renvoyaient soudain le miroir de leurs terreurs, leur peur de la mort, leur crainte de découvrir, au-delà, le Rien.

Tu Meurs.

Je dirigeai ma torche à gauche, à droite. Je devinai de petites pièces aux voûtes de pierre nervurées ; là, un réchaud à pétrole abandonné. J'entendais toujours ce bruit lugubre auquel je m'étais presque habitué, et qui semblait venir des tréfonds vers lesquels je m'avançais. Un goutte-à-goutte sordide s'y était ajouté. Mais ma conscience avait enregistré autre chose. Un troisième son juxtaposé aux deux premiers… comme des bruits de pas cadencés, qui s'étaient arrêtés une seconde après moi. Un écho sans doute, un simple écho.

NON ce n'est PAS l'écho, ce n'est pas ça.

Nouvelle vague de sueur.

Je ne suis pas seul.

Je chancelai. A tout instant, je craignais que mes jambes refusent de me porter plus longtemps. Le souffle était derrière moi. Je ne pouvais plus faire marche arrière. Toute retraite coupée. La nuit devant, et des chimères à mes trousses ! Je fis un effort surhumain pour retrouver le contrôle de moi-même.

Un moment plus tard, je parvins dans une nouvelle salle, immense et silencieuse. Il me fallut quelques secondes pour prendre la mesure de la démence qui m'attendait. Des colonnes évoquant les monolithes de Stonehenge y étaient rassemblées en cercle, autour d'un autel sculpté ; je regardai autour de moi, ne devinant que les masses sombres entourant ce cromlech souterrain, couché sous des voûtes séculaires, croisées comme celles d'une cathédrale. Un rayon gris filtrait d'un point indécis de l'espace. Sans doute était-ce l'un de ces lieux, comparable à celui que j'avais vu non loin du chalet de Jermyn, capable de convoquer je ne sais quelle puissance cachée, force tellurique des Anciens Temps. Ouvrir les Portes, pour Les faire revenir... Des émetteurs, ou des récepteurs disséminés de par le monde. Leur présence expliquait-elle l'existence de ces foyers fantastiques, capables de canaliser nos fantasmes et nos terreurs ? Les Carpates, la Transylvanie, Salem, Loudun, Providence... Tous ces lieux de contes maudits, destinés à faire peur aux enfants... Peut-être nous parlaient-ils, avaient-ils quelque chose à nous dire, sur les puissances situées au-delà de l'humain, ces puissances gouvernant l'univers, portées par l'écume de marées éternelles, irisant la surface de sables désertiques, sourdant dans le crépuscule de jungles profondes, jusqu'aux cimetières de cathédrales, perdus aux confins de Manaus et de l'Amazonie ? Les bouches d'ombres, menant aux arches des anciennes Cités... Le silence éternel des espaces infinis... J'étais en face de *preuves*, de preuves impensables.

Je tournai ma torche dans toutes les directions. La flamme se mourait peu à peu. Il me fallut déchirer une partie de ma chemise pour continuer. Je refoulai de toutes mes forces la peur de cet instant où mon flambeau s'éteindrait pour de bon... M'approchant du mur, je distinguai une sorte de frise qui évoquait une vague, émoussée par le temps. Au premier abord, on pouvait la croire gravée de main d'homme ; mais les symboles qui la recouvraient clamaient tout l'inverse. Regardant la frise avec plus d'attention – elle devait courir tout autour de cette salle immense – je m'aperçus qu'elle était entrecoupée de médaillons de pierre, de panneaux hideux, qui semblaient… raconter une histoire. L'histoire d'une civilisation disparue. Mais celle-ci n'avait rien à voir avec ce que j'avais pu fréquenter dans les livres, avec les vestiges des civilisations maya, aztèque ou indo-européenne, même si, par certains aspects, ces marques m'évoquaient des signes lapidaires pré-indiens ou précolombiens. Que pouvaient faire ces ruines ici, dans les *Souterrains et Egouts de Providence ?* A la lueur de ma torche, apparut soudain la sculpture d'une créature immense et affreuse, aux traits indistincts, qui brandissait un Livre au bout de ses tentacules. Je frémis en songeant à Cthulhu. Plus loin, un peuple était agenouillé devant un autel sur lequel tombait une pluie de rayons. Plus loin encore, des portes ouvertes libéraient toutes sortes de chimères hallucinantes et grotesques, comme dans mon rêve. Sur le dernier panneau, un Etre sans visage trônait, et semblait tendre vers moi son index, en une allégorie obscène parodiant le Jugement Dernier.

Je m'arrêtai, le souffle court ; de nouveau, j'entendis les pas.

Tâtonnant contre le mur, je tentai de chasser de mon esprit les visions de plus en plus démentielles qui ne cessaient de m'assaillir. Je redoutais par-dessus tout de m'évanouir sous l'effet de ma terreur. Resterais-je perdu ici, dans l'obscurité de ce cromlech maudit, à la merci de je ne sais quelle créature de la nuit ? Je parvins à une ouverture triangulaire, qui donnait sur un autre couloir. Ses murs, cependant, n'étaient plus ni de béton ni de pierre, mais d'une matière lisse et inconnue, presque… *organique.* Peu à peu, le couloir s'évasait. Le spectacle qui se substitua à ces remparts froids acheva de me jeter dans des abîmes d'horreur. Des tables de dissection étaient alignées à droite et à gauche. Nul cadavre, mais la vision de ces tables grisâtres me suffit ; je fis les efforts nécessaires pour ne pas m'attarder sur les éclaboussures qui les parsemaient. Une balance de céramique froide, destinée à peser des livres de chair, luisait dans le silence. Plus loin, des figures grimaçantes semblaient faire corps avec les murs eux-mêmes. Elles proféraient des suppliques muettes, et paraissaient vouloir s'échapper en hurlant des parois, les mains tendues, les doigts crispés comme des serres. Ces créatures étaient prises dans la tourmente minérale, tels des insectes fossilisés dans je ne sais quel garde-manger. Elles évoquaient les statues de cendres de Pompéi. Certains de ces hommes, ou humanoïdes, étaient écorchés vifs, à la façon de ces mannequins qu'on utilise en anatomie. Le travail, toutefois, avait été fait d'une manière si épouvantable qu'il indiquait des errements répétés. Je me souvins des écureuils, sous la grange des Laurentides. D'autres créatures avaient le ventre ouvert, sur leurs entrailles pétrifiées. Et plus j'avançais, plus ces êtres s'éloignaient d'une apparence normale ; leurs visages se perdaient en ourlets d'une chair que l'on eût dite liquide ; des tumeurs ignobles recouvraient leurs corps ; leur moitié gauche s'achevait dans des protubérances grotesques. Un imperceptible courant d'air circulait entre les créatures, au point qu'elles paraissaient chuinter et que, de proche en proche, je craignais de voir se propager le hurlement inouï des suppliciés.

Je hâtai le pas le long du mur, puis me mis à courir. Je faillis trébucher à plusieurs reprises. J'étais au cœur du labyrinthe, mais dans ce cauchemar, on avait coupé mon fil d'Ariane. J'avançais au hasard, vers un mythique Minotaure… à moins qu'il ne fût cette créature dont je croyais deviner le souffle sur mes talons. A droite et à gauche, s'alignaient maintenant des grilles noires, cloîtrées sur des chambres sarclées d'ombres. J'entendis distinctement un grognement. Puis deux. Et ce fut un chorus, un tonnerre de halètements rauques et de bruits bizarres. Ces chambres – elles étaient *habitées*, vous comprenez. Et mon Dieu, ces grilles noires ! Etaient-elles celles du cœur et des fantasmes scellés de Lovecraft ? Etais-je vraiment dans son *imagination, son* cauchemar ? Le moment approchait, je le sentais dans mon esprit malade et dans chacun de mes membres. Les créatures vinrent se jeter contre les grilles en hurlant, mais dans cette obscurité je ne perçus que des masses noires, aux flancs haletants. Je n'osais croiser ces yeux semés d'étoiles mortes, et me bouchais les oreilles pour échapper à ces hurlements qui m'auraient déchiré les tympans. Je devinai l'écume fangeuse qui ourlait leurs lèvres et gouttait en taches innombrables sur le sol, ainsi que l'échine dentelée de leur dos parsemé d'écailles. Ces créatures, mon Dieu ! Elles n'attendaient que d'être libérées.

Je continuai de courir. Enfin, je trouvai une autre ouverture et m'y engouffrai. Je courus, courus, les murs avaient disparu et mes pas résonnaient comme si j'étais entré dans une salle aux proportions inimaginables, cent fois plus grande et plus profonde que les précédentes. Lentement, je ralentis, jusqu'à m'arrêter au milieu de nulle part. J'eus un regard pour ma torche, mes yeux louchant sur la dernière flammèche mourante. La torche fit un *pschiit !*

Une volute infime salua sa belle mort.

Je ne bougeai plus. Mes sens en éveil.

Le noir partout. Un noir absolu. Le noir des premiers âges. Celui d'avant et d'après le monde.

Je lâchai la torche. Je craignais maintenant à tout instant de basculer dans l'un de ces puits ténébreux dissimulant ces chiens de l'enfer que j'avais croisés, ou l'un des tentaculaires avatars de Cthulhu, rejetons ratés, affamés depuis mille siècles. Je dressai l'oreille. Rien, plus rien que mon souffle. Je n'avais plus aucune notion de direction. Je me contentai de mettre un pied devant l'autre. Combien de temps cela dura-t-il?... Le Temps lui-même n'avait plus de sens. J'avançais dans le noir, c'est tout. Je marchais au hasard, sans but, sans lumière et sans Dieu. Lentement. Si lentement... Et au bout de trois vies, de deux univers, j'aperçus une lueur. Je me dirigeai vers elle, comme un bateau vers le phare, la brebis égarée vers son maudit berger. Alors je la vis, cernée de quatre piliers ornés de flambeaux, jaillissant du Néant pour grimper vers des hauteurs colossales et imprécises, un autel noir posé devant elle, une plaque de marbre noir couchée à ses pieds, semée de signes hermétiques.

La Porte.

Immense et sombre, parcourue d'un étrange éclat métallique, mais aussi, constatai-je en m'approchant, d'une vibration infime. Entourée d'une sorte de bourdonnement électrique, elle était fermée de dix mille verrous, de toutes dimensions. Certains consistaient en des barres d'acier, de la taille d'un bras, d'autres prenaient l'apparence de cylindres et de tiges luisantes. Des milliers de symboles y étaient gravés, invisibles au premier abord, mais disséminés sur toute sa surface. De noirs cartouches les enserraient, auxquels répondaient ceux des piliers composant cet épouvantable péristyle. La Porte disparaissait là-haut, très loin dans l'obscurité, si bien que je ne pouvais en voir le faîte.

Si lumière il y avait ici, elle n'avait rien de naturel. C'était une lumière grise et cendrée, diffuse, comme une aura redoublant la lueur des flambeaux.

Je restai longtemps devant la Porte, minuscule et pantelant. Puis je tombai à genoux devant l'autel vide et muet. Mes doigts rencontrèrent le sol, dont les motifs dessinaient des losanges et des circonvolutions imprécises, rappelant la frise que j'avais vue dans la salle au cromlech. Je m'aperçus alors que j'étais tout près de l'étrange plaque de marbre couchée devant l'autel. Si certains signes étaient illisibles, d'autres en revanche m'étaient parfaitement compréhensibles.

Ils m'arrachèrent un cri de stupéfaction.

HOWARD PHILLIPS
LOVECRAFT
AUGUST 20 1890
MARCH 19 1937
I AM PROVIDENCE

Une Tombe.

Sa Tombe.

Puis vous irez au 454, Angell Street, demain soir. Attendez la nuit. Et cherchez sa tombe.

— Sa tombe ? Au cimetière de… de Providence ?

— Non, David. Sa vraie tombe. C'est à l'intérieur que vous trouverez ce que vous cherchez.

Là ! C'était là !

Je n'eus qu'à effleurer la surface du marbre.

Dans un soupir, la plaque s'ouvrit.

Elle s'ouvrit ! Je me redressai et fis un bond en arrière. Elle glissa totalement de côté… Et je le vis. Son corps

– était-ce vraiment le sien ? – était figé dans une posture semblable à celle que nous évoquent ces sarcophages du Caire. Son visage, ses membres poussiéreux étaient entourés de bandelettes grisâtres – impossible de discerner le squelette, ou les traits. Et seule, entre ses mains, comme s'il la serrait encore dans l'autre monde, une boîte, un coffret ciselé de figures odieuses, et pourvu d'une serrure. Je cherchai fébrilement mes clés. La troisième… La *troisième !*

Comme je m'y attendais, la forme de la serrure correspondait à la perfection – cinq encoches minuscules, destinées à accueillir le clé en étoile. Je la glissai, tremblant, dans la serrure. Simultanément, deux tentacules figurés le long de la boîte s'enfoncèrent. Et d'un coup sec, elle s'ouvrit, ses quatre coins supérieurs se redressant en pétales acérés.

Je ne pus retenir un mouvement de recul… Puis, je posai à nouveau les yeux sur cet écrin maudit. Quelque chose s'y trouvait lové, à la manière d'un serpent. Une fleur fanée, en miettes… Et un livre. Un livre couvert de poussière.

La Souche originelle. Réel, virtuel, que je fusse plongé dans la réalité ou que j'eusse franchi quelque barrière conduisant aux portes mêmes d'un imaginaire maudit, Il était là :

Le Livre.

24

Le Rêveur dans la Tombe

Je me tenais devant lui, tel l'un de ces profanateurs de sépultures, coupable d'avoir sondé les mystères interdits. Le cadavre momifié l'étreignait contre son cœur. C'*était* son cœur. Le cœur de Lovecraft, le recueil de ses fantasmes ultimes. J'allais savoir. Jeter les yeux sur son contenu. Il m'avait rendu fou sitôt que je m'étais mis en tête de le trouver, de me faire chasseur de livres impossibles. Maintenant, j'étais en face de lui. Non, j'étais *dedans.* Lui en moi, moi en lui.

Moi, David Arnold Millow, le personnage d'un songe mort, le songe posthume d'un écrivain fou, momifié, déifié… Et voici que je m'envisageais moi-même comme l'une de ses chimères, une ombre, un fantasme, dansant encore, je ne sais comment, parmi les ombres d'un livre outre-espace. Je n'avais pas cessé d'avoir le sentiment de vivre un cauchemar éveillé. Ce songe cotonneux et morbide m'avait accompagné depuis très longtemps – depuis le début de mon histoire. Lovecraft lui-même n'avait-il pas souvent puisé son inspiration dans ses rêves ? C'en était au point que, de son propre aveu, certains textes n'étaient que des transcriptions de songes fous. Lui qui avait la santé fragile s'endormait souvent à son bureau, nerveusement épuisé. Alors Cthulhu, Dagon ou Nyarlathotep venaient danser leur ronde dans sa tête. Il avait écrit le premier paragraphe de *Nyarlathotep* avant d'être complètement réveillé. Au seuil de ce moment d'oscillation et de confluence. L'entre-deux mondes… où l'on pouvait lever le voile, entrevoir brièvement l'abominable vérité. Cthulhu Lui-même, plongé dans le sommeil au fond de la cité engloutie de R'lyeh, communiquait avec les hommes au travers des rêves. Ce cauchemar de Lovecraft, ou de Cthulhu, m'habitait – à moins que je n'en fusse moi-même le produit, une excroissance affreuse.

Peut-être étais-je, depuis l'origine, en état de choc, en coma profond, dans je ne sais quel lit d'hôpital, à flirter avec la mort – dans l'un de ces états de conscience modifiée qui nous amènent aux portes de l'au-delà, ces *Near Death Experiences* dont on m'avait parlé à plusieurs reprises ?… Suspendu moi-même dans des limbes où le Temps était aboli. Etais-je déjà mort, comme je l'avais envisagé ? Ou bien me trouvai-je, navigateur égaré, *dans la folie d'un autre* ? David Arnold Millow. Déambulant dans l'univers de Lovecraft, de King, de Borges, de Houellebecq, dans celui des livres qui n'existaient pas. Un « Libermaléficonaute » – un voyageur, un navigateur parmi les Livres maudits. Avec la faculté de basculer à volonté d'un livre fou à un autre, dans les méandres de la littérature fantastique ! Je me voyais piégé dans ces contes à dormir debout, dans le labyrinthe des pensées décadentes de leurs auteurs ; sous les traits d'un être irréel et hagard cheminant en éclaireur, en pisteur, au cœur de la géographie du Mal, dans leur imagination de ténèbres… A moins qu'il existât à tout cela un sens, une cohérence finale, une unicité qui m'échappait encore? Etais-je le passager des songes d'un autre, déjà en camisole, dans les tréfonds de l'asile d'Arkham, la prison putride du cœur et de l'inconscient de Lovecraft? Etais-je moi-même un pion, comme le Cercle avait voulu me le faire croire, une créature, un... oui,

— Moi, un *personnage?*

Je vacillai tout à coup, portant une main à ma tête.

Le sang reflua de mon visage.

La Réponse, la Révélation était proche, je le savais, elle était déjà là. Et c'était plus que je ne pouvais en supporter. Je n'avais plus qu'un seul pas à franchir. Un seul geste à faire. Je tendis la main vers le Livre. Son vrai testament. Oubliant ma peur, j'écartai ces bras gangrenés, ces articulations hideuses, vulgaires baguettes de bois. Il me sembla deviner, sous le baume, le masque rieur du squelette.

Je me saisis du volume couvert de poussière.

Je l'avais imaginé de mille façons, marqué de croûtes sanglantes arrachées à des visages hurlants, de membres cherchant à échapper à sa texture impie; la reliure craquant à l'ouverture, les pages jaunies et couvertes de lignes irrégulières. Ou bien, noir et luisant comme une opale sombre. J'avais inventé une infinité de détails au gré de mes lectures, le constituant de tous les ornements dont les auteurs paraient leurs livres impossibles – il devait être, il ne pouvait être qu'une mosaïque de tous ses semblables, l'archétype du livre diabolique. Mais lorsque je le vis, que je me penchai pour le saisir entre les mains du cadavre décharné, dans ce tombeau – je faillis m'évanouir. Je soufflai, fasciné, sur la poussière qui le recouvrait en abondance. Je pus alors en déchiffrer le titre :

Je cillai. *Piège de Lovecraft*… Ce sous-titre… *Le livre qui rend fou*… Comment était-ce possible ? Je n'en avais jamais entendu parler. Pour autant, pouvais-je douter une seule seconde que ce fût là une version authentique du *Necronomicon* ? Seulement… comment Lovecraft lui-même aurait-il pu le baptiser ainsi ? Comment ce livre aurait-il pu lui préexister ? Ne s'agissait-il que de fragments, réunis, recomposés, réarrangés, réinventés par *quelqu'un d'autre* ? Mais alors qui ? L'un de ses héritiers ? Derleth ? Ou était-ce davantage, ce qu'au fond de moi, je n'avais jamais cessé de chercher : non seulement le *Necronomicon*, mais une synthèse de *tous* les Livres maudits ? Porteur de cette vérité définitive sur nous tous – et surtout, sur moi-même, sur l'énigme de mon être, de mon essence, de mon âme inquiète ? *Mon* livre de cauchemar ?

Je frémis. Mais la terreur qui m'emplit alors fut peut-être la pire de toutes, car cette découverte acheva de surpasser tous les scénarios que j'avais échafaudés. Le Livre n'était pas ce grimoire ancien, pétrifié de grimaces, de péchés et de signes obscènes, auquel je m'attendais. Il n'était pas même illustré de la couverture hideuse que j'aurais pu pressentir, l'une de celles qui n'aurait pas déparé dans une librairie spécialisée dans les revues comme les anciennes *Weird Tales, Amazing Stories* ou *Tales From the Crypt*, les pulps et les fanzines, ou les livres à quat'sous des bouges alternatifs spécialisés dans le fantastique ; non, pas d'illustration abominable, ici, pas de créatures mi-organiques, mi-cybernétiques, de monstres jaillis des abysses et s'accouplant dans des élans chimériques, ou de suppliciés semblables à ceux que j'avais croisés dans les souterrains, cernés de formules incantatoires. J'avais imaginé quelque chose de charnel et de cosmique à la fois, de réel et de fantomatique… Mais j'avais devant moi une couverture presque abstraite, au titre tortueux et labyrinthique, dans des tons bleus, évoquant davantage le constructivisme russe que les délires d'un Giger. La poussière ôtée, le Livre présentait non pas l'aspect d'une bible inversée aux pages rongées de vers, mais celui d'une édition courante, aux feuillets blancs et nets, effilés au rasoir. Pas de fermoir rouillé, de crans à tête de mort ou de stigmates parcheminés ! C'était comme si « lui » et Celui Derrière la Porte s'étaient *déguisés* en un livre parfaitement accessible, presque *artistique !* « Celui Derrière la Porte nous abuse, en se faisant passer pour les mille visages de ce qu'Il n'est pas ! », disait Wade Jermyn ! La poussière tombait, et quelque chose acheva de se briser en moi. Je l'avais entre mes mains, la révélation m'attendait, mais je me sentais… piégé par le grand mystificateur. C'était… comme une trahison de Lovecraft lui-même. Mais perpétrée par qui ? Le Grand Satan ?

Figuraient aussi le nom d'un éditeur obscur… et un autre, qui devait être celui de l'auteur. Or, *ce n'était pas le nom de l'Arabe fou* – pas celui d'Abdul Alhazred. Ni celui de Lovecraft.

Ce nom m'était totalement inconnu.

Ce n'est pas du tout ce que vous imaginez, monsieur. Milaud… C'est encore pire.

N'y tenant plus, je l'ouvris.

Après cela, je perdis la raison pour toujours.

Tout m'y avait conduit, tout depuis le départ – et pourtant, jusqu'à cet instant précis, cet instant entre tous, j'aurais pu encore me retenir et résister, refuser ce geste.

Alors pourquoi ? Pourquoi a-t-il fallu que je l'ouvre ?

25

Enlivré vivant

J'étouffai un cri et relevai le visage, les mains toujours crispées sur le livre. Je venais de retrouver le poème oublié de Spencer Willett, ces vers écrits sous je ne sais quelle influence monstrueuse. Ces stances maudites me revenaient soudain, comme des gifles.

Lorsqu'au giron de la lune morte
Dans l'ombre déchaînée aux replis de ténèbres
Le Souffle retentit au son d'un cor sans âge
Que les spectres glissant sur le lac de glèbe
Hululent dans des reflets d'eaux-fortes
Retentit la voix profonde des souvenirs anciens
Pour annoncer des limbes sa venue
Et s'épancher entre les arbres nus
Sors ! Sors !
— N'est pas mort qui à jamais dort.

Spencer Willett
Melancholia ex Tenebris.
A David Arnold Milaud.

Je venais de lire ce qui ressemblait à une dédicace.

Celle-ci me jeta dans le plus grand effarement.

A David Arnold Milaud.

Je continuai de tourner les pages. Je les fis glisser entre mes doigts à toute vitesse, chavirant. Elles étaient imprimées de la manière la plus classique, sans signe ésotérique ni symbole d'aucune sorte, sur du papier qui paraissait issu de presses courantes. C'en était presque pire. Au moment où je lus la première page, je crus que mon cœur allait cesser de battre.

« Vous avez eu la chance de trouver des exemplaires de l'infernal et abhorré *Necronomicon.* S'agit-il de la version latine imprimée en Allemagne au XVe siècle, de l'édition grecque publiée en Italie en 1567, ou encore de la traduction en espagnol, qui date de 1923 ? A moins qu'il ne s'agisse de versions différentes. Pour ma part, je suis obligé de me contenter de l'exemplaire qui se trouve sous clé dans la bibliothèque de l'université Miskatonic à Arkham. Quel malheur que le texte original en arabe ait été perdu !... »

Mes lèvres prononçaient pour moi-même des paroles inaudibles.

Quelques pages plus loin, je poussai une exclamation d'horreur. Cette fois, je récupérai mon patronyme anglicisé de Millow.

Je m'appelle David Arnold Millow et j'habite à Québec. Je suis issu d'une famille d'immigrés français, huguenots débarqués au XVIe siècle dans le Nouveau Monde et d'abord nommés Milaud. J'ai grandi dans une maison de style colonial un peu délabrée, au fronton triangulaire surmontant des colonnes doriques, honnêtement décorée, avec un grand salon faisant face à une cheminée centrale du plus bel effet, une porte d'entrée pourvue d'un heurtoir frappé aux armoiries familiales, à la fois élégant et ridicule. Mon père était universitaire comme moi, ma mère aujourd'hui décédée s'occupait de la maison.

Comment cela, « Je m'appelle David Arnold Millow et j'habite à Québec ? » C'était bien de moi dont il s'agissait ! Je continuai, feuilletant le livre. Hypnotisé, je me plongeai bientôt dans une lecture qui, de seconde en seconde, accentuait mon horreur. Happé par les pages de cet ouvrage inconnu. Où étaient les invocations, les hordes de démons, les panthéons démoniaques, les horreurs tapies derrière d'indicibles formules magiques ? Nulle part, mais en effet, c'était pire, car la magie noire qui en émanait ne tenait ni à la matérialité de son contenu, ni à son apparence, mais au seul fait que ce livre *fût*. A son sens. Il *était* magie. Il était hypnose. Il était vertige. Il était télépathie. Le fil de ces lignes maudites défiait l'imagination. De toute évidence, la grenade psychique était dégoupillée. Les yeux arrimés à ces pages impossibles, les mains crispées sur la tranche, je pris brutalement la mesure du drame. *Ce texte savait tout de moi.* Non sous la forme d'une simple biographie, qui se serait bornée à des détails que n'importe qui d'un peu renseigné eût pu se procurer après quelques recherches. Non, ici étaient couchées mes pensées les plus intimes, noir sur blanc. L'ouvrage violait cette intimité à grands coups. J'y trouvais l'essentiel de ma vie. Ce que j'avais fait, dit, pensé. Le Livre racontait qui j'étais et comment j'avais rencontré Spencer ; comment j'avais cherché à le retrouver dans la grange des Laurentides, et ce que j'y avais vu là-bas dans les souterrains. Il ne se limitait pas à un simple commentaire narratif, mais usurpait le *je* de ma propre identité, pour livrer la moindre de mes émotions, et le long calvaire de ma déchéance mentale. Il n'ignorait rien de moi. Le nom de ma femme, la nature de mes relations avec mon père, l'enfant que nous attendions, ma quête acharnée des livres interdits !

Ce n'était pas seulement une peinture de la folie. *C'était ma propre histoire !* Toute ma vie était narrée ici, et ce, avec une telle connaissance de moi-même, que c'en était tout simplement impossible. Qui pouvait savoir cela ? C'était comme si je l'avais écrit, et jamais, bien sûr, je n'avais rien fait de tel. J'avais été comme espionné *de l'intérieur*, de bout en bout ! Le livre savait jusqu'à des détails insignifiants, connus de moi seul, du moins le croyais-je, ou des détails que j'avais moi-même oubliés. J'avais plus que jamais le sentiment d'être observé. Un gag littéraire ? Impossible. Un complot de la secte, une nouvelle manche délirante de ce jeu de rôles sans mobile, qui m'avait rendu paranoïaque ? Mais qui, *qui* aurait pu tout enregistrer ainsi, jusqu'à la plus subtile de mes variations de conscience ?

Et il y avait pire. Car le livre était – comment l'expliquer – *partisan*, en quelque sorte ! Il me fallut un peu de temps pour le comprendre, mais cela m'apparut bientôt comme une évidence. C'était… comme s'il ne retenait *que ce qui n'allait pas*, vous comprenez. J'avais le sentiment qu'il se permettait, insidieusement, de me *juger* ! Il écrivait mon histoire… mais ne retenait jamais les *bonnes choses*, les sentiments positifs, les doux événements qui avaient pu m'arriver, non – il ne retenait que mes péchés ! Je me formulais ce fait de la façon la plus singulière, et pourtant la plus éclatante. C'était frappant : il n'y avait *rien de bon là-dedans*, pas un seul mot sur le bonheur – en revanche, y étaient consignées toutes mes angoisses, mes turpitudes intérieures, mes névroses, mes pensées négatives, coupables et morbides, mes mauvaises actions, mes faux mouvements. Le récit d'un homme basculant peu à peu vers la folie. Oui, c'était un miroir, mais un miroir grotesque, déformant – il n'était pas objectif ! Ou bien… était-ce vraiment cela, ma vie ? Sa signification pouvait-elle *se résumer* à cela ? Car de la même façon, la Somme de ma vie eût dû réclamer plusieurs milliers de pages, n'est-ce pas ? Or, le livre n'avait rien d'épais, non, quelques centaines de pages peut-être. Et il me mettait sous les yeux… comme l'ADN de *mon* Mal. C'était peut-être cela, le plus horrible… le plus inconcevable.

De nouveau, je dressai la tête. Mes pensées s'accéléraient. Je me replongeai dans ces lignes chimériques, en vacillant. Je me vis égaré dans le décor factice de La Nouvelle-France. Saisi devant la beauté funèbre du lac sous la lune de midi. Je me lus, glacé dans le Pénitencier 666, entrant dans le chalet de Wade Jermyn. Poursuivi par les engoulevents, l'urne entre les bras. Confortablement installé dans un fauteuil, en face de Stephen King. Puis, racontant tout à mon père, rencontrant Derleth sous la tour noire, dans la maison – autant d'épisodes dont je ne savais plus s'ils étaient réels ou rêvés ! Et ce n'était pas tout. Je me vis… là, ici, maintenant – découvrant le livre lui-même !

J'étouffai un cri et relevai le visage, les mains toujours crispées sur le livre. Je venais de retrouver le poème oublié de Spencer Willett, ces vers écrits sous je ne sais quelle influence monstrueuse. Ces stances maudites me revenaient soudain, comme des gifles.

Sans savoir pourquoi, je songeai à l'une des gravures d'Escher, où d'étranges chenilles arpentaient à l'infini des escaliers construits selon d'impossibles perspectives. Elles ne faisaient que descendre, et pourtant, à l'issue de leur voyage, se retrouvaient chaque fois au sommet de l'escalier qu'elles venaient de quitter ! J'étais piégé, comme elles, dupé par une astuce de *perspective.* Les équations absconses du ruban de Möbius glissèrent dans ma conscience. Je jouais du pouce, pour faire défiler les pages devant moi, tel un prestidigitateur avec son jeu de cartes. Je secouais le livre, pages en bas, pour m'assurer qu'il ne contenait rien d'autre. Je tapotais dessus, imaginant un improbable double-fond. Je l'ouvris pour la troisième fois, cherchant la fin… Mais curieusement, la dernière page *imprimée* n'était pas la dernière *existante.* Je portai une main à mon front. Ici étaient en effet retranscrites les réflexions que j'avais en cet instant même. *Le livre s'écrivait sous mes yeux !* Je pouvais ainsi me lire, à mesure de mes actions. Tout ce que je pensais prenait corps devant moi ; et ce, dans le moment même où cette pensée était formulée dans mon esprit. Mes moindres faits et gestes étaient simultanément consignés dans le volume ! Chaque page se remplissait, poursuivant le récit de ma vie à mesure qu'elle s'écoulait, comme les grains d'un long sablier… L'image de Borges feuilletant les pages infinies de son *Livre de Sable*, fulgura à son tour sous mon crâne. Je répétai : « Non, non, non », les mots me manquaient. Et je lisais :

> L'image de Borges penché sur son livre impossible, feuilletant les pages infinies de son *Livre de Sable*, fulgura à son tour sous mon crâne. Je répétai : « Non, non, non », les mots me manquaient. Et je lisais :

— Non, murmurai-je encore.

Je m'arrêtai, refermant le livre avec le sentiment d'être une bête traquée.

Puis je le rouvris au même endroit.

> Je m'arrêtai, refermant le livre avec le sentiment d'être une bête traquée.
>
> Puis je le rouvris au même endroit.

Je refermai le livre de nouveau. L'ouvris.

> Je refermai le livre de nouveau. L'ouvris.

Je le refermai, l'ouvris, le refermai, l'ouvris.

> Je le refermai, l'ouvris, le refermai, l'ouvris.

Je le jetai au loin.

Les yeux agrandis d'épouvante, devant la Porte aux mille serrures, je reculai. Je regardai de loin l'illustration absconse et labyrinthique qui recouvrait l'ouvrage ; tapis derrière cette abstraction tortueuse, je devinai des démons sanglants et fantastiques, jaillis de je ne sais quel esprit perturbé, des suppliciés hurlants et des signes étranglés ; mais je compris que ces hordes n'étaient rien d'autre que des peurs, des ombres, des fantasmes, des projections qui se bousculaient à la Porte. Je ne pouvais plus les contrôler, les empêcher de se libérer. Les pensées les plus folles se bousculaient en moi. Il n'était plus question de canular. L'horreur était bel et bien métaphysique – n'était-ce pas celle-là même que Lovecraft avait inventée ? Je fouillai dans ma mémoire, à la recherche, non pas d'une explication, mais d'un repère, d'une référence, d'une boussole capable de donner à l'impossible un embryon de sens. J'avais lu… quelque part… oui, dans un traité de philosophie hindouiste… Dans mon désordre mental, un souvenir explosa comme une bulle de savon. Cette idée selon laquelle il existait, pour chacun d'entre nous, un « Livre de la vie ». Les Orientaux l'appelaient « archives akashiques. » Sur ses pages, disait-on, étaient consignés les actes et les pensées des vies antérieures de chacun, et les possibilités de nos vies futures… Chacun de nos faits et gestes était-il *écrit*, quelque part ? Cet ouvrage s'inscrivait-il dans mes archives akashiques ? Ou leur infusait-il un reflet de ténèbres, sa cathédrale inversée – le livre noir de ma conscience ? Car je ne l'oubliais pas, je l'avais sous les yeux : cette archive-là était celle de mes péchés, celle de ma folie en marche, la litanie de mes ténèbres intérieures, auxquelles nul, hors Dieu peut-être – ou le Diable – ne pouvait avoir accès ! Tout cela fleurait presque le pacte faustien – à ceci près qu'à ma connaissance… je n'avais rien *signé !*

Un pacte faustien… Le pacte de Cthulhu ? Mais lequel ?

J'avais « mon » livre, mon archive noire. Existait-il un livre pour chaque être humain, un *Necronomicon* ou un *Piège de Lovecraft* pour chacun d'entre nous ? Un recueil fantastique de nos fautes, de nos folies, de nos fantasmes obscurs, inavouables ? Autant de livres que d'âmes, consignant leur versant noir, leur part de ténèbres ? Spencer avait-il… rencontré le sien, lui aussi, avant de devenir fou ? Et les autres ? Etait-ce *pour cela* qu'ils s'étaient suicidés ? Voilà qui venait soudain éclairer leur comportement tout entier, d'une manière certes plus étrange que je ne l'aurais jamais imaginé, mais ô combien compréhensible. Ils avaient cherché à arrêter le livre… *Leur* livre ! Lui échapper !

Je fermai les yeux. Mais aussitôt, s'imprimant dans ma tête et mon âme comme elles devaient le faire, dans le même moment, sous cette couverture, les lignes démoniaques reprenaient possession de moi. Elles défilaient dans ma conscience, spirale infinie. Saletés de lignes. Je retins un ricanement, hanté de nouvelles visions. J'imaginais des milliards de manuscrits rassemblant les empreintes de vies passées, en écho à toutes ces âmes mortes, des âmes abandonnées sur la plage de tous les devenirs, couchées dans une baie lumineuse ou funèbre, éclairée de soleils d'outre-monde… Echelle de Jacob, infinis rayonnages de la bibliothèque des esprits.

J'étais incapable de me détacher de cette abomination. Prisonnier d'un livre ! *Enlivré vivant* ! Le souvenir des dieux lovecraftiens et des démons penchés sur nous depuis les étoiles me taraudait. Ma gorge brûlait d'un irrépressible incendie. Mes yeux chaviraient. *Il m'écrivait !* Mais non, non, non… Je ne pouvais le laisser faire ! Je me retournai. Pourrais-je jamais revenir en arrière, retrouver mon chemin dans le dédale que j'avais traversé ? Et ces monstres qui me suivaient… Etaient-ils là, toujours, en gardiens tapis dans l'ombre ? Qui étaient-ils ?

De l'autre côté, je contemplais la Porte immense… Ne devais-je pas la franchir, pour savoir enfin ce qui se trouvait de l'Autre Côté ? Je serrai les poings. Non, je ne serai pas esclave – surtout pas du pouvoir hypnotique d'un livre invraisemblable ; j'allais lui montrer que j'étais le maître ! Lui prouver que j'étais libre ! Que moi, moi seul, par mes choix déterminés et conscients, pouvais écrire mon destin, être l'auteur de *ma vie* ! Je continuais de tourner autour du livre abandonné sur le sol. Je l'évaluais, le jaugeais, pesant ma vie tout entière, lui adressant des regards d'inquiétude et de défi.

J'allais me battre avec mes propres armes.

Me battre contre ce livre maléfique.

26

Duel

Je pouvais le détruire. J'avisai les flambeaux suspendus aux colonnes qui encadraient la Porte. Qui avait pu les allumer ? Quand ? Oui, je pouvais détruire le livre, ou l'abandonner. Mais il y aurait toujours cet affreux doute… En m'attaquant à lui, je craignais en outre d'accomplir l'irrémédiable. Peut-être était-ce là ce qu'il voulait… Ne risquais-je pas de mourir moi-même ? Allais-je… me gâcher la vie ? Une petite voix intérieure – qui, elle aussi, devait s'écrire en ce moment même – me serinait de ne faire appel à cette solution qu'en dernier recours. Abandonner sans combattre était encore moins acceptable. Comment continuer à vivre avec l'idée que quelqu'un, ou quelque chose, continuait de *m'écrire*, de disséquer mes faits et gestes, de s'approprier mes souvenirs, pour me renvoyer à la figure mes abominations intérieures, mes pensées coupables, mes péchés et le cheminement de ma folie ? Ma vie en otage, disséquée, déformée – en tout cas à mon goût – balayée ! Me revinrent en mémoire les fameux, trop fameux vers d'Hugo, dans son poème « La Conscience »…

... Et la ville semblait une ville d'enfer;
L'ombre des tours faisait la nuit dans les campagnes;
Ils donnèrent aux murs l'épaisseur des montagnes;
Sur la porte on grava : « Défense à Dieu d'entrer. »
Quand ils eurent fini de clore et de murer,
On mit l'aïeul au centre en une tour de pierre;
Et lui restait lugubre et hagard. — « Ô mon père!
L'œil a-t-il disparu ? » dit en tremblant Tsilla.
Et Caïn répondit : — « Non, il est toujours là. »
Alors il dit : — « Je veux habiter sous la terre
Comme dans son sépulcre un homme solitaire;
Rien ne me verra plus, je ne verrai plus rien. »
On fit donc une fosse, et Caïn dit — « C'est bien! »
Puis il descendit seul sous cette voûte sombre.
Quand il se fut assis sur sa chaise dans l'ombre
Et qu'on eut sur son front fermé le souterrain,
L'œil était dans la tombe et regardait Caïn.

Un Œil me regardait moi aussi, jusque dans les profondeurs – *mes* profondeurs. Moi, David Arnold Milaud... jouet servile entre ces lignes ? L'autodafé ne serait que la solution ultime. Au moins cette alternative fixait-elle de manière irrévocable les limites de l'emprise que le livre avait sur moi. Provisoirement rassuré par cette pensée, je commençai mon duel.

Je tâtonnai machinalement au fond de l'une de mes poches, pour y trouver... un stylo rouge. Je l'avais emporté la veille déjà, avec mes cartes, dans mes déambulations. Je m'aperçus qu'il fuyait maintenant comme du sang. Qu'importe. J'attrapai le livre avec détermination. L'enjeu était clair. Je devais reprendre le contrôle. Le *pouvoir*. Lentement, je me rendis directement à la page qui se couvrait, en ce moment même, de lignes blasphématrices. Un numéro se matérialisa, tout en bas, tandis qu'en haut, les lignes continuaient de s'écrire, sans s'occuper de moi.

tout en bas. Plus haut, les lignes continuaient de s'écrire, sans s'occuper de moi.
C'était toujours le même

choc.
Le contact était noué. Le duel engagé.

Je le refermai, deux doigts glissés à la bonne page. Plus j'attendais, plus elle continuait de se remplir, prolongement ou écho de moi-même. Pour espérer le prendre de court, il me fallait agir vite, de manière presque intuitive. *Ridicule. C'est ridicule*... Mais on allait voir ce qu'il avait dans le ventre. D'un coup, je l'ouvris, et tournai la page suivante. Ni écrite, ni lue, elle n'était encore marquée d'aucun numéro. Avant même que l'ouvrage pût attaquer le premier mot de la première phrase de cette feuille encore blanche, j'y apposai la pointe de mon stylo. Avec la rapidité du chercheur habitué à prendre des notes en sténo, je jetai sur le papier ma propre écriture – ma griffe, la seule écriture qui fût authentique, l'écriture manuscrite :

Alors je décidai que le Livre devait cesser de me tourmenter, et disparaître pour toujours.

Le stylo avait fui et a fait une tache. Je refermai le livre. Au bout de quelques secondes, je pris une inspiration et le rouvris. En haut, à la même place, figurait la brève formule que je venais d'écrire. Et mon pâté. Un gros pâté! Mon cœur battit plus fort. Le texte était là : il n'avait pas bougé. Un sourire me vint. Mais dans le moment même où cette pensée s'imprimait dans mon esprit, je m'aperçus que, dans l'espace de ces lignes que j'avais écrites, la main invisible avait su glisser la moindre de mes hésitations, comme des apartés ; et qu'au-dessous de mon texte, les lignes imprimées, froides et impersonnelles, continuaient leur chemin. Sans se soucier de la tache rouge et suintante. Pas moyen de s'en débarrasser ! Mes doigts étaient maculés d'encre.

Tels étaient les mots que j'avais consignés en espérant duper le livre, et je me rendis compte que je m'étais fourvoyé : car les lignes continuaient bel et bien de s'écrire.

Vaincu, je baissai le menton en poussant une exclamation de dépit.

Tels étaient les mots que j'avais consignés en espérant duper le livre…

Il se moquait de moi ! Et la main invisible, par cette amorce narquoise, savourait sa victoire. J'étais de nouveau traité en pantin. Rageur, et comme pour arrêter la progression de ces lignes qui n'en finissaient pas, je griffonnai un trait vertical à la fin du mot qui achevait de s'écrire… Puis du suivant. Puis du suivant. Comme un forcené. Espérais-je, en posant ces murs devant chaque mot, les interrompre pour toujours, ou au moins les ralentir, les suspendre ? Ils poursuivaient, sans prêter attention à mes tentatives. Je griffonnai tant et si bien que j'en trouai le papier. J'eus un sursaut. Puis je raturai des mots entiers, dessinai une spirale rageuse, répandis de nouvelles taches, des symboles cunéiformes rappelant vaguement ceux que j'avais vus mille fois, les symboles de ma folie, des gribouillis furibonds sur la page qui achevait de s'écrire ; enfin, n'y tenant plus, je l'arrachai. Je restai ivre de colère, la main sur la feuille pendante. Je guettai un moment les conséquences de ce geste subit. *Ridicule, c'est ridicule!* me répétais-je. Après tout, je venais d'arracher une page de mon livre akashique. Je craignis de m'en trouver atteint.

Mais il ne se passa rien. Rien, sinon que le livre, avec la même indifférence, avait recommencé à écrire le haut de la page en cours, cette page que j'avais déchirée et jeté en boule loin de moi. « Tourne la page », semblait-il me dire ; « d'autres t'attendent. » Et il recommençait, du premier au dernier mot, à l'endroit où il s'était arrêté ! Il rattrapait son retard de manière presque instantanée. Les lignes continuaient leur danse sous mes yeux. Je les regardais comme j'eusse contemplé une langue vernaculaire inconnue, un dialecte extraterrestre. Les mots avançaient en cadence, en bons petits soldats, avec leurs ronds, leurs pleins et leurs déliés, leurs barres et leurs casques à pointe, une-deux, une-deux, petites flammèches de sens déroulant leur fanfare, et dans ce défilé, ils semblaient sauter un à un à mon regard. Le numéro de la page en cours s'imprima lentement, en bas ; le texte réapparut dans sa plénitude.

Pas une virgule n'était changée.

Et je compris que ma tentative était un échec.

Je refermai le livre d'un geste sec. J'avais parlé de moi à la première personne, imitant le style de la main invisible. Et pourtant, ce *je*, ce *je* était un autre ! Impossible de reprendre le livre à ma charge, de me réapproprier ce contenu qui ne pouvait, qui ne devait appartenir qu'à *moi seul* ! Ma bataille était folle et sans issue. C'était la plus absurde, la plus schizophrénique, et pourtant la plus épique de ma brève existence. Une bataille contre moi-même ! Mais non ! Il ne m'aurait pas ! Pas comme les autres, Spencer, Wade Jermyn ! Il n'aurait pas mon âme !

— Tu m'entends ? Tu ne m'auras pas ! Qu'attends-tu de moi ?

Voici que je lui parlais, maintenant ! Sans doute fallait-il être plus rusé que lui. Il attendait un adversaire à sa taille... Peut-être n'avais-je pas tout tenté. J'avais le sentiment terrifiant qu'il cherchait à me prendre, à m'avaler, me conduire vers la mort. Me pousser au suicide, comme les autres, tous ces gens qui avaient croisé le *Necronomicon* et les livres interdits. M'absorber dans le repli de ses pages, m'emprisonner à tout jamais dans son filigrane ! Le Piège de Lovecraft ! Le Dévoreur d'âmes... Mon dernier souffle, ma dernière expiration, serait alors guettée et captée par ce nouveau shéol. Peut-être possédait-il déjà les souffles de milliers d'autres âmes, des âmes en souffrance, de centaines de milliers de lecteurs, et se nourrissait-il de ces douleurs. De singulières pensées se frayaient un chemin en moi. Ma tumeur avait pu achever son œuvre... Et si j'étais mort, à un moment de mon histoire, sans même m'en apercevoir ? Le livre m'avait-il déjà happé ? Et je me débattais en lui, en enfer, ici et maintenant ! Avec mes souvenirs et ma folie pour seuls compagnons, aux prises avec une impossible vie de papier, un livre de mort !

Et pourtant, je pense ! me dis-je, de la façon la plus incongrue. La réalité autour de moi : un leurre, une illusion depuis toujours ? Un vaste programme informatique, destiné à m'entretenir dans l'erreur et à voiler mon regard, un monde encodé par Dieu, comme il l'était dans les lettres de l'alphabet hébreu, pour les kabbalistes ? Un effet d'optique fondé sur des figures impossibles ? Une gigantesque gravure d'Escher ? L'arrivée du livre avait

peut-être été l'occasion pour moi d'ouvrir une brèche dans un monde virtuel, d'accéder à un autre niveau de réalité, une réalité supérieure.
Celle du livre.

Le cauchemar de Dieu.

Les flambeaux se consumaient, la Porte se dressait, immense, à côté de moi ; de nouveau je tournais autour du livre, mon geôlier. Toutes mes tentatives pour m'en libérer avaient échoué. Non seulement il réécrivait les pages manquantes, mais il rattrapait toujours le moment présent. Je ne pouvais modifier le cours *présent* du livre. Qu'en était-il des pages futures ? *Mon* futur. Au moins le livre ne s'écrivait-il pas par avance. S'il m'avait permis de voir l'avenir, tel l'oracle de Delphes, la Pythie, j'aurais pu m'échapper, tout faire pour en sortir, déjouer ses plans. Mais il me fallait régler mon sort, ici et maintenant. D'une certaine façon, ma liberté était sauve. Je ne pouvais empêcher l'écriture du présent ; mais j'avais toujours le choix d'agir de telle manière, plutôt que de telle autre. Malgré tout, le livre restait *mon* œuvre. L'écriture de mon présent ne pouvait engager l'avenir que dans un faisceau indistinct de conséquences, certes bien réelles, mais dont je devais pouvoir rester le maître. Là était ma force, pensais-je, tandis qu'une onde de chaleur me parcourait. *Le futur était entre mes mains !*

A ce bref soulagement succédèrent toutefois de nouvelles sueurs froides. Dès le début de mon duel, j'avais remarqué que la dernière page imprimée n'était pas la dernière du volume lui-même. Et si je n'étais pas encore mort… *Combien de pages blanches restait-il ?*

La nausée s'empara de moi alors que j'entrevoyais soudain ce nouvel abîme, lorgnant les motifs labyrinthiques de la couverture. J'ouvris le livre : il ne restait... que quelques dizaines de pages. Maximum. Cela voulait-il dire que, lorsque mon destin serait écrit, accompli dans l'espace de cet ouvrage – je rendrais l'âme ? Que je mourrais à la dernière page ? Me restait-il *seulement quelques dizaines de pages à vivre ?* Je tremblais. Et pourquoi pas deux cents, trois cents ? Pourquoi pas un deuxième volume, et un troisième ? Une édition de mes œuvres complètes ! Mais c'était de *ma vie* qu'il s'agissait ! Quand cela cesserait-il ? Et si le livre n'annonçait pas le moment de ma mort – quelle chose affreuse, que de connaître cet instant par avance ! – me poursuivrait-il jusqu'à la fin ? Personne ne pouvait vivre ainsi, l'image de sa mort perpétuellement consignée sous ses yeux, la fin s'approchant à mesure que se remplissaient les derniers feuillets ! Non. Cela ne pouvait durer. Je devais interrompre le cycle, la grande saga du livre de ma vie, ou plutôt de mon cauchemar. Cette fois, j'arrachai les pages par paquets, jusqu'à la fin – toutes ces pages futures qui n'attendaient que de s'imprimer. Lorsque j'avais déchiré la page présente, elle s'était réécrite, certes ; mais sur la suivante. Alors que ferait ce satané bouquin, *s'il n'y avait plus de page suivante ?*

J'attendis, le livre ouvert devant moi. J'attendis de longues minutes, dans le silence éternel de cet endroit.

Rien ne se produisait. Je ne bougeais plus, les yeux rivés sur le livre.

A droite, la troisième de couverture.

A gauche, la page où les lignes s'étaient arrêtées.

Cette fois, j'arrachai les pages par paquets, jusqu'à la fin – toutes ces pages futures qui n'attendaient que de

et c'était terminé. Le dernier mot semblait buter, obstinément, contre l'absence d'une page à écrire, qui ne venait pas, ne venait plus. Enfin quelque chose de logique. Au bout d'un temps indéterminé, je relevai les yeux, empli d'un curieux sentiment de réconfort. Pas de joie véritable, non. J'étais soulagé, bien sûr, mais surtout… comme rendu à moi-même. Mon regard se posa de nouveau sur le livre. Rien. Et voilà, me dis-je en le refermant. Rideau. *La commedia e finita!* Je poussai un long soupir tandis que mes muscles se détendaient. Puis, sans que je puisse l'empêcher, je fus saisi de sanglots nerveux. Je pleurai toutes les larmes de mon corps. Impossible de m'arrêter. Un enfant. Je me moquais de Lovecraft, de ces créatures impies, de cette couverture faussement abstraite. Je me moquais du *Necronomicon*, du *Livre de Sable*, du *Culte des Goules* et de tous les Livres maudits. Je me moquais de leurs cauchemars, de ceux qu'ils avaient engendrés, des miens, de mon imagination effroyable et sans bornes; je me moquais de moi, de ma folie, de ma tumeur, de ma quête absurde et sans objet, de ma vacuité, de l'absurdité de mon être.

Simple, mais il fallait y penser. Arracher les pages du futur! Pas celles du présent, ni quelques pages au hasard. Lui arracher le futur – *mon* futur. Lui clouer le bec à tout jamais. Point à la ligne. A présent que je l'avais vaincu, je le considérais presque avec ce respect dû à un valeureux adversaire. Il m'était de nouveau donné d'écrire ma propre vie. Cette vie absurde et étriquée que j'avais eue. Peut-être était-ce cela qu'il avait cherché à me dire. Que je devais *changer*. Aller au bout de mes obsessions, pour m'en débarrasser. Les surmonter et passer à autre chose. Ce livre incomplet resterait comme un témoin, l'urne de mes propres reliques, le vestige de mes obsessions mortes. Malgré tout, il restait, dans ces pages déjà écrites, *matière à réflexion*. Une réflexion sur moi-même. Etais-je prêt à la mener ? Je regardai la Porte dressée devant moi. Allons ! C'était fini. Toute cette folie, ces tempêtes intérieures, ces fantasmes et ce bal des chimères. Je ne ferais pas un pas de plus. C'était décidé. J'allais rebrousser chemin, et...

De nouveau je fus inondé de sueur.

Je venais d'ouvrir le Livre, une dernière fois. Les pages s'étaient *reconstituées*, et l'écriture continuait sa course. Tapis derrière le labyrinthe de la couverture, les suppliciés et les créatures rampantes ricanaient.

27

Iä! Shub-Niggurath!
La Porte des Cauchemars

J'avais essayé les pages du présent. Celles du futur. Restait mon passé… Autant, dès lors, me résoudre à la seule option envisageable. J'avais détruit des pages entières, elles s'étaient reconstituées. Si je brûlais le livre dans son intégralité, renaîtrait-il aussi de ses cendres ? Cela pouvait signifier ma fin. Tant pis. J'étais désormais prêt à courir le risque. Cette fin, en définitive, serait une délivrance. Mais je ne me rendrais pas, jamais. Au pire, le livre disparaîtrait avec moi, dans l'embrasement final de notre folie commune.

J'attrapai l'un des flambeaux suspendus aux piliers. J'eus du mal à le dégager de l'anneau qui le maintenait. Puis je parvins à m'en saisir et l'approchai du livre. Mes yeux se perdirent dans le bûcher de ma propre vie.

L'ouvrage hérétique fut d'abord léché par la flamme. Puis celle-ci grandit, grandit jusqu'à le consumer entièrement.

Ainsi disparaissait ma vie, une vie dérisoire et sans objet, perdue parmi des milliards d'autres. Je m'y étais tant accroché pourtant, à cette vie ! Même au plus fort de mes hallucinations. Les flammes montaient, des lueurs d'incendie qui me brûlaient les yeux. Ma respiration se fit plus lourde. Je regardai mes mains, guettant le moindre changement, la moindre douleur… Qu'avais-je imaginé ? Que mes mains s'enflammeraient, que je verrais mon corps s'évanouir jusqu'au néant ? Et que je partirais en torche humaine ? Ou bien que, le Livre jeté au fleuve, je serais mort noyé… et que l'on retrouverait de l'eau dans mes poumons ? Mais non. Rien ne se passait. Je restai longtemps à contempler le brasier. Au contraire, à mesure que le volume se consumait, je me sentais revivre. Je me vidais. Mon mal de crâne s'atténuait. Lorsque tout fut achevé, et qu'à mes pieds il ne resta plus que cendres, je souris. Je me remis à marcher, à guetter les sensations et mouvements ordinaires, presque mécaniques, de mes membres. Il était temps de rentrer. Je regardai autour de moi, et…

Oh, je peux le dire – maintenant que je me suis *relu*, et que j'ai compris ce qui s'était passé. C'était tout de même extraordinaire… Je me grattai le front. Mais enfin… J'étais incapable de me rappeler… *où* j'étais, ni d'*où* je venais… J'avais beau chercher… Je ne me souvenais plus de rien.

Je m'étais brûlé, et ne me souvenais de rien !

Totalement désorienté, je considérais le décor cauchemardesque dans lequel j'étais plongé, avec une horreur mêlée de stupéfaction. Je cherchais une explication à ma situation dans les plus infimes replis de sa mémoire. Je n'y trouvais qu'un blanc. Ou plutôt… un trou noir. Pantin de glaise sans mémoire, j'étais vidé de ma substance. J'avais oublié jusqu'à mon nom. Amnésique. Seul au monde, je restais là, hébété, sans savoir que faire. J'avais toute ma tête, si j'ose dire : mais un brouillard confus obscurcissait mon esprit. Je cherchais à me souvenir…

De quoi devais-je me souvenir ?

Et l'effroi sublime s'empara de nouveau de moi.

Car dans le cercueil devant l'autel, non loin de moi, *quelque chose avait bougé.* Il se relevait, vous comprenez. Je Le vis d'abord frémir, puis une main poussiéreuse se dresser et se crisper telle une serre, comme s'Il s'assurait de la souplesse de ses articulations. Dans le même temps, j'entendis un sifflement étrange, venu du fond des âges. D'un coup, le buste se dressa à son tour. La tête bandée pivota vers moi et je vous jure, je vous jure que je vis *ses yeux se tourner vers moi*, en même temps que je crus deviner un rictus immonde étirer ses lèvres sous les lambeaux de linge momifiés. Un rire profond, diabolique, se mit à retentir, tandis qu'il dénouait les bandelettes qui l'entouraient. Avec une prestance étrange, le Dormeur s'extirpa de Sa tombe. J'aurais ri de cette évocation monstrueuse, si je n'avais eu soudain en face de moi l'expression la plus parfaite et la plus indicible de la terreur. Car alors, tout me revint, je fus éclaboussé, submergé d'une lumière noire, et je compris.

Je compris enfin l'évidence, l'enjeu, le *but* du Cercle de Cthulhu.

Il marchait vers moi et je reculai, horrifié. Je découvris son visage osseux et allongé, ses joues creuses, son front haut, son teint blafard, tandis qu'il riait encore en délaissant peu à peu ses oripeaux. C'était… *Lui*, en personne. L'auteur du *Necronomicon.* Je me souvins des dessins et commentaires hallucinants dans la grange des Laurentides. Du Pandémonium délirant, des écureuils, sujets de dissections avortées, ratées, perpétrées par un effroyable alchimiste en quête d'expériences nouvelles, dans les souterrains de l'ancienne mine aurifère. Je me souvins de la « discussion » de Spencer avec son Hôte mystérieux. Des traces laissées sur le sol, comme auprès du cadavre de Thomas, et de Jermyn, mi-homme mi-créature. Du kaléidoscope d'images s'abattant en torrent sur le site fantôme du Cercle de Cthulhu, *flickers* tremblants d'invisibles, au puissant pouvoir de suggestion hypnotique. Des inscriptions et des instantanés épinglés dans la maison du bord du lac – membres découpés, cernés de fils et de pinces ; tête baignant dans un fluide grisâtre. Je me souvins de l'ouvrage d'anatomie humaine, de ces écorchés des écoles de médecine, reproduits sur des cartons jaunes, semés de symboles, de traits et de chiffres abscons… L'illusion de ce fœtus mis à rôtir dans la cheminée, figurine d'argile, ou de cire. Et de toutes ces… formules. Le *Necronomicon* n'était-il pas à l'origine un ouvrage recélant les secrets… de la *nécromancie ?*

Car tel était l'enjeu du jeu de rôles. Le pari auquel se livraient tous ces fous. Le sens du lieu de culte cerné de pierres et d'engoulevents. *Ressusciter le Père.* Le Père du *Necronomicon*, son auteur. C'était cela, qu'ils avaient cherché à faire. Perpétuer son culte. Le faire revivre – mais *au pied de la lettre.*

L'urne. Les cendres. *Ses* cendres. PROFANATION DE LA SÉPULTURE D'UN PAPE DE LA LITTÉRATURE FANTASTIQUE.

Ils avaient essayé. Ils s'étaient rassemblés sous les engoulevents.

Dieu sait comment, grâce aux formules et au livre, ils avaient réussi.

Ils l'avaient fait.

Nous L'avons fait revenir.

Howard Phillips Lovecraft était devant moi, revenu d'entre les morts. Le Cthulhu entre tous, son auteur, était devant moi. Immortel. Mais ils n'avaient pas le droit. Eux aussi avaient blasphémé. Ils avaient troublé Son Sommeil. Et Il était revenu pour se venger ! Il avançait et je vis qu'Il boitait. L'une de Ses jambes traînait, traînait sur le sol, laissant des traces inhumaines. Celles-là mêmes que j'avais déjà vues dans la grange et les bureaux où Thomas avait été éventré, celles que l'on avait retrouvées dans la cellule aux côtés du cadavre de Jermyn broyé par Simon Orne, patte ventousée et déliquescente, comme si Lui-même n'était pas complètement *fini*, comme s'Il avait été *raté*, comme si quelque chose avait échoué dans l'expérience, et que ce Lovecraft-là était… *presque* le bon, presque seulement. L'Ombre qui les avait accompagnés ou possédés, tous. Un zombie, un clone, un succédané ? Une épreuve, ou une copie de l'original ! Un Lovecraft du monde des Ténèbres.

— Bonjour, David, dit alors la créature Lovecraft, d'une voix d'outre-tombe. Ainsi, toi aussi tu es venu jusqu'à moi.

Mais dans ce moment de folie pure et oubliée, je hurlai, comprenant le pire.

Car je réalisai soudain que l'auteur du *Necronomicon* n'était pas seul avec moi. Nous n'étions pas seuls ici, entre ces murs.

— *Tu es venu jusqu'à nous.*

Derrière les piliers… une autre ombre avait bougé. Et là ! Avais-je rêvé ? Non. Autour de moi s'animaient des formes étranges ! C'étaient bien des silhouettes, effrayantes. Elles s'avançaient maintenant en cercle. Des visages blêmes sortaient un à un de l'obscurité. J'avais tout oublié, pourtant je reconnus chacune de ces créatures qui se pressaient maintenant au centre des piliers. Elles poussaient des gémissements lugubres. Je vis Arthur Machen et Lord Dunsany, raides comme des amiraux, le visage pâle et sévère ; je vis Byron en chemise ample, âme consumée qui me dévorait de ses yeux ténébreux ; je vis Mary Shelley, le triangle roux de son sexe nu sous une blouse diaphane, la chevelure de feu déployée ; je vis Bram Stoker, les lèvres striées de filets de sang ; je vis Poe ôtant un masque rouge et défiguré par la peste ; Stephen King ricanant avec sa casquette et hurlant : *Et nous, monsieur Millow ? Et nous tous ? Avons-nous la moindre existence réelle ? Je ne figure même pas dans l'annuaire de Castle Rock !* Je vis Houellebecq flottant dans une veste trop grande, me regardant, les mains jointes dans une posture de sinistre communiant, poète blafard dardant sur moi un regard glacé. Mais alors… Il y avait aussi les vivants ? Les morts… et les vivants ? Ils venaient vers moi ! Une autre Secte Sans Nom, un autre Cercle de Cthulhu ! Et tous, au bras, portaient le Signe ! Je hurlai de toute mon âme… et me tournai alors vers la Porte.

Tout près, sur la stèle noire de la sépulture où reposaient mes deux cadavres, en lieu et place du nom de Lovecraft, je vis se dessiner une à une, avec la plus parfaite netteté : DAVID ARNOLD MILAUD.

Je compris alors aussi, en un éclair, quelle était la fameuse date qui devait figurer en dernier sur le fil des inscriptions portées sur les murs de sa cellule par le dément Wade Jermyn. La date ultime, liée à Providence... C'était celle d'aujourd'hui ! De cet instant terrible ! La date du dernier mort. Mais il ne s'agissait pas de la mort de Lovecraft. La date... elle était *pour moi !*

Tous s'avançaient ! Les monstres marchaient toujours, étrange procession prête à me dévorer, à m'emporter avec elle dans son livre ultime, Lovecraft en tête ! Je trouvai les clés qui ne m'avaient pas quitté et, me dégageant brutalement, je me jetai en direction de la Porte. Parmi les cent mille serrures, l'une d'elles, à ma hauteur, s'imposa à moi. Je saisis la plus lourde et la plus étrange des clés – celle pourvue d'un triangle, gravée de symboles cunéiformes, et de deux tiges de métal pointues aux dimensions différentes. Il en émanait toujours une vibration, un sifflement venu d'ailleurs. Vite, plus vite ! Le Cercle se rapprochait ! Wade Jermyn aux membres broyés, Simon Orne le psychiatre fou, poussant un rire imbécile avec sa batte ensanglantée, Spencer, la moitié du crâne emporté, Deborah et sa chevelure gothique trouée, Thomas éviscéré, et tous, tous les autres les avaient rejoints.

Derrière la Porte, le Souffle était toujours là. Il m'attendait. Il m'avait toujours attendu.

Car je le savais maintenant. Il y avait *Quelqu'un d'Autre encore.*

Le Maître.

Mon Dieu. L'énigme. Le vrai Monstre de ma vie. Celui Qui N'Avait Pas de Nom. Celui Qui Hantait les Ténèbres. Le vrai Maître du Jeu. Une ombre bouffie et narcissique. Il s'était fait appeler *ARANDUL ADDELNAE*, mais ce Nom était une grimace, un maquillage, un rire, oh oui ! Je le savais.

Je touchais au but. A la Fin.

Les ombres continuaient de se rapprocher.

Alors je glissai la clé dans la serrure. A ce contact, les deux tiges s'allongèrent instantanément. Elles tournèrent lentement, puis de plus en plus vite.

Je reculai.

Le Cercle fondait sur moi, et un à un, les mille verrous de la Porte cliquetaient, sur toute sa surface, de haut en bas, dans le plus parfait chaos ! Derrière moi, mêlée au Souffle, l'invocation des créatures de cauchemar montait et montait, en un hurlement défiant toute imagination,

Yayayayayyeyeyyye-yeh-yeh-yaaah !

La cacophonie des verrous dura longtemps, et soudain, tout se tut.

Il y eut un bruit, comme un grand soupir…

Et la Porte s'ouvrit.

Une lumière noire submergea ce monde, et sans plus réfléchir, je fis le grand saut.

Un Trou Noir. Cosmique. Un immense Trou Noir.

De nouveau, comme frappé d'amnésie, j'oubliai tout.

Ah. Ce livre. Ce brouillon jeté à la poubelle. Ce maudit, maudit livre.

Je franchis la Porte, et je fus de l'Autre Côté.

Etais-je

dans le Livre,

ou le Livre

était-il en

Moi ?

Ω

Celui Derrière la Porte

Lorsque je le vis arriver, il clignait les paupières, comme revenu à la vie.

Il se demandait où il était, comme je pouvais m'y attendre.

Dans cette pièce entièrement noire, au plus profond de mon inconscient. Au plus secret de mes abysses. Au plus intime de ma propre tumeur. Je lui avais épargné, pourtant, plusieurs fins alternatives, plus ou moins gore ou grand-guignolesques, auxquelles j'avais pensé. Je l'avais vu, par exemple, franchir la Porte pour faire tout le chemin en sens inverse, sur ces longues routes, mais dans un monde vide et désert, comme abandonné de toutes formes de vie. Jusqu'à retrouver sa maison, son père mort et affalé dans son bureau, sa femme, jambes écartées, accouchant d'une créature de l'ombre, d'un petit Lovecraft ou d'un petit Cthulhu, hurlante au milieu du salon. Et autres délires cauchemardesques. Mon ambition narcissique avait été de m'approcher d'un livre qui pût fonctionner un peu comme un cauchemar surréaliste. Du Dali, du Buñuel. Mon *Chien andalou*, d'une certaine manière. Vous voyez. Une mise en abyme.

Un beau projet d'écrivain. Mon projet à moi : Arandul Addelnae.

Ah, David… Il était parfaitement conforme à la façon dont je me l'étais imaginé. C'était lui, trait pour trait. Ce menton volontaire, ces cheveux sombres, ce visage blafard, ces fossettes au coin des lèvres, cet air dépassé, l'éclair de folie au fond de ses yeux… Il avançait en titubant, terrifié et haletant, les mains tachées de rouge. Nous nous trouvâmes bientôt face à face. Je ne bougeai pas de mon bureau, ce simple bureau tendu de velours cramoisi que j'avais imaginé pour notre rencontre, dans cet espace de l'entre-deux-mondes. Il s'arrêta, indécis. Son costume était maculé d'encre, de chair et de sang. Mon inconscient, mon Ça, dans sa trappe noire, avait également prévu un fauteuil pour lui.

— Je t'attendais, dis-je seulement. Du calme.

Souriant, je l'invitai à s'asseoir. Puis je me contentai de lui glisser le livre.

— Tu as tout oublié. Reprends depuis le début. Lis, et parlons.

— Mais… *Mais*…, dit-il.

Puis, sa respiration se calma peu à peu. Il regarda derrière lui : la Porte avait disparu. Alors il s'assit, sans oser rien dire, ni rien faire que saisir le manuscrit.

Il me regarda, puis de nouveau le livre.

Il l'ouvrit… et se mit à lire.

C'en était presque amusant. Il semblait *vraiment* avoir tout oublié. Comme je l'avais décidé. Un peu gratuitement. Seulement pour cet effet dramatique-*là*. Les sourcils froncés, l'air attentif, il se plongea dans l'ouvrage. Je vis rapidement diverses émotions se peindre sur son visage. Fascination. Joie. Epouvante. Comme si ces pages, ce récit lui étaient familiers. Il lisait, et tout lui revenait. Il comprenait peu à peu. Son front s'éclairait, puis reprenait son teint livide. La *mémoire* refaisait son chemin. Il se retrouvait à vue d'œil, récupérait son identité. Lui, le poète malgré lui, l'exilé en mon royaume. Il avait d'abord eu l'impression de découvrir le texte pour la première fois. Mais son nom… Ce père d'un autre âge, dans sa vieille demeure… Cette université familière… Spencer Willett… La grange maudite, la tuerie de Laval… Cette conversation sur la nature du réel, restituée mot pour mot, avec le professeur Verhaeren… Jermyn, Derleth… Les indices de cette mémoire fantôme le mettaient, un à un, sur la voie de la compréhension. Des retrouvailles avec lui-même. Il haletait, souffrant comme si sa tumeur lui était revenue.

Crispé, il porta une main à sa tête.

Le héros de mon *Piège de Lovecraft*. Mon petit Golem.

Chaque ligne lui restituait un souvenir oublié. Il assistait au spectacle intégral de sa vie, depuis le début de l'histoire. Il relisait son journal intime. Mis bout à bout, ces lambeaux refaisaient sens en son âme. Il se lut ; il lui arriva de rire, et surtout d'avoir peur. Lecteur de sa propre existence, il en retrouvait le goût et l'horreur. Pendant ce temps, je continuais de l'écrire, et de le regarder. Chaque pièce du puzzle de sa conscience se mettait de nouveau en place, une autre case venait à se remplir. Bien sûr, il ne pouvait se souvenir simultanément de *tout* ce qui lui était advenu. Sa mémoire, comme la nôtre, était une infinie bibliothèque ; les tiroirs s'ouvraient lentement, certains s'obstinaient à rester fermés. Il relisait son destin, se retrouvait entre ces lignes avec l'étonnement d'un enfant s'éveillant devant un spectacle terrible. Ses mains tremblaient, il poussait parfois des exclamations devant le florilège d'horreurs que je lui avais concocté, comme en face d'un conte morbide. Drôle d'effet que celui de relire le roman de sa vie – son drame. De chaque événement, il était le complice brutalement ressuscité, l'ami en même temps que l'ennemi le plus cher. Il songea qu'il manquait d'amour, et fut épouvanté lorsqu'il comprit la signification même de ce livre. Il lui parut vivre de nouveau toutes ses douleurs et tous ses naufrages – puis il me regarda.

Il vit, au-dessus de mon bureau, une série d'autres livres, soudain jaillis de mon inconscient. Il les vit danser au-dessus de moi. *L'Appel de Cthulhu, L'Affaire Charles Dexter Ward, L'Abomination de Dunwich*, mais aussi les *Histoires Extraordinaires* de Poe, *Cujo* et *Shining*, un coffret de la *Quatrième Dimension* et de *Twin Peaks.* J'attendis quelques secondes avant de lui parler.

— Tu as brûlé le livre dans ton monde, lui dis-je. Mais je fais toujours au moins deux sauvegardes, et j'ai d'autres exemplaires… Tu ne peux pas te débarrasser de moi comme ça.

Il me fixait, bouche ouverte, détaillant à son tour mon visage.

— Tu comprends ? Ça y est. Tu es passé de l'Autre Côté, David, lui dis-je. Enfin, presque.

Il embrassa du regard la pièce où nous nous trouvions. Celle où il était apparu devant moi, surgissant de mon imagination. Cette pièce tendue de noir. Ce bureau au sous-main de velours, rouge profond. Le réel, comme la fiction, menaçaient de s'infiltrer partout, dans cette brèche que j'avais ménagée entre les mondes, pour notre rencontre. Notre *dialogue.*

— Où… Où suis-je ?

Il papillonna des yeux, et pour la première fois j'entendis sa « vraie » voix. Tout à fait comme je l'avais travaillée. Assez grave, en mode mineur. Sèche et éraillée.

— Un verre ? lui proposai-je. Tu dois avoir besoin d'un remontant.

Il me suffit de les visualiser en pensée pour faire apparaître un carafon et deux verres de whisky. L'imagination a ses côtés pratiques.

— N… Non.

J'eus à mon tour un large sourire. Il regardait encore tout cela en se demandant dans quoi il avait pu tomber.

— Tu veux savoir où tu es ? dis-je. Eh bien… tu es dans mon inconscient, David. Tu es dans mon *Ça.* Mais reste assis, je t'en prie. Bienvenue dans mon Ça.

— Q… Quoi ?

— Délirant, ou poétique ? Réussi ou raté ? A toi de choisir. Ne le sens-tu pas ? Une poésie noire, étrange sans doute. Que se dispute-t-il entre ces murs ? Quelles confusions ? Quelles émotions ? Quelles amours, quelles haines ? Quels mythes ? Tu es en moi, David, je suis en toi. Tu es mon incarnation, moi ton dieu. Nous sommes ensemble, en moi. Dans mon antre. L'espace le plus secret de mon être. L'espace tabou.

Il me regardait sans comprendre. Je ne pouvais lui en vouloir. Il fallait s'habituer. Je fis une pause, puis :

— Tu as bien cheminé dans l'univers d'un romancier, David. Fou et narcissique, sans doute, orgueilleux et plein de désirs. L'univers d'un romancier, mais pas *exactement* celui de Lovecraft.

Il me regarda, suffoqué.

— Hé oui. J'ai blasphémé. Pardon.

Je toussai, gêné, en me servant un verre.

— David… Je suis ton Père !

Je retins difficilement un rire idiot, avant de poursuivre :

— Tu avais raison de croire en la conspiration universelle. Elle existe bel et bien. Ce dieu que tu cherches dans ta nuit, c'est moi. Ton alpha et ton oméga, ton commencement et ta fin. Je suis ton destin. *I AM PROVIDENCE !*

Je rapprochai de moi le carafon. Mes yeux chaviraient un peu.

— L'Entité Derrière la Porte… Celle que tu as vue dans ton cauchemar, c'est moi.

Je cherchai le bon feuillet.

— … Permets-moi de me relire.

Puis je Le vis. Ou bien, je La vis. L'Entité. La Chose, l'Etre, Celui Que l'On ne Pouvait Nommer, Celui Derrière La Porte. Etait-il l'un d'Eux ? Le véritable Maître du Jeu ? Je ne le sais. J'entendis Sa voix, je perçus Son souffle. Dans ce rêve, je marchais dans plusieurs dimensions, j'arpentais le cosmos au milieu des constellations, dans des tourbillons de matières, de gaz et d'étoiles en formation ; je plongeais dans les espaces infinis et éternels, interdit devant l'immensité froide ; je croisais des cités d'un autre âge, et entrevis des symboles qui n'appartenaient pas à la Terre ; des pyramides noires et grises, des frises et des fresques narrant l'odyssée de la Vie comme un carnage. Et enfin, tout au bout, derrière La Porte, *Lui.* Mais comment dire ? A mon réveil, je sus que je L'avais vu, que j'avais senti Sa Présence ; pourtant, je ne parvenais pas à me souvenir de Son apparence exacte. Les traits de Son visage me fuyaient, j'avais gardé *l'impression* qu'Il se tenait en posture assise, derrière ce qui ressemblait à… un autel. Pour le reste, Il avait dans mon esprit l'apparence d'un trou noir. Sa présence était un trou noir… une singularité au-delà de l'horizon des événements. Mais Il était bien là ! Et soudain, dans une langue cette fois parfaitement compréhensible, j'entendis Sa Voix, une voix sourde, tonnante et terrible, qui me disait : *Prosterne-toi ou meurs !* Etait-ce l'un des Grands Anciens ? L'un de ces monstres qui avaient régi la Terre, avant même la préhistoire, et qui attendaient le moment propice, la voie invoquée, pour revenir dominer le monde ?

— C'est ainsi que j'ai préparé notre rencontre, repris-je. Ton complot des étoiles, c'était moi, qui jouais avec les créatures des ténèbres… Tu as cheminé, tout ce temps, dans le territoire de mon imagination. Oui, David. Dans la grange, ce n'était pas vraiment, ou pas *seulement* avec Lovecraft que parlait Spencer. C'était aussi *avec moi*… Quand il a compris qu'il n'était qu'un jouet, comme toi. Et c'est moi, aussi, qui ai décidé de tuer Thomas, et Jermyn dans sa cellule, via Simon Orne… par délire lovecraftien interposé. Lovecraft lui-même était là, tel que tu as fini par le voir. Revenu de Sa Tombe et coexistant avec Spencer Willett, ou avec Simon Orne, prenant possession d'eux, ou soutenant leur geste… avant de tuer ! Mi-homme, mi-monstre ! Mais moi aussi, j'étais là. Car c'est moi qui ai tout agencé. Toutes ces rencontres sur… Mythique !

Je ris.

— Car ici, vois-tu, je suis libre. Tout-puissant.

David continuait à me regarder, pétrifié d'horreur.

— J'ai pourtant essayé de te prévenir. Je t'ai envoyé des Signes, j'ai disséminé des indices… De multiples signes, pour te préparer. C'est qu'ici, au moins, je suis le maître du monde… Ici au moins (et je repris une gorgée de whisky) je suis un génie. Ailleurs, je ne dis pas. Mais ici, je suis *chez moi.* Tu es chez moi, et tu n'es qu'un invité. Vous tous, vous n'êtes que des invités. Et je fais de vous ce que je veux. Moi, Moi, Moi ! Tu comprends ? Mon ego. Mon pitoyable ego. C'est un sujet qui me préoccupe beaucoup.

Effaré, il porta lentement une main à ses lèvres. Je continuai, la bouche pâteuse.

— Mais je voulais te voir, David… parce que je ne suis pas content. Je t'ai donné *deux ans* de ma vie. En commençant, je me disais que j'allais enfin parvenir à… à écrire le livre de ma vie, tu comprends. Du nouveau ! De l'original ! Du jamais vu !

J'écoutai un instant le bruit des glaçons tintinnabulant dans le verre.

— Mais voilà… tu es approximatif. Si le vrai Stephen King, si le vrai Lovecraft, si le vrai Poe te voyaient… A Stephen King, je dois plus d'un hommage. Sans même m'en rendre compte, je me suis aperçu que je rejouais le coup de l'une de ses nouvelles. Le duel entre l'auteur et sa créature. Je l'ai retrouvée après. « La Dernière Affaire d'Umney », *Umney's last case*. Dans *Rêves et Cauchemars*. Tu l'as lu ? Moi oui, je crois, dans mon adolescence. Tu vois, ça a dû me marquer. La nouvelle avait imprimé son empreinte, elle a cheminé dans mon esprit, et je l'ai imitée, comme j'ai pastiché Lovecraft, le tout plus ou moins consciemment. J'ai fait ma tambouille, ici, dans mon *Ça*. C'est curieux ce qui se passe ici – dans cet endroit, David. C'est curieux ce qui est à l'œuvre, dans l'inconscient. Mais après tout… Nous autres écrivains, nous ne sommes que des pilleurs de tombes… Nous nous repaissons comme des vers des influences des autres… N'est-ce pas ?

Je le considérai encore, navré.

— Mais pour porter ce projet, je comptais sur toi. Et j'en suis le premier désolé mais, vois-tu : tu m'as déçu. Malgré tous mes efforts, tu n'es pas crédible.

Il secoua la tête, mesurant peu à peu ce qui se passait réellement.

— Je ne sais plus quoi faire de toi, de ce livre. Mon idée tourne en rond. Ta vie est sans intérêt. Chacun des épisodes qui te sont arrivés était l'un de mes essais, une tentative de reprendre le fil de ton existence, une autre version pour y croire encore, ne pas me décourager.

Je claquai la langue.

— David, tu es une succession de tentatives avortées, une suite d'hypothèses barbouillées par un écrivain ivre. Comme ces créatures, ces personnages dans leur gangue organique, que tu as vus dans l'enfer des suppliciés… J'ai essayé de te sauver, je t'ai suicidé, ressuscité, je t'ai fait traverser mille cauchemars. C'est cruel, je sais. Mais *c'est ton rôle*, Dave. C'était cela, le Jeu du *Cercle de Cthulhu*. Tu étais là pour incarner mon incompréhension… mon incrédulité face au Mal. Mais tu es si prévisible, David, on lit en toi comme… dans un livre ouvert.

J'eus un rire idiot en avalant une nouvelle gorgée.

— Et maintenant, je ne sais plus comment continuer. Je dois trouver l'issue. Il me faut une fin. Et si tu es là, c'est bien la preuve que je suis dans une drôle d'impasse. Il était temps qu'on discute. Que vais-je faire ? Mais qu'est-ce que je vais bien pouvoir faire pour conclure ?

Je regardai pensivement mon whisky, puis relevai les yeux. Lui aussi me considérait maintenant d'un air à la fois terrifié et suppliant.

— Enfin, David, tu ne comprends pas ? dis-je. Ouvre les yeux ! Tu n'es qu'un cauchemar ! Un moment d'ivresse, de paradis ou d'enfer artificiel ! Un délire abstrait et labyrinthique, comme cette couverture! Une *fiction! Tu n'existes pas!*

— Mais... Mais..., dit-il, cherchant une impossible issue.

— Même certains des lieux que tu as traversés n'existent pas... Miskatonic, David! C'est une invention de Lovecraft! Et Castle Rock! *Je ne suis même pas dans l'annuaire de Castle Rock!* Tu sais pourquoi? Parce que Castle Rock est une ville fantôme, Dave, elle n'existe pas non plus! C'est une pure invention de Stephen King – là où il a situé le cadre de multiples intrigues! Tu as cheminé dans des endroits qui n'existent pas, et moi, *nous* à ta suite! Non, tu n'étais pas dans un roman de King, ni de Lovecraft – mais dans le mien! Ah ah! Mon *Piège de Lovecraft!* Soyons clairs. Je n'ai jamais rencontré Stephen King, autrement que dans ses livres, ni jamais vu sa maison... Le King que tu as vu est fictif! Et les paroles que je lui prête sont elles aussi fictives! Ce n'est pas le vrai Stephen King... Mais un King purement fantasmé! Enfin, si je puis dire...

— Non... Non...

— Ecoute-toi, David. Regarde au fond de toi. Interroge le plus profond de ton cœur. De... ton *âme*, si je puis dire... Tu l'as deviné depuis longtemps! Je le sais, parce que je l'avais prévu.

Son désarroi faisait peine à voir. Il finit par bafouiller :

— Mais... j'existe quand même, moi, je... vous ne pouvez pas...

— Dave, tu vois, ça vient. Mais je te l'ai dit, je peux tout. Je suis le vrai Maître du Jeu. *Arandul Addelnae.* Même cela n'est qu'un... pseudonyme navrant. Un piteux anagramme de mon nom véritable!

Je bus une gorgée, effaçant de mon visage une grimace honteuse.

— Tu as le droit de trouver ça lamentable. Moi-même…

Il regardait autour de lui, vacillant. Je me penchai de nouveau.

L'air narquois, je lui dis :

— Te souviens-tu de ce que je me suis amusé à glisser, dans ta chambre d'hôtel de Providence ? « Connaissez-vous la théorie des *p-branes* et des supercordes ? L'univers est composé de cordes vibrantes… Il y a des mondes parallèles, des dimensions parallèles, blabla… Une autre dimension pour une autre vérité… Derrière la PORTE ! » Encore un de ces indices que je te donnais, et que tu n'as pas voulu voir. Toi, David, tu étais dans *ta* dimension. *La Dimension du Livre.*

Il ne bougeait plus, indécis. Je ris.

— Voyons… Te faut-il encore des preuves ? J'en ai une, très simple. Donne-moi le prénom de ta mère… Oui, David… La femme qui t'a mis au monde. Et celui de ton père aussi. S'il te plaît… Donne-moi le prénom de tes *deux* parents.

Il s'était raidi. Il me regardait, halluciné. Puis il fronça les sourcils.

— Eh bien, c'est facile…

Il sembla chercher jusque dans les plus infimes replis de sa mémoire.

Il rit, baissa les yeux, puis me regarda encore, égaré.

— Tu ne le sais pas. Tu ne sais pas le prénom de tes parents ? Mais c'est normal.

Je me levai de mon fauteuil et m'approchai de lui. Puis je posai une main sur son épaule.

— *Je ne l'ai pas écrit.* Tu peux relire tout le manuscrit, si tu veux. Leur prénom, à l'un comme à l'autre, n'est cité nulle part. Tu es une créature de papier. Un agrégat de signes numériques, virtuels. Et des bouts de notes sur des carnets. Tu es un canular, un gag, une légende littéraire, tu es mon interprétation du *Necronomicon* – et comme lui, tu me fais, en même temps, froid dans le dos. Tu es *mon* Piège de Lovecraft, *ma* Porte des Cauchemars, mon *alter ego* maudit, mon reflet de papier. Mon personnage.

Je claquai des doigts.

— Je t'accorde au moins ce que disait Verhaeren. Tu existes par l'imagination, si tu veux. En quelque sorte. C'est vrai. Je t'ai créé. C'est sûr.

Il resta ainsi quelques secondes.

— Mais…, bafouilla-t-il encore.

Il était un plaisir à écrire, dans sa détresse. Je laissai libre cours à mon sadisme. Il me sembla que mille pensées confuses se bousculaient en lui. Ses yeux continuaient de chercher une issue, passant du manuscrit à moi et de moi au manuscrit, scandalisé ; il glissa sur son front une main moite, secoua la tête en se souvenant de tout ce qu'il était, et tout ce qui lui était arrivé. Et enfin, comme s'il était allé au bout de réflexions absconses et douloureuses, il me fixa avec intensité… Puis il vociféra :

— Mais… *Vous êtes un monstre ignoble !*

Des flammes brûlaient dans ses yeux. Je crus qu'il allait me jeter le livre au visage. Je le lui repris pour le devancer, et posai les feuillets sur mon bureau. Je l'entendis alors s'exclamer, d'une voix déformée par la rage et la terreur :

— Vous… Vous disposez de la vie des gens comme bon vous semble ? Vous les rayez d'un trait de plume ? Vous agencez les catastrophes de leurs vies, sans considération de la douleur, du chagrin, des tombeaux laissés derrière vous, de rien ?

— C'est malheureusement vrai, concédai-je.

— Et vous attendez que l'on vous rende grâces, partout dans le monde ! Mais c'est atroce !

— Non, David. C'est divin.

Je me levai lentement de ma chaise.

— Je te l'ai dit. Ici, je fais ce que je veux, j'ai tous les droits. Dans ces pages que tu étreins, que tu subis, qui te tiennent sanglé et prisonnier, c'est moi qui mène la danse. TON AVIS, TES DROITS à toi, c'est vrai : je m'en fous.

Il y eut un long silence, puis il se mit à tourner en long et en large.

— Quel orgueil ! Quelle prétention ! Quelle arrogance infinie ! Et me mettre ainsi en scène et… Pour qui vous prenez-vous ? Vous n'êtes qu'un monstre ! Un… Un porc s'ébrouant dans l'auge de son narcissisme !

— Oui, oui, je te l'ai avoué moi-même ! Mais attends.

Je l'arrêtai. Il se tut. J'attrapai sur mon bureau mon carnet noir. Je notai : *Un porc s'ébrouant dans l'auge de son narcissisme*, et refermai le carnet.

— Vas-y, lui dis-je. Continue, David. Tu commences à être bon.

— Et vous vous emparez de Lovecraft ! Et du *Necronomicon* ! Vous osez ! Mais c'est odieux ! Et… non, non ! Le *Necronomicon* n'existe pas ! C'est une *LÉGENDE* ! Ce n'est pas la *RÉALITE* !

— Peut-être. Mais mon livre, lui, existe bel et bien. Enfin presque. Il est presque fini, si j'ose dire.

Suffoqué, il ne trouva plus rien à dire. J'enchaînai :

— Lovecraft imaginait des Anciens dominant le monde, attendant de franchir les Portes, comme tu les as toi-même franchies. Des monstres issus du fond des âges, de civilisations oubliées… Mais si cela n'était que la métaphore d'une autre vérité ? Et le *Necronomicon* une image déformée renvoyant à cette même vérité ? Lovecraft avait mille phobies, ses créatures sentent le poisson, les céphalopodes et les crustacés, il détestait l'absolu de la Mer, où les humains ne sont que des poussières insignifiantes et dérisoires. Il pensait que le monde avait été créé par des dieux idiots. Il a réinventé Astaroth, Azazel, Gog et Magog. Plus nos connaissances progressent, plus elles lèvent le voile sur cette horreur métaphysique. Dès lors, ce monde ne serait plus qu'un leurre, un cauchemar. Qui vaincra, David, du sens ou de l'absurde ?

Je me calmais un peu.

— Le fantastique, David. Ce décorum, ces goules et ces vampires, ces sombres nécromancies et ces horreurs pétrifiées, ces massacres sans suite… Tout cela ne dit qu'une seule et même chose. Notre cauchemar d'un monde sans Dieu. Moi aussi, David, j'ai franchi ma Porte des Cauchemars… Pour y trouver le monde tel qu'il serait s'il était livré seulement à un matérialisme sans frein, ou aux seules puissances aveugles de dieux païens, à l'ésotérisme pour lui-même, au culte des signes sans le sens, à ces initiations mensongères qui mènent à la folie. Tu me suis ? Il y a deux terreurs, celle de la douleur physique, et celle d'un monde sans espoir de justice et de bonheur.

Je pris encore une gorgée de whisky et secouai la tête.

— Pourtant, David… je fais, intimement, le pari qu'il y a une Entité bienveillante, que tout cela a un sens, que nous retrouverons tous ceux que nous aimons par-delà la mort. Mais je regarde aussi le Mal autour de moi, ce Mal indicible que je ne m'explique pas, et je me dis avec effroi, avec une terreur, vraiment indicible celle-là, celle de Lovecraft : et si je me trompais ? Et si le Mal… n'était pas le Mal, *mais l'absence de réponse métaphysique au problème du Mal*, quelle que soit la définition que nous puissions en donner par ailleurs ? N'est-ce pas cela qui est insupportable ? Cette absence de réponse ?

Je serrai les dents.

— Je regarde la barbarie et la souffrance autour de moi, et je me demande : qui est l'Auteur ? *Qui est l'Auteur*, David, de ces atrocités ? Lovecraft y voit l'œuvre de ces monstres au-delà du monde. Y a-t-il un grand conspirateur ? Qui écrit les pages de ce livre fou, les pages de nos archives akashiques ? Et si Dieu était un écrivain fou, David ? Un poète ? Ne pourrait-Il pas aimer, créer passionnément, adorer ses créatures, mais aussi les tuer, par centaines de milliers, d'une seule *ligne* manifestant sa volonté souveraine ?

Je m'animai de nouveau, passionné.

— … Si le monde était un roman en marche, avec sa dramaturgie, ses espérances, ses pivots, ses rebondissements, ses nœuds dramatiques, ses retournements de situation, ses coups de théâtre ? Si nous étions tous *écrits ?* Sommes-nous les brouillons d'un artiste génial et fou ?

David secouait la tête dans tous les sens.

— Et nous voici décillés ! continuai-je en écartant les bras. Là serait la vraie peur, la véritable horreur ! La mort de toute espérance. Le drame que tu éprouves en ce moment. Ce drame intime, absolu, de n'être qu'un *personnage !* Les acteurs de notre vie ! Un simple masque cachant les traits d'une réalité plus réelle que le réel, et parfaitement insoutenable !

Il me regardait d'un air épouvanté. Je m'attendais à le voir tomber à genoux.

— Et les écrivains, les cinéastes, les artistes, des chimères pathétiques qui règlent cette névrose cosmique, en copiant, en répliquant à l'infini l'action du Créateur, en l'imitant en disciples imbéciles et pataudsâ€¦ De temps en temps, l'un d'eux se croit élu, alors qu'il n'est rien ! Qu'un petit instrument misérable ! Qu'il sera avalé comme les autres, tout gonflé de son narcissisme, pétrifié en lui-même dans sa morgue comme un œuf en gelée ! Il passe à la postérité, une postérité qui salue ses louables efforts, mais qui ne *comprend* pas, David, qui ne comprend pas ce qu'elle fait, ni pourquoi elle le fait !

— Non… Non, articula-t-il. J'existe… Je pense ! *Je suis !* Et je suis un être libre !

— Tu as une liberté *relative*, nuance, dis-je en le désignant de l'index. Ton destin est écrit, et en même temps il se fait. Tant que le brouillon n'est pas achevé, que le synopsis n'est pas en place, que les versions n'ont pas été retravaillées. Je ne suis pas toujours fixé sur ce que tu vas faire. Parfois, je sais que certains doivent mourir et mourront, qu'il en faudra d'autres pour les pleurer. Je souffle le chaud, le froid. Je ne suis pas indifférent. Je *m'amuse.* Dans *mon* cauchemar, Dieu est un enfant joueur, un écrivain irresponsable ! Son idée maîtresse est de nous cacher la fin, le dénouement de son histoire, de son plan ! Il copie la *Poétique* d'Aristote et le théâtre d'Eschyle ! Les événements de chaque vie, programmés dès la naissance, les Parques veillant à leur juste déroulement. Es-tu *vraiment* libre ? Ou sommes-nous tous les personnages d'une tragédie cosmique ? Des Prométhée enchaînés pour toujours, David ! Comprends-tu mon angoisse ? Moi aussi j'ai peur. Sommes-nous libres ? Y a-t-il une espérance après la mort ?

Mon front se couvrait de sueur.

— Mon jeu avec le *Necronomicon* est à l'image d'un monde qui répondrait « non » à cette question. Un monde de pantins et d'idiots. Non seulement matérialiste et sot, mais arrogant dans sa sottise. Un monde qui fait semblant d'oublier Dieu, la transcendance, la justice. Notre monde, David.

Je m'approchai de lui en conquérant, posant une main consolatrice sur son épaule.

— C'est pourquoi nous réinventons le Mal, David. Ce livre est un piège, et tu es dedans. Le piège d'un monde livré à ce seul Mal. Un pour chaque être vivant, l'auteur dément écrivant ses milliers d'histoires, et sous nos yeux ébahis, l'arbre de toutes les vies poussant dans son esprit, une Histoire complexe, relative, interprétative et multidimensionnelle. C'est pour cela qu'il y a des Poe, des Lovecraft, des Borges… Des *Cultes Innommables*, des *Manuscrits Pnakotiques*, des *Révélations du Glaaki*, des bibles inspirées de puissances surnaturelles, et des livres qui n'existent pas.

Je fronçai les sourcils, le poing serré, emporté par mon propre discours.

— Dans le fond, n'as-tu pas eu envie que tes lectures deviennent réalité ? N'est-ce pas le fantasme, le désir plus ou moins conscient de tout lecteur ? Imagine que tu aies ce pouvoir, comme moi.

De nouveau, il y eut un long silence. David dégoulinait de sueur.

Puis, lentement, un sourire étrange déforma son visage.

— Oui ! hurla-t-il soudain. Mais parfois… parfois…

Il me surprit. Il avait un air… que je n'avais pas prévu d'écrire.

— Parfois la créature se rebelle, dit-il. Parfois elle se révolte. Et le personnage t'échappe. C'est qu'à force, il finit par avoir sa propre vie, n'est-ce pas ? Il a son autonomie.

Il continua, les lèvres tremblantes :

— Il ne va pas là où tu avais prévu de le conduire… Il résiste… Il a *sa propre logique*. Et tu ne peux la négliger, tu le sais, sans quoi il est raté, et ton travail est un échec. N'est-ce pas cela que tu me reproches ? *Ton* échec ! Pas le mien ! Toi aussi, tout dieu que tu es, tu es soumis ! Soumis à des règles, des lois qui existent de toute éternité !

J'eus un bref moment d'inquiétude. Sur ce point, il avait raison.

Il pouvait résister.

Il me regardait avec insolence. Il se redressait. Il était digne, enfin. Pour cela, je l'aimais encore. J'avais fait fondre sur sa tête tous mes fantasmes et tous les malheurs du monde, et pourtant, il se relevait.

— Je te renie mon dieu, peu importe ce qui arrivera ! Quel est ce prétendu Etre Suprême qui frappe l'univers de son arbitraire, joue avec ses créatures ? Non, je ne Te reconnais pas, je ne Te reconnais plus ! Vois-tu ? *Je suis libre.*

Je reculai d'un pas. Tout cela ne se passait pas comme prévu.

Il se mit à tourner autour de moi, souriant à son tour. Il… Il me ressemblait.

— Tu me crées, n'est-ce pas ? Mais moi aussi, je te crée… Nous nous *co-créons*… Tu n'es rien sans moi, Toi non plus.

Son rire se fit dément.

— J'ai d'autres vérités à ton service, continua-t-il. Pourquoi t'abrites-tu derrière Dante, Lovecraft ? Parce que tu as peur d'écrire toi-même ton œuvre ? Parce que tu souhaiterais être comme eux, et que tu en meurs ? Pourquoi le *Cercle de Cthulhu* ? Parce que tu voudrais en faire partie ?

Il se planta devant moi. Je baissai les yeux. Ce petit salaud marquait des points.

Il n'était plus ma créature, mais mon double. Mon reflet dans l'ombre.

Et il se permettait de faire mon analyse !

— Ô Muse, donne-moi un baiser, un instant de grâce volé au firmament, un seul ! Donne-moi une parcelle de génie, une fois, une seule !

— MAIS, JE SUIS UN GÉNIE ! hurlai-je en postillonnant.

Je me servis un autre whisky ; des gouttes tombèrent sur le bureau.

Il prenait plaisir à me faire mal à son tour.

— Mais certainement. Ou peut-être n'es-tu qu'un raté, tout dieu que tu es. Peut-être imagines-tu ce Cercle et cette Conspiration, parce que tu rêves *d'en être* et que tu ne peux pas. Alors, tu pérores sur je ne sais quel Système, sur le matérialisme du monde, tu te plais à te vivre comme l'ermite prêchant dans le désert. Mais peut-être, au fond, *n'as-tu aucun talent*, ou trop peu ! Pas de panthéon pour toi ! C'est peut-être cela, *ton* horreur métaphysique ! Tes Grands Anciens, ton malin génie, ton Dieu blasphématoire, c'est peut-être ton ego, ton orgueil, ton arrogance ! Ta quête éperdue de reconnaissance ! Ta quête d'amour !

— Mais… Je rêve…

— Narcisse bouffi d'orgueil, qui rêve de tutoyer les anges, où es-tu dans ce magma ? C'est toi le déchu, l'hérétique, le rejeté ! Et ce livre aussi est ton piège, ta prison, ton enfer ! Ce livre toi aussi te rend fou, il est maudit ! Il est ton don et ta malédiction ! Il n'existe pas, parce que tout simplement, ce livre ultime et absolu, ce livre dont tu rêves, dont tu cauchemardes, tu ne sais pas, tu ne *peux* pas l'écrire !

— Ça suffit ! m'écriai-je. Pour qui te prends-tu ?

Il me regarda, savourant sa victoire.

— Tes dialogues se font pauvres. Tu ne vaux rien ! Tu le dis toi-même… Regarde ce que tu as fait de moi !

Il s'arrêta et écarta les bras, l'air navré.

— Où est-il passé, ton livre ? Que faisons-nous ici, tous les deux ? Ce dialogue est impossible ! Dans quoi nous as-tu entraînés ?

Il retournait mes armes contre moi. Il poursuivit, convaincu de son fait :

— Tu as quarante ans à l'heure où tu m'écris, où tu écris ces lignes. Tu te demandes ce que sera le reste de ta vie, celle de ceux que tu aimes ? De ta femme, de tes enfants ? De tes parents, de tes frères et sœurs, de ta famille, de tes amis les plus chers ? Tu voudrais dire que tu les aimes, mais tu ne sais pas comment ? Mais qu'auras-tu fait pour eux ? Qu'auras-tu fait pour le monde qui souffre ? Auras-tu combattu le Mal que tu dénonces, agi pour une cause, sauvé des vies, endossé des responsabilités, été utile à quelque chose, enfin, pour ce monde malade ? Tu en auras créé d'autres, d'autres mondes tout aussi malades ! *Écrire !* La belle affaire !

Il continuait de tourner et de rire autour de moi. Ce rire me transperça.

— Tu le vois. Tu es aussi vain et inutile que moi. Et je suis libre, même sous ta plume. Je suis libéré, affranchi, déchaîné ! Ton personnage t'échappe ! Je pourrais même décider de te tuer. Pourquoi ce prétexte du *Necronomicon* ? Pirate ! Je suis ton *Necronomicon* ! Je suis ta Porte des Cauchemars, TON piège, tu le dis toi-même ! Belle dramaturgie n'est-ce pas ? Un *tour de force !*

Il osa me mettre à son tour la main sur l'épaule.

— D'autres n'ont-ils pas dit avant moi : Dieu est mort ?

Cette fois, il fallait que cela cesse.

Je frappai du poing sur le bureau. Le verre de whisky tomba et explosa sur le sol.

— Non, David. Tu ne peux pas me tuer.

— Et pourquoi donc ?

— Parce que cela, *je ne l'écrirai pas.* Tout simplement.

Sur une impulsion de mon imagination, mon bureau de travail était apparu dans la pièce noire, ainsi qu'une pile de feuillets, une poubelle…

Et une boîte d'allumettes.

Le Texte.

Tout cela allait trop loin. Il fallait en finir.

Je me dirigeai lentement vers le bureau.

Je saisis la pile de feuillets auprès de mon ordinateur.

Les yeux de Dave se posèrent dessus.

Il avait compris. Une lueur d'inquiétude traversa de nouveau son regard.

Je les observai moi aussi, ces pages, certaines couvertes d'une écriture enfiévrée, d'autres jaillies de l'ordinateur, et ces gribouillis de notes échappés de mes carnets. Et je lui parlai.

— Tout ce que tu dis est vrai. Mon arrogance est d'autant plus grande que j'ai une chance infinie. Mais j'invente des mondes et devant ces papiers, même devant toi, je suis nu et seul. Je suis arrogant, mais tout aussi humble, David. Sais-tu ce que c'est, que de traquer ce point fuyant et impossible, de courir sans cesse après ce bref instant de grâce, pour ne rencontrer, le plus souvent, qu'un mur d'espoirs brisés? Sais-tu ce qu'il faut de souveraineté et de prétention, non pour se hisser par-dessus le monde, mais pour s'abriter, se construire des remparts face à la peur, à la faiblesse, au renoncement qui guette, au fil de chaque ligne? Il faut payer, crois-moi, le prix du sang, du temps, de l'espérance, de la foi qui vacille et qui doute, danser sur le fil des Ecritures en espérant que ces folies sauveront le monde! Ne juge pas, David. Ne juge pas la *tentative*. Reste humble, toi aussi. Cela n'est pas si simple. Devant mon écran, il n'y a que moi. Oui, je suis nu et seul, moi aussi. Nu et seul devant mon Dieu.

— Tu vas me faire pleurer, railla-t-il.

Mais il était ébranlé.

— Pourtant… je reste un dieu, tout de même, dis-je.

Je le regardai bien en face, un amer rictus sur les lèvres.

Ma main caressait les feuillets.

— Oui, la dernière date sur le mur, la date de Providence, c'était la tienne, Dave.

Il se tint droit devant moi, soutenant mon regard.

— *Prosterne-toi ou meurs*, dis-je enfin.

— Non.

— Alors je vais te tuer.

Il ne bougea pas, même si la terreur dans ses yeux était à son comble.

Il me vit lentement prendre les feuillets.

— Je vais te mettre à la poubelle. Tu as raison. Ce roman ne vaut rien. Ce livre de ta vie, David Arnold Milaud, et de ta quête éperdue du livre-piège… Toi qui vins d'entre les morts, tu vas y retourner. Je vais te mettre à la poubelle.

Il pâlit.

Je lâchai les feuillets dans la poubelle, près de mon bureau.

Puis je craquai une allumette.

— *Non!*

La flamme s'approcha du manuscrit.

Je ne dis pas que je n'eus aucun serrement de cœur. J'avais passé tant et tant d'heures, avec lui. Il me faudrait ensuite jeter tous les fichiers informatiques.

— Adieu, David. Et merci, malgré tout. Tu m'as beaucoup appris… sur moi-même.

Je le vis blêmir encore lorsque les flammes embrasèrent le manuscrit. Puis il s'affaissa. David Arnold Milaud me tendit les mains, comme pour me dire qu'il regrettait; il écarta les doigts en m'implorant, me suppliant de tout son être de cesser cela, cette souffrance indicible, immorale et immonde, ses sourcils se redressaient, il pleura, se contorsionna bientôt. Puis il fut transpercé de lumière. De ses yeux, de sa bouche jaillirent des flèches de feu. Il se racornit, se froissa, se rabougrit telle une figure de papier, avant de s'effondrer sur lui-même. De lui, il ne resta bientôt qu'un tas de cendres, dont certaines dansaient en tourbillonnant dans l'air. Je le nettoyai, et ses cendres rejoignirent le papier à la poubelle. *Memento, homo, quia pulvis es*… Il rejoignit la longue série de personnages décimés dans ce roman. Enfin, je me remis à l'ordinateur, faisant pivoter mon fauteuil de bureau.

La machine me regardait. L'écran noir ouvert sur l'abîme.

Je restai longtemps devant lui, ne sachant plus que faire, épouvanté à mon tour. Tout était à recréer.

Puis je pris ma tête entre mes mains, de part et d'autre du clavier,

Dans mon antre, mon *Ça*, ma chambre tendue de noir, je fis tout disparaître,

et moi aussi je pleurai.

Ma femme me retrouva quelques minutes plus tard. J'étais revenu dans le réel.

Le vrai réel, rassurant et tangible – n'est-ce pas ? Le nôtre.

J'étais affalé sur le canapé du salon, avec mon cinquième whisky.

— Un livre sur la folie… Oui… Aller au bout… Jusqu'au bout…

— Ça va ? me demanda-t-elle, inquiète.

— Ouais. J'ai eu une petite explication avec David.

— Qui ça ?

— … Mais, David ! dis-je, agacé.

Elle me regardait, consternée.

— Arnaud, tu parles tout seul depuis des heures. J'ai appelé un médecin.

Une lueur de terreur dans les yeux, elle ajouta :

— Il n'y avait personne ici.

Je regardai autour de moi, totalement égaré. Mon bureau me parut soudain plus vide, plus immense que jamais. J'étais pourtant sûr que…

Je commençais juste à saisir ce qui m'arrivait. Ce qui m'était arrivé… depuis tout ce temps.

Comme une brume… dans ma tête.

Je terminai mon whisky.

E finita la commedia.

Et voilà et mOi Je Suis complètEMENt FoU.

Mais qui parle oh mon Dieu, qui sont ces voix dans ma tête, qui suis-je ? Je suis David Arnold Milaud. *David ?* Non… ce n'est pas David. Mon reflet dans l'ombre. Etait-ce lui, ou moi, dès le départ ? J'étais lui. Il était moi. J'étais deux, nous étions deux, amstramgram. Il, Je, Nous, *je-tu-il*,

JE TUE IL.

Je suis un, double, schizophrénique, multiple ! Je suis H.P. Lovecraft. Je suis fou, moi David Arnold et ces saletés de livres, j'ai ouvert la Porte des cauchemars, la Porte de la Folie mais vous savez il y a des portes qu'il *NE FAUT PAS* ouvrir je l'ai laissé entrer je suis allé trop loin et je ne *PEUX PLUS* revenir de ce bouquin de dingue il me possède m'obsède me hante lui et moi et ses personnages ses ombres ses chimères sa poésie noire et compliquée cette saleté de fleur du mal qui pousse pousse pousse dans ma tête mais –

Qui me parle ? *Iä ! Shub-Niggurath !*

C'est que j'ai reçu mon Livre moi aussi, vous comprenez.

Il m'est arrivé ce matin. Dans ma boîte aux lettres, tout simplement. Sans nom, sans avis, ni cachet d'aucune sorte. Je l'ai tu.

Je n'en ai parlé à personne.

LE PIÈGE DE LOVECRAFT.
Le Livre qui rend Fou.

Mon livre absolu. Mon archive, mon recueil maudit, ma folie.

Et celui-là… il m'était dédicacé.

Je suis prisonnier à mon tour, enfermé à l'intérieur de ces pages ! Mais attention : vous tous qui communiez à ce livre, mon enfer est aussi le vôtre. *Qu'est-ce que l'écriture ? De la télépathie*, disait Stephen King. Vous voilà piégés, vous aussi. Si vous lisez ces lignes, c'est qu'il est déjà trop tard ! Le virus de la lecture, de l'écriture est déjà en vous ! Il vous rendra fou, comme moi ! *VOUS FAITES MAINTENANT PARTIE DU JEU.* Vous êtes membres du Cercle, du Culte, du Réseau ! Ne luttez pas. Qui vous dit, en effet, que vous n'avez pas votre Livre maudit ? Un pour chacun… Oh, ne souriez pas. Il est sur vos traces. Ne croyez pas que vous pourrez l'éviter, le détruire ou lui échapper. Peut-être le tenez-vous entre les mains, sans même le savoir ! Peut-être est-ce *celui-là !* Et si c'est un autre… *Il vous trouvera.*

C'est écrit.

A l'heure où j'achève ces lignes, je me trouve dans ce qu'ils appellent : un « établissement spécialisé en dissonances neurologiques » – un asile, quoi. Sans doute celui d'Arkham, aux confins de la Ville Qui n'Existe Pas. Je ne sais quelles projections, quelles pièces de théâtre, quels fantasmes se sont joués ici, au seuil de mes représentations – et des vôtres. Dans ce *Piège de Lovecraft.* Peut-être le dernier chapitre du *Necronomicon.* Un acte du *Nain en Jaune.* Un fragment des *Manuscrits Pnakotiques.* Peut-être y a-t-il, derrière le rideau, derrière les Portes de Cauchemar, un trou noir, un endroit où nous nous retrouvons, vous et moi. Un Inconscient Collectif. Une Culture. Mon entourage est alarmé et consterné, bien sûr. Tous sont venus me voir. Ils ne comprennent pas. Mon éditeur est venu lui aussi. Il s'inquiète. C'est bien naturel. Il sait que ce genre de choses *pourrait lui arriver.* Alors il me regarde, navré. Il a convaincu les médecins de tenter quelque chose. On m'a laissé un petit ordinateur, pour que je puisse continuer à écrire.

C'est ainsi que j'écris ce livre. Ils m'ont aussi laissé mes anciennes lectures ; en particulier, des romans et des contes fantastiques, *La Couleur Tombée du Ciel, Dagon, Herbert West Réanimateur, Carrie,* mes Livres maudits, mon King et mon Lovecraft. Une forme de thérapie, pensent-ils. Les fous ! S'ils savaient. J'ai essayé de reparler à Stephen King, encore et encore. Il ne m'a pas répondu. J'ai pu entrer en contact avec Michel Houellebecq, mais ils le tiennent, lui aussi. Il ne peut pas me défendre, il ne peut rien faire, je le sais. Je suis seul, seul seul *seul.* Je contemple le monstre bouffi de ma vanité, de ma folie, de mon narcissisme hideux, mon Cthulhu intérieur. Et eux, ces « docteurs » qui me surveillent, je les soupçonne de se servir de moi pour... publier ce que j'écris. Le publier, Seigneur ! Pour que cette horreur, ce virus se répande lui aussi à son tour ! Qu'il réédite la catastrophe du réseau fantôme ! *Que ce cauchemar gagne le monde !*

Ils savent que leur expérience est à double tranchant. Alors ils m'étudient, dans le moment même où j'écris, comme un rat de laboratoire. Sous mon pyjama blanc, ils ont posé des électrodes. Ils m'ont rasé. Et, tenez-vous bien : ils ont trouvé le Signe, caché sous mes cheveux. Le Signe du Troupeau. Il semble que je l'ai toujours eu. Comme King, et tous les autres. Et vous ? Peut-être l'avez-vous aussi. Quelque part. Vérifiez. On ne sait jamais ! *Iä! Shub-Niggurath!* Trois caméras enregistrent mes mouvements. Ils veulent savoir comment je parviens à m'enfuir, à m'évader dans ma tête. Derrière sa glace sans tain, son miroir, un psychiatre qui se prend lui aussi pour Dieu lit simultanément, par écran interposé, les lignes que j'écris en ce moment, une à une. Ces psychiatres ! Ils sont fous ! J'en ai connu un, *Simon Orne*... Dites bonjour ! Saluez-le, saluez Celui

Qui est de l'Autre Côté du Miroir ! Pauvre homme. Il se croit à l'abri.

Et vous aussi – oui, vous tous, derrière cette page… C'est à vous que je voulais en venir.

Je ne sais pas si, en définitive, je parviendrai à l'écrire un jour – ce livre absolu. Ce livre impossible. Ce livre de ma vie, et non de mon cauchemar. C'est vous, en vérité, qui en déciderez. Peut-être changerez-vous l'un en l'autre, les ténèbres en lumière. Je croyais tout contrôler, et je découvre que je suis moi-même le jouet d'autres puissances. Alors… Qui est l'Auteur ? Voilà ce que je me demande, à nouveau. Comme Borges, je fuis mon image dans le miroir. J'ai peur. Qui est ce Dieu caché, qui agence ainsi nos destins, notre vie si belle ou si tragique ? Quelle justice résultera-t-il de tout cela ? Je lève les yeux vers l'immensité de l'espace, je cherche Sa Face et je demande : Qui es-Tu ?

Mais peut-être est-ce toi, Lecteur, le véritable auteur de ce monde ?

Sommes-nous ainsi, tous, lus par Dieu, et nous tous, des lecteurs de Dieu ? Et si l'univers n'était que deux miroirs posés face à face, répétant leurs motifs *ad infinitum*, et nous piégés dans une gravure d'Escher où se débattent les chenilles insensées et stupides ? C'est vous les souris ? C'est moi la souris ! Ils me croient dément ! Mais c'est qu'ils ne savent pas, comprenez-vous ? Vous seuls commencez à entrevoir la vérité. Alors, oui : vous pouvez jouir de votre toute-puissance, tourner ces pages une à une, m'aimer ou me jeter au loin avec mépris, me refermer et me rouvrir, me condamner pour toujours au silence de votre bibliothèque, de ces endroits où mille âmes chuchotent, où sont consignés les actes, les espoirs, les terreurs et les illusions des vivants ! Mais n'oubliez pas : vous aussi, vous êtes attendu, chacun d'entre vous. Vous vous croyez à l'abri ? Mais n'avez-vous pas vous aussi votre part de ténèbres ? Qui vous dit que vous n'êtes pas vous-mêmes de vulgaires personnages ? Des somnambules, éveillés le temps d'un songe, gouvernés par un auteur fou ? En tout cas, prenez garde... Lorsque vous avez des sensations de déjà-vu, que vous regardez précipitamment par-dessus votre épaule, demandez-vous si ce ne sont pas Eux, là... les Anciens, qui vous surveillent.

Qui continuent de vous écrire.

Une dernière chose avant qu'un nouveau crépuscule ne me gagne. J'ai essayé de me suicider plusieurs fois... pour lui échapper. Non que j'aie échoué. Mais c'est peine perdue. Chaque fois, je suis revenu. Je suis prisonnier à tout jamais de ces limbes. Et chaque fois que *quelqu'un d'entre vous* lit ce livre... *c'est mon supplice que vous réitérez.* A chaque nouvelle lecture, la folie de David Arnold Millow recommence. Et la mienne aussi. Je souffre, et souffrirai autant de fois que de lectures – par votre faute... Alors cessez ! Bourreaux ! Tortionnaires ! Je ne suis pas un personnage comme les autres ! *Je suis l'Auteur, Bon Dieu !* Ô, Créatures immondes dont je suis le pantin ! J'ai vécu et je suis mort, mille fois déjà ! Ce Livre est mon tombeau et ma résurrection !

Et si ce monde n'était qu'un gigantesque ruban de Möbius ?

Ô je vous en conjure, renoncez à ce livre, renoncez à moi, ne m'ouvrez pas, ne m'échangez pas, ne me donnez pas – ne me laissez pas traîner ! Et par-dessus tout, je vous en supplie, par pitié, pitié pitié, qui que vous soyez,

NE ME LISEZ PAS !

Mais il faut que je continue à écrire. Pour vivre. Pour vivre. Pour vivre.

C'est le Livre qui m'a dit de le faire.

Il faut que je continue à écrire.

C'est un asile, dans lequel un homme prisonnier, aliéné, écrit sa folie ; ainsi elle commence, ainsi elle finit.

Tout cela, c'est à cause du Livre, vous comprenez. Mais laissez-moi vous expliquer – prenez le temps de me rejoindre, ici, au fond de l'asile d'Arkham. Oh ! Mon Dieu ! Pourquoi faut-il que tout recommence ?

« Vous avez eu la chance de trouver des exemplaires de l'infernal et abhorré *Necronomicon.* S'agit-il de la version latine imprimée en Allemagne au XVe siècle, de l'édition grecque publiée en Italie en 1567, ou encore de la traduction en espagnol, qui date de 1923 ?

A moins qu'il ne s'agisse de versions différentes… »

REMERCIEMENTS

MERCI à mes premiers lecteurs pour leurs avis et remarques mystérieuses et indicibles, Guillaume Delalande, Olivier Delalande et Philippe Carrié ; merci à mon éditeur Christophe Bataille, à Olivier Nora, Manuel Carcassonne, Aline Gurdiel, Heidi Warneke, Jean-Marc Levent, Jean-François Paga, Agnès Nivière, Muguette Vivian, et toute l'équipe de Grasset pour avoir accompagné ce livre maudit.

A l'heure où j'écris ces lignes, il n'est pas douteux que tous soient devenus fous.

SOURCES
(non exhaustives)

Œuvres de Lovecraft, particulièrement :

Night Ocean et autres nouvelles, J'ai lu 2519

L'affaire Charles Dexter Ward, J'ai lu 410

L'Abomination de Dunwich, J'ai lu 4402

Dans l'Abîme du Temps, folio SF

La Couleur tombée du Ciel, folio SF

La peur qui rôde et autres nouvelles, folio, extraits de *Je suis d'ailleurs*, folio SF 84

Lovecraft, 3 vol., coll. Bouquins, Robert Laffont, introduction de Francis Lacassin

- *L'Appel de Cthulhu* (The Call of Cthulhu, 1926)
- *La Couleur tombée du ciel* (*The Colour out of Space*, 1927)
- *L'Abomination de Dunwich* (*The Horror of Dunwich*, 1928)
- *Celui qui chuchotait dans les ténèbres* (*The Whisperer in Darkness*, 1930)
- *Les Montagnes hallucinées* (*At the Mountains of Madness*, 1931)
- *La Maison de la sorcière* (*The Dreams in the Witch-House*, 1932)
- *Le Cauchemar d'Innsmouth* (*The Shadow over Innsmouth*, 1932)
- *Dans l'abîme du temps* (*The Shadow out of Time*, 1934)

Stephen King : *La Tempête du Siècle*, Albin Michel, *Anatomie de l'horreur* (essai, J'ai Lu, 2 volumes) et l'ensemble de son œuvre. Plus particulièrement *La dernière affaire d'Umney*, recueil *Rêves et Cauchemars*, Livre de poche, 2006. Les éléments biographiques concernant le véritable Stephen King sont issus particulièrement de *Stephen King, le faiseur d'histoires*, de Jean-Pierre Dufreigne, éditions Mazarine, 1999.

COMMENTAIRES, ANALYSES, EXÉGÈSES, SITES INTERNET

Houellebecq Michel, *H.P. Lovecraft, Contre le monde, contre la vie*, J'ai Lu, 1999.

Introduction au Necronomicon polonais, par Krzysztof Azarewicz et Arnoldz Misiuna *(extrait de L'Œil Du Sphinx)*.

Moi y'en a vouloir le Necronomicon, par Christophe Thill *(extrait de L'Œil Du Sphinx)* : retour sur la fameuse *Histoire du Necronomicon* de Lovecraft et sur le personnage énigmatique d'Abdul Alhazred.

Des livres à ne pas mettre en toutes les mains, article anonyme, Site latavernedeletrange.kazeo.com › lecture céleste.

Quelques commentaires concernant Le Trésorier de l'interdit de W. Müller, par Daniel Harms *(extrait de L'Œil Du Sphinx)* : dans un ouvrage, l'occultiste allemand Wolfgang Müller prétend avoir retrouvé la trace du *Necronomicon*…

Trois livres que je ne vous conseille pas, par Christophe Thill *(extrait de L'Œil Du Sphinx)*.

Reportage *Un Pèlerinage en Terres lovecraftiennes* de *L'Œil du Sphinx* publié dans le numéro 3 du Bulletin de l'université de Miskatonic.

Numéro 8 de *Murmures* et présentation du livre de Wolfgang Müller, *Polaria*, sur le thème de « Lovecraft, Grand Initié ». Cet occultiste allemand affirme avoir retrouvé la trace du *Necronomicon !* Analyse critique de son ouvrage par Daniel Harms, traduite en français par Christophe Thill.

Dee John, *The Private Diary of Doctor John Dee and the Catalogue of his Library of Manuscripts*. James Orchard Halliwell, Londres, Camden Society, 1842.

Fell-Smith Charlotte. *John Dee*. Londres, Constable and Company, 1909.

Danielewski Mark Z., *La Maison des Feuilles*, Denoël & d'Ailleurs, 2000.

Articles Wikipédia sur Castle Rock, Walpurgis, Providence, Miskatonic, Arkham, le Ruban de Möbius et les villes fictives.

FILMS

Evil Dead I, II, III de Sam Raimi.

Alien, le huitième passager de Ridley Scott.

Event Horizon, le Vaisseau de l'Au-delà, de Paul W.S. Anderson.

Necronomicon, de Christophe Gans, Brian Yuzna et Shu Kaneko.

L'Antre de la folie (In the mouth of madness) de John Carpenter.

Ré-animator /From Beyond / Dagon de Stuart Gordon.

Twin Peaks et l'ensemble de l'œuvre de David Lynch.

Maléfique, de Eric Valette.

Alone in the Dark, de Uwe Boll.

Cthulhu, de Dan Gildark.

Série *Nightmares and Dreamscapes*, saison 1, d'après Stephen King.

JEUX DE RÔLES

L'Appel de Cthulhu : Créé par Sandy Petersen, édité par Chaosium et publié en France par Jeux Descartes.

L'Appel de Cthulhu D20 : Créé par Monte Cook et John Tynes, édité par Chaosium et publié en France par Jeux Descartes.

BANDES DESSINÉES

Les mythes de Cthulhu (1974), adaptation de Norberto Buscaglia, dessins de Alberto Breccia.

JEUX VIDÉO

Alone in the Dark 1,2,3 – 1990, 93,95 – Infogrames.

Daughter of Serpents (titre alternatif : *The Scroll*) – 1992 – Millenium Interactive.

Shadow of the Comet – 1993 – Infogrames.

Prisoner of Ice – 1995 – Infogrames.

Call of Cthulhu : Dark Corners of the Earth – 2006 – Ubisoft.

Et particulièrement *Necronomicon, l'aube des ténèbres* – 2000 – Wanadoo edition, dont quelques éléments graphiques et scénaristiques ont inspiré certains moments de ce roman.

MUSIQUE

The Call of Ktulu de Metallica, album *Ride The Lightning.*

The Thing that should not be de Metallica, album Master of Puppets.

Cthulhu Dawn de Cradle of Filth, album Midian.

Passage des Ténèbres, de Erich Zann (version disparue).

ET BIEN SÛR
L'ORIGINAL UNIQUE ET AUTHENTIQUE

NECRONOMICON

Par ABDUL ALHAZRED, Poète dément de Sanaa.

Cet ouvrage a été imprimé en France
par CPI Bussière
à Saint-Amand-Montrond (Cher)
en mars 2014

Composition réalisée par Belle page

N° d'Édition : 18284. — N° d'Impression : 2007604.
Dépôt légal : avril 2014.